afg
D0513638

DE GEHEIMHOUDER

Paul Harris

De geheimhouder

Vertaald door Waldemar Noë

2009
DE BEZIGE BIJ
AMSTERDAM

Cargo is een imprint van uitgeverij De Bezige Bij, Amsterdam

Oorspronkelijke titel *The Secret Keeper*
Oorspronkelijke uitgever Dutton, New York
Omslagontwerp Studio Jan de Boer
Omslagillustratie Mark Owen/Arcangel/[image]store
Vormgeving binnenwerk Adriaan de Jonge
Druk Bariet, Ruinen
ISBN 978 90 234 4193 9
NUR 305

www.uitgeverijcargo.nl

Voor mijn moeder, vader en broer Mark.
En voor Moira.

Je treurt niet om de doden,
wel om de moeite het graf te graven.

– Een traditioneel Afrikaans spreekwoord

Proloog

[Freetown, Sierra Leone, 2004]

HIJ LIET ZIJN tong over zijn gezwollen tandvlees gaan en proefde bloed. Zijn beul was weg, maar had hem met dit aandenken achtergelaten. De smaak van bitter ijzer in zijn mond waar twee van zijn tanden hadden gezeten, en een verdovende pijn die zó krachtig door zijn kaak trok dat hij dacht dat deze in gruzelementen zou vallen als hij zijn mond opendeed.

De laatste woorden van de beul klonken na in zijn hoofd.

'Wat zou zij hebben gewild dat je zou doen, Danny?' had de man gevraagd terwijl hij zich naar hem toe boog. Danny had zijn adem geroken toen hij de woorden uitsprak, er hing een aroma van frisse mint om hem heen, vanuit een schone badkamer beneden hier naartoe gebracht. Hij had het hem direct gevraagd nadat hij de tang in zijn mond had gezet om zijn tanden eruit te rukken.

Danny had het nooit eerder geweten, maar begreep nu hoe schokkend intiem een marteling was. Hij voelde zich net zo verbonden met de beul als met een nieuwe geliefde, vers blootgesteld, naakt en rauw. Het was een intimiteit die voortkwam uit het vermogen pijn toe te brengen, en die hen samenbracht in een langzame, kwellende dans. Danny stelde zich voor hoe de beul voor een spiegel stond, het mondwater gorgelde en uitspoog in de wasbak. Waarna hij de tang in zijn kontzak stopte en naar boven liep. Op naar het werk. De combinatie van samenballende haat en een verstikkende angst in zijn buik maakte hem opeens misselijk. Hij vocht tegen de drang om over te geven terwijl alles om hem heen begon te draaien.

'Klootzak... vuile klootzak.' Hij spoog het eruit – bij elk moeizaam uitgebracht woord sproeide hij een fijne rode mist uit – en staarde voorovergebogen naar de bruine tegels van het terras, zijn handen strak op zijn rug gebonden.

Niemand hoorde hem. De deur naar het terras was dicht. De beul was weg. En had alleen zijn vragen achtergelaten.

'Wat zou zij hebben gewild dat je zou doen? Vraag je dat maar eens af, Danny,' had de beul herhaald terwijl hij zich nóg dichter naar hem toe boog. Hij benadrukte 'zij', rondde zijn lippen terwijl hij het uitsprak, alsof hij door haar te noemen haar aanwezigheid kon oproepen. Toen had hij Danny met één hand stevig bij zijn kin gepakt en sympathiek geglimlacht, liefdevol zelfs, voordat zijn andere hand hem hard op de kaak raakte. Een gebalde vuist was niet nodig geweest. Een lichte aanraking was genoeg om zijn vernielde tandvlees op te schrikken en stroompjes gloeiende pijn door zijn hoofd te zenden. Daarna vertrok de beul, zijn bebloede handen schoonvegend aan een handdoek die hij vervolgens in een hoek gooide alsof hij zojuist was wezen pissen.

'Denk er maar eens even over na. Ik geef je een halfuur,' had hij gezegd toen hij de kamer uit liep en de deur met een zachte klik achter zich dichtdeed.

Danny hoestte toen zijn mond zich met slijm en bloed vulde, en merkte dat een stroom rode drab van zijn kin af druppelde, op zijn shirt en vervolgens op de stoffige tegels van het terras. Hij wist dat de beul beneden zat, maar het huis voelde leeg. Het stond onbewegelijk en stil in de zware vochtige lucht die over Freetown hing – zoals dat elke avond van het jaar het geval was –, als een dichte deken van onzichtbare mist die de levens verstikte van iedereen die erin gevangen zat.

Danny boog zijn rug en bracht zichzelf in een zittende positie, daarna trok hij zijn knieën in en haalde zijn gebonden handen onder zijn benen door. Zijn armen deden pijn omdat ze op zijn rug gebonden hadden gezeten. Hij strekte ze voor zich uit en probeerde ze te bewegen voorzover het plastic snoer dat in zijn polsen sneed dat toeliet. Toen ging hij zitten, hij hijgde zwaar en probeerde tot rust te komen.

Vanuit zijn nieuwe positie kon hij over de lage muur van het balkon heen kijken. Hij wist niet hoe laat het was, maar het zou bijna middernacht moeten zijn. Niet dat het er iets toe deed. Het enige wat er toe deed was het halve uur dat de beul hem gegeven had. Het had geen zin om aan de toekomst daarna te denken. De lichten van Freetown schenen en knipperden aan de voet van de heuvel, ze werden sterker waar ze samenklonterden in de sloppenwijken van het centrum en de haven. Zo hoog op de heuvel hoorde je niets, maar hij kon zich het rumoer beneden voorstellen, hij kon zelfs het verkeer zien op de oude hoofdweg die de stad uitliep. Een sliert verspreide rode lichtjes bewoog zich richting provincie, een dikkere sliert wit licht kwam deze kant op. Nog verder weg kronkelde de rivier als een slang die zijn bek opende om uit te monden in de baai van Freetown. En dáár weer achter was de zwartheid van de oceaan, als een plas inkt aan de horizon, slechts verlicht door passerende schepen ver weg op zee.

Hij voelde zich al rustiger. De aanvankelijke paniek en ontzetting waren weggeëbd. Hij rook nu voor het eerst dat hij zichzelf onder had geplast. Zijn kruis en been waren vochtig, en de doorweekte stof van zijn broek plakte op zijn huid. Het besef veroorzaakte een golf van schaamte, hij werd opeens teruggevoerd naar een gevoel uit een lang vervlogen kindertijd. Hij wilde verschrikkelijk graag zijn broek uittrekken, zich ervan te ontdoen. Hij wrong zich in allerlei bochten maar realiseerde zich al snel de onmogelijkheid hiervan. Het was hopeloos. Zijn hele situatie was hopeloos. Hij kon hier alleen maar zitten, wachtend op de terugkeer van de beul. Hij begon te huilen. Het was geen angstig gesnik, het waren tranen die in zijn ogen opwelden en zijn blik vertroebelden.

'Wat zou zij willen dat ik nu zou gaan doen?' vroeg hij zichzelf. Hij wist niet zeker of hij hardop had gesproken of alleen maar zijn gedachten had aangepast aan de vraag. Hoe kon hij het weten?

Maria was al drie maanden dood.

Hij bleef zitten, staarde naar de grond en probeerde zich iets van haar voor de geest te halen. Hij dacht aan haar huid, haar geur, het gevoel van haar hand op zijn wang of door zijn haar woelend, haar stemgeluid. Iets. Hij wilde dat ze in zijn gedachten tot leven kwam, zodat hij zich haar antwoord kon voorstellen. Maar zijn geheugen reageerde niet. Hij haalde diep adem, spuugde het verse bloed uit dat zich in zijn mond had verzameld en keek weer over Freetown uit. In de verte knipperden de lichten nog steeds. Nu kon hij nadenken, helder denken over wat hij zou zeggen als de beul terugkwam. Het kon Danny niet echt meer iets schelen wat zij zou willen. Hij wist alleen maar dat hij wilde leven. Ik wil leven, dacht hij. Ik wil leven.

Langzaam elk woord.

Ik – wil – leven.

Hij wilde terugkeren naar de wereld van schijnende koplampen en passerende schepen onder hem. Terwijl hij naar Freetown staarde begonnen er dikke druppels regen uit de hemel te vallen, ze spetterden op de grond. Ze raakten zijn huid en voelden warm aan, warm en welkom en levendig. Nog even en ze zouden als een waterval naar beneden komen, zich vermengen met zijn bloed en tranen, van zijn wangen afstromen en ze schoonspoelen.

I

[Londen, drie maanden eerder]

DE BRIEF LAG op Danny's deurmat, in zijn effen grijze alledaagsheid viel hij op tussen de felle kleuren van ongewenste rekeningen en reclamefolders. Er stond een vlekkerig handgeschreven adres op dat pijn aan zijn ogen deed toen hij zich vooroverboog om hem op te pakken. Het was een onverwachts menselijk accent tussen zoveel getypt drukwerk.

Danny knipperde met zijn ogen, hij voelde hoe de vermoeidheid van de vroege ochtend zijn oogleden nog steeds bij elkaar hield. Zijn hersens moesten de echte verbazing nog registreren, maar er was al een glimp van nieuwsgierigheid. Hij kon zich de laatste keer dat iemand een echte brief aan hem had geschreven niet meer herinneren. Toen zag hij de postzegel en wist waar de brief vandaan kwam.

Sierra Leone.

Hij staarde ernaar alsof er een vreemde op zijn deur klopte die zwijgend en onuitgenodigd bij zijn huis in Londen was gearriveerd. Hij draaide de brief om. Er stond geen afzender op; alleen maar zijn adres op de voorkant, geschreven in een enigszins vrouwelijk handschrift dat behoorlijk naar links overhelde. Hij herkende het niet. Maar dat verwachtte hij ook niet. Zijn gedachten zwermden al om één naam heen. Maria? Het klonk hem direct weer vertrouwd in de oren. In gedachten herhaalde hij de naam, en voelde de klinkers en medeklinkers als de rondingen van een lichaam. Maria, Maria, Maria. Hij draaide de enveloppe nog eens om, bijna bang dat er een nieuwe naam en adres op het beduimelde papier zouden staan. Maar nee. De zijne stonden er nog steeds. Toen hoorde hij gedempte voetstappen achter zich, het zachte geluid van voeten in slippers die naderbij kwamen in de hal. Een arm werd van achteren om zijn buik geslagen.

'Hé schat,' klonk de stem van zijn vriendin. 'Zit er iets voor mij bij?'

Hij draaide zich snel om, blozend van het onverwachte bedrog schoof hij de brief in zijn kontzak en gooide de andere post op het kastje in de hal.

'Alleen maar rekeningen en andere rotzooi,' zei Danny.

Rachel keek hem met een vermoeide maar gelukkige glimlach aan. Haar mooie gezicht werd omlijst door het blonde haar dat voor haar ogen viel die, hoewel ze gebrek aan slaap uitstraalden, nog steeds helderblauw waren in het grijze ochtendlicht van de hal. Ze droeg haar versleten rode peignoir; dezelfde, zei ze, die ze in haar studietijd had. In voor- en tegenspoed.

'Zal ik het straks doornemen?' Ze hield een buitensporig grote mok dampende koffie vast en leunde op haar tenen voorover om hem op zijn wang te kunnen kussen. 'Ik heb een uur vrij vanochtend.'

Danny schudde zijn hoofd en kuste haar. Haar huid voelde goed aan. Zonder het te zien wist hij dat ze haar ogen dicht had gedaan. Dat deed ze altijd.

'Nee, ik doe het wel,' zei hij.

'Oké. Veel plezier op je werk, schat.' Ze glimlachte. Het was haar vaste geintje, modelgezinnetje spelen. Maar het geintje werd elke dag meer werkelijkheid.

'Staat het eten klaar als ik thuiskom?' vroeg hij, haar met gelijke munt terugbetalend.

'Ik geloof dat je vergeten bent, mooie jongen van me,' sprak ze quasiberispend met een glimlach, 'dat ik om twaalf uur het vliegtuig naar Edinburgh moet hebben voor mijn conferentie. Ik ben pas laat terug.'

Hij boog zich naar haar toe en nam haar gezicht tussen zijn handen, hij kuste haar op de mond en treuzelde om zich nog even aan haar warmte te laven. Als antwoord kneep ze in zijn elleboog en hij voelde hoe ze van binnen oplichtte.

'Ik moet gaan. Een goede vlucht,' zei hij. Hij liep de kamer uit en sloot de deur achter zich. Toen voelde hij het gewicht van de brief zwaar in zijn zak. Het voelde niet als papier. Het voelde als lood. Hij wierp een blik op zijn horloge. Het was halfnegen. God, wat haatte hij ochtenden. Hij was alweer laat.

TOEN DE METROWAGON schokkend tot stilstand kwam, schoten Danny's ogen open. In de vier jaar na zijn terugkeer van de oorlog in Sierra Leone was het gedender van de trein een ritme geworden dat hem net zo vertrouwd voorkwam als zijn hartslag, en hij had de gewoonte aangenomen om in slaap te vallen tijdens de ochtendreis. Vóór de oorlog had hij deze tijd gebruikt om zijn aantekeningen te lezen, een blik op de kranten te werpen of zich op zijn dag voor te bereiden. Nu gaf hij er de voorkeur aan om het halve uur in heerlijke onwetendheid door te brengen.

De trein was midden in de tunnel gestopt. Een vertraging. Hij keek om zich heen naar de anonieme menigte medereizigers. Bij enkelen viel lichte ergernis te bespeuren. Rechts van Danny zat een oudere man, stijfjes gekleed in een krijtstreeppak, die leeg voor zich uit staarde alsof hij in een soort trance was. Je kon hem nauwelijks nog van middelbare leeftijd noemen, zijn vadsige gezicht begon zijn lange strijd met de zwaartekracht te verliezen en zakte naar beneden. Danny dacht een onzalig moment lang dat hij eruitzag als een druipende kaars.

De neus van de man was rood en knolvormig, bezaaid

met gesprongen rode adertjes die een voorliefde voor vochtrijke lunches verrieden. Het was een bekend soort neus op Danny's redactie: een merkteken dat gedragen werd door de veteranen uit de hoogtijdagen van Fleet Street, toen voor het uitbrengen van een krant de drank net zo belangrijk was als de inkt. Het was een gezicht waar Danny's vader trots op was. Hij had zijn vader gisteren nog gezien, tijdens een gespannen en pijnlijke zondagslunch die ontsierd werd door twee bekende Kellerman-gewoontes: rode wijn en eerlijkheid. Beide leidden er onvermijdelijk toe dat zijn vader rotopmerkingen maakte over de progressieve krant waar Danny voor schreef. Danny's standaardreactie – zijn tegenaanval – bestond eruit het altijd explosieve onderwerp van de scheiding van zijn ouders ter sprake te brengen.

'Nou, jouw "familiewaarden" hebben we weer gehad, Harold,' sneerde hij in een poging zijn afkeuring van zijn vaders politieke en persoonlijke leven in één keer te uiten. Het gebruik van zijn vaders voornaam was een overbodige toevoeging geweest. Het riekte naar tendentieus progressief ouderschap, een van de schrikbeelden van zijn vaders reactionaire polemieken. Het werkte nog ook. De oude Kellerman was in een monoloog tegen het moderne Engeland uitgebarsten die hij luidruchtig afsloot met frases die Danny duizend keer eerder in zijn vaders columns had gelezen.

Danny haatte deze columns. Maar ze hadden van Harold Kellerman een Fleet Street-legende gemaakt. Ze barstten van de bekende, slaapverwekkende vooroordelen en hadden desondanks tal van journalistieke prijzen gewonnen, dit in schrijnende tegenstelling tot Danny's eigen moeizame carrière van bescheiden primeurs in misdaad en politiek. Daarna was zijn vader door blijven zeuren over zijn echte journalistieke helden: de buitenlandcorrespondenten die hij bewonderde vanwege hun berichtgeving vanuit vuurhaarden over de hele wereld. Als hij het mocht overdoen, sputterde hij, dat zou hij dát pad gekozen hebben, net zoals enkele van zijn jaargenoten uit Oxford. Danny zag deze opmerking als de zoveelste sneer naar zijn eigen carrière en het volgende bewijs van de kloof tussen vader en zoon: een afstand die tegenwoordig niet werd overbrugd door ook maar iets wat op liefde leek. De ruzie was een gênante vertoning geweest, die de aandacht van andere restaurantbezoekers had getrokken. En het werd alleen maar erger door zijn vaders kwijnende gezondheid. Zelfs de alcohol en de woede hadden geen kleur teruggebracht op zijn wangen, die er nu altijd bleek uitzagen.

Met een schok reed de trein nog een paar meter verder, de beweging verschoof Danny's aandacht naar een man die verderop in de wagon stond. Hij was jong, met zo'n donkere huid dat het bijna een zwartig blauw leek. Hij was lang en mager, en was gekleed in slecht passende jeans en een keurig gestreken overhemd. Hij kwam uit Afrika. Danny wist het zeker, en dacht opeens aan de ongeopende brief in zijn zak. Hij voelde hem door zijn kleren heen tegen zijn vlees aan drukken. De zware lucht in de trein begon tropische vormen aan te nemen. Hij was benauwd en verstikkend, hechtte zich aan je huid zoals hij dat ook altijd in Freetown had gedaan, een klamme omhelzing waaraan onmogelijk te ontsnappen viel. Danny begon te zweten.

Hij wilde nu nog niet aan Maria denken. Hij was al in de war omdat hij de brief verborgen had gehouden voor Rachel. Het was, per slot van rekening, niets meer dan een brief van een ex-geliefde. Verder niets. Hij kreeg een acuut schuldgevoel, maar zei tegen zichzelf dat hij niets verkeerds had gedaan. Rachel zou niet willen weten dat een oud vriendinnetje hem had geschreven, wat Maria hem ook te zeggen zou hebben. Het zou haar alleen maar verwarren, net zoals hij niets over Rachels ex-vriendjes zou willen weten, hoewel zij, in tegenstelling tot hem, de verontrustende neiging had om met ze bevriend te blijven. Haar goede inborst scheen voor ex-geliefdes de pleister op de wonde te zijn. Nee, hij had er goed aan gedaan de brief te verbergen. Iedereen had tenslotte recht op zijn verleden. Hij keek weer naar de man tegenover zich. Wie was hij? Een vluchteling uit Oeganda? Een Ghanees die kostbare dollars naar huis stuurde? Was hij de focus van de ambities van een onbekende clan of was hij een eenzame migrant, die alle banden doorsneed om dromen te vervullen die hij voor het eerst op de grond van een stoffige hut had gevoeld? Dromen waarin nooit een stilstaande metrotrein op weg naar King's Cross was voorgekomen.

Het waren de schoenen die verrieden dat de man niet Brits was, dacht Danny. Het was een keurig paar ouderwetse zwarte herenschoenen, van het soort dat Danny eens naar school aan had gehad. Ze waren ongelofelijk glimmend gepoetst. Het waren dorpsschoenen, thuis door de eigenaar gedragen ten teken van trots, maar volledig misplaatst tussen de modieuze mensenmassa's van Londen.

Danny onderdrukte de behoefte te gaan zwaaien. Toen de trein eindelijk in beweging kwam, opende de man zijn ogen en keek recht in die van Danny. Danny keek weg en miste een verbaasde maar vriendelijke glimlach. Opeens was het weer Londen, geen plek om een vreemdeling te ontmoeten. Een paar seconden later, toen de menigte het perron van King's Cross op stroomde, verdween de Afrikaan uit het zicht. Danny zag nog net hoe zijn rug werd verzwolgen door het spitsuurpubliek, terwijl zijn dorpsschoenen hem naar de stad boven droegen.

DANNY WAS TE laat, hij liep de redactiekamer van *The Statesman* binnen en knikte zijn collega's bij wijze van goedemorgen toe. Hij werd verwelkomd door de rommel op zijn bureau die was achtergebleven na de artikelen van vorige week. Het stond vol schuimplastic bekers met peuken die beland waren in een donkerbruine vloeistof die eens koffie had geheten. Danny gooide ze één voor één in de vuilnisbak en rook de geur van doorweekte, verschaalde tabak. Hij wist niet waarom hij nog rookte. Hij genoot er niet van, en de hoestaanvallen 's morgens bezorgden hem pijn in zijn borst. Hij zou eens moeten stoppen, maar zelfs terwijl deze gedachte door hem heen schoot voelde hij een plotseling verlangen naar nicotine. Hij viste een verkreukeld pakje Camel Light uit zijn zak en haalde er een sigaret uit die zo krom was als een boemerang. Hij boog hem recht en stak hem in zijn mondhoek. Terwijl hij dit deed voelde hij de verschroeiende blik van Janet Ellis, de redactrice Gezondheid, die tegenover hem zat.

'Morgen, Jan,' zei Danny, die de sigaret aanstak en zijn longen met rook vulde. Hij nam nog een trek en knipoogde naar haar. Ze kneep haar ogen samen en richtte haar blik weer op de computer. Waarom en wanneer was hij zo bot geworden? Het leek iets te zijn waar hij niets aan kon doen, iets waarin hij veranderd was zonder het te merken.

Hij nam nog een trek, ging zitten en haalde onder een stapel blocnotes die met zijn spinachtige gekrabbel bedekt waren zijn telefoon tevoorschijn. De kiestoon piepte luid, om aan te geven dat hij berichten had. Hij toetste enkele getallen in en scande de koppen van de kranten die voor hem lagen.

U heeft één boodschap, klonk een metalige stem uit de hoorn. Waarop het stijve accent van zijn vader zijn oor vulde. Zelfs wanneer hij een bericht achterliet schraapte de oude zijn keel voordat hij sprak.

'Daniel, je vader hier. Luister, ik voel me niet zo goed over gisteren.' Zijn stem klonk nog even opgeblazen als altijd, maar zwakker dan gewoonlijk, alsof hij tussen de woorden pauzeerde om adem te krijgen.

'Ik denk dat we beiden dingen hebben gezegd die misschien, eh, een beetje ongepast waren. Ik weet dat de toestand tussen je moeder en mij nooit makkelijk voor je is geweest, maar het was voor ons ook niet makkelijk...'

Daniel voelde een golf van woede. Niet makkelijk voor hém? De schoft. Hij was degene die ervandoor ging met iemand die half zo oud was als hij. Hij was degene die zijn vrouw na drie kinderen en dertig huwelijksjaren in de steek liet voor een secretaresse van zijn eigen krant. Voordat het bericht geëindigd was drukte Danny op de wisknop en gooide de hoorn er met een onbedoelde klap op. Weer voelde hij de blik van de redactrice Gezondheid op zich gericht. Hij nam nog één diepe trek van zijn sigaret en drukte hem vervolgens uit in een overvolle asbak.

Toen herinnerde hij zich de brief weer. Hij voelde in zijn zak en viste hem eruit. Hij staarde er opnieuw naar en bekeek de kleurige postzegel en de stempel. Hij zag dat de brief langer dan een maand geleden verstuurd was. Zelfs met de kuren van de West-Afrikaanse post was hij lang onderweg geweest. Hij maakte hem open en haalde er een vel papier uit. In een fractie van een seconde, hij wist niet zeker of hij het zich verbeeldde, rook hij een vertrouwd parfum; een boodschap uit een ver continent en een andere tijd. Toen zag hij het woord waar hij zowel op hoopte en bang voor was. Niet een woord. Een naam.

Maria.

Hij begon te lezen. De brief was simpel en onomwonden geschreven, het waren slechts een paar zinnen. Maar ze waren alles wat telde in de wereld.

Danny,
Ik heb je nodig. Ik zit in de problemen. Ik weet dat het eeuwen geleden is. Het spijt me. Het is mijn fout en ik hoop dat je het me vergeeft. Ik kan de telefoon of de

e-mail niet gebruiken om je dit te vragen. Ze zijn niet veilig. Ik wil dat je naar Freetown komt om me te helpen. Dan zal ik je alles uitleggen.
Zoals altijd al mijn liefde,
Maria

Danny bleef sprakeloos zitten en barstte vervolgens uit in een luide lach. Hij zag hoe Ellis haar hoofd met een ruk in zijn richting draaide maar hij negeerde haar. Hij kon de woorden die hij zojuist gelezen had niet geloven. Wat dacht ze verdomme wel niet? Vier jaar stilte, vier jaar niets en dan dit? Hij las de brief opnieuw. Wat voor persoon kon een brief als deze sturen, zo vol van melodrama en geheimen? En waarom kon ze niet de telefoon pakken of e-mailen, net als iedereen? Dacht ze dat het sturen van een brief hem uit het verleden op zou roepen, dat hij zijn huidige leven weg zou gooien voor een reis naar West-Afrika? Hij lachte opnieuw, maar het was een vreugdeloos geluid, als het geblaf van een jakhals. Hij schudde zijn hoofd om de sterke herinneringen aan haar die boven kwamen drijven te verdringen.

Hij las opnieuw. En geleidelijk aan voelde hij een andere emotie in zijn borst omhoogkomen. Een spoor van angst. Maria was de meest onverstoorbare, vastbesloten vrouw geweest die hij ooit ontmoet had.

Maar daar stond het: *Ik heb je nodig. Ik zit in de problemen.*

Jezus, zoals hij het zich kon herinneren had Maria hem nooit ergens voor nodig gehad. Hij zou haar bellen. Hij zou haar nu gaan bellen. Hij zette zijn computer aan en zocht de homepage van Maria's oude hulporganisatie War Child International op. Beelden van Sierra Leone vulden zijn scherm, lachende kinderen, huilende kinderen. Hij zocht op de site naar een contactnummer. Maar er viel niets te vinden. Alleen maar een postbusadres in Freetown. Hij zuchtte gefrustreerd. Dit was belachelijk.

Hij typte haar naam in op Google en drukte op 'search'. De resultaten flitsten als een acute waterval van tekst over zijn scherm.

Later zou hij hieraan terugdenken en zich afvragen hoe een simpele muisklik zoveel levens kon veranderen. Hij had de brief toen kunnen afdoen als een bericht uit een verwaarloosd verleden. Maar dat deed hij niet. Door achter zijn bureau naar haar te gaan zoeken was hij al begonnen haar oproep te beantwoorden. Hij tuurde naar het scherm. Maria's naam stond overal en de kop van het eerste artikel vertelde hem alles wat hij moest weten.

'Amerikaanse hulpverlener in Sierra Leone gedood. Stoffelijk overschot wordt naar huis gevlogen.' Het was gedateerd op drie dagen geleden.

Maria was dood.

Hij voelde een schok door zich heengaan die hem duizelig maakte, een inktzwarte duisternis kroop zijn gezichtsveld binnen. Hij klikte op de kop en las het bericht.

> FREETOWN – Het stoffelijke overschot van de Amerikaanse hulpverlener Maria Consuela Tirado is gisteren gearriveerd in Freetown, de hoofdstad van dit eens door oorlog geteisterde West-Afrikaanse land, in voorbereiding op de terugkeer naar de Verenigde Staten.
>
> Tirado, die gedood werd in een vermeende poging tot roof of ontvoering, werkte voor een organisatie die zich inzet voor het lot van de duizenden ex-kindsoldaten in Sierra Leone. Ze was 36 jaar oud.

Het bericht bestond slechts uit twee nieuwsalinea's. Bondig en zielloos: de feiten en verder niets. Verwoed herlas hij de woorden. Stoffelijk overschot wordt naar huis gevlogen?

Maria was een 'stoffelijk overschot'? Dat was een onbestaanbaar idee. Hij keek naar de brief die op zijn bureau lag en voelde dat hij in korte, gejaagde stoten ademde. Er was nu geen zweem van parfum. Helemaal niets behalve dode lucht die koud om hem heen hing. Hij keek nog eens naar de woorden en volgde haar vloeiende handschrift met zijn bogen en krullen.

Ik heb je nodig. Ik zit in de problemen.

Hij klikte op een ander artikel. Hij zag nu dat Maria verscheidene dagen nieuws was geweest. Alleen niet in Londen, maar in Amerika. Het eerste artikel was afkomstig uit Freetown en dateerde van drie dagen geleden. Het was nog meer nieuwskopij, maar het was langer en had in het merendeel van de grote Amerikaanse kranten gestaan.

AMERIKAANSE HULPVERLENER GEDOOD IN SIERRA LEONE

FREETOWN – Een Amerikaanse hulpverlener is vandaag in het West-Afrikaanse land Sierra Leone gedood bij een volgens politiebronnen vermeende poging tot roof of ontvoering.

De 36-jarige Maria Tirado was met plaatselijke collega's onderweg van de hoofdstad Freetown naar de provinciestad Bo. Volgens de politie is haar auto door bandieten tot stilstand gedwongen bij een wegversperring. Er worden geld en juwelen vermist.

Een woordvoerder van het ziekenhuis in Bo verklaarde dat er van dichtbij minstens drie schoten op Tirado zijn afgevuurd. Daarbij zijn ook drie hulpverleners uit Sierra Leone door kogels om het leven gekomen, aldus de woordvoerder.

Tirado werkte voor War Child International, een hulporganisatie die zich inspant voor de opvang van kindsoldaten die getraumatiseerd zijn door het tien jaar durende conflict dat in de zomer van 2000 eindigde na interventie van het Britse leger en de Verenigde Naties.

De politie meldde voorts dat een eenheid regeringssoldaten later in het oerwoud in de omgeving van Bo zes bandieten die de roofoverval zouden hebben gepleegd in een vuurgevecht heeft gedood. Ze werden er allen van verdacht gewezen leden te zijn van het Revolutionary United Front, een meedogenloos rebellenleger tijdens de burgeroorlog in het land.

Een zegsman van de Amerikaanse ambassade in Freetown bracht hulde aan haar werk in het land en merkte op dat ze er acht jaar had geleefd tijdens enkele van de meest zware periodes van de langdurige burgeroorlog in Sierra Leone.

Tirado was oorspronkelijk afkomstig uit Puerto Rico, maar groeide op in Toledo, Ohio.

(AP)

Er was meer. Verscheidene kranten uit Ohio hadden het verhaal opgepikt en een stuk over haar familie geschreven. Danny las het, de bekende familie-van-het-slachtoffer-uitspraken weerklonken in zijn hoofd.

'Mijn schatje is er niet meer,' zei haar moeder. 'Ik blijf maar denken dat ze de voordeur binnenkomt om ons te vertellen dat het alleen maar een grote vergissing was,' zei haar vader.

Danny las het en voelde zich verdoofd. Ze had een keer over haar ouders verteld toen ze samen in bed lagen, voordat ze opstonden. Het was een typisch Amerikaans immigrantenverhaal geweest, van extra glans voorzien door de ongenaakbare trots waarmee Maria het vertelde. Hoe haar mama en papa als verliefde tieners 'het eiland' hadden verlaten en uiteindelijk in Ohio waren beland. Ze hadden een burgerbestaan opgebouwd in de Midwest, te midden van het gefluisterde en door hen genegeerde woord 'bruintje'. Maria was het hoogtepunt van hun verwachtingen geweest.

Danny staarde naar de woorden. Toen stond hij zonder na te denken op. Hij printte de artikelen uit tot hij een stapel papier had en liep door de redactiekamer naar de kamer van de nieuwsredacteur. Het was alsof hij op de automatische piloot stond en zichzelf afstandelijk vanaf boven bekeek. Hij zou teruggaan naar Sierra Leone. Het moest.

Hij klopte één keer op de glazen deur en liep de kamer van de nieuwsredacteur binnen. Tom Hennessey keek op. Danny legde het uitgeprinte materiaal op Hennessey's bureau.

'Ik kende haar,' zei hij botter dan hij bedoeld had.

De woorden ontglipten hem gewoon. Het was niet wat hij had willen zeggen, maar het was het enige waar hij aan dacht. Een simpele waarheid. Ik kende haar. Die naam in het artikel. Ik kende haar als echt mens, niet als kop boven een artikel. Nu is ze er niet meer.

Maria is dood.

Hennessey pakte de artikelen en liet zijn blik eroverheen gaan. 'Shit,' zei hij. 'Het spijt me voor je, Danny. Heb je haar in 2000 ontmoet?'

Danny knikte. Hennessey wist niet wat hij verder moest zeggen. Danny verbrak de stilte en legde Maria's brief boven op de artikelen, die hem beschuldigend aan leken te staren.

'Dit zat in de post vanmorgen,' zei Danny.

Hennessey las het en floot tussen zijn tanden. Nu was hij geïnteresseerd.

'Krijg nou wat,' zei hij in zichzelf. Waarop hij zijn ogen samenkneep. 'Is dit echt?'

Danny negeerde hem. 'Ik moet naar Freetown, Tom,' zei hij.

Hij voelde het als een fysieke aandrang, als dorst die gelest moest worden.

Hennessey bekeek de artikelen en de brief nog eens, legde ze terug op zijn bureau en schoof ze terug naar Danny.

'Luister,' zei hij. 'Ik weet dat de gebeurtenissen in Sierra Leone in 2000 zwaar voor je zijn geweest. Jezus, het zou voor iedereen zwaar zijn geweest. Ik weet dat de plek veel voor je betekent en nu is je vriendin er gedood.'

Hennessey legde een vederlichte nadruk op het woord 'vriendin'. Niet te veel. Maar precies genoeg om Danny te laten weten dat hij niet gek was.

'Maar ik weet niet zeker of er een goed verhaal voor ons in zit. Het spijt me dat ik het zeg, maar ze is niet eens Brits, God nog aan toe.'

Een moment lang dacht Danny dat hij zou ontploffen. Niet Brits? Maar hij hield zich in en liet Hennessey zweten, liet hem beseffen wat hij zojuist had gezegd. Het werkte. Hennessey's gezichtsuitdrukking werd milder en hij trok een lichte grimas.

'Dat meende ik niet, Danny,' zei hij uiteindelijk. 'Ze was je vriendin. Sorry.'

Hennessey leunde achterover in zijn stoel en legde zijn handen achter zijn hoofd.

'Overtuig me maar.'

Danny dacht even na.

'Kijk, vier jaar geleden vertrokken duizenden Britse soldaten naar Sierra Leone om een oorlog te beëindigen. En dat was exact wat ze deden. Ik was erbij. We verlieten het land allemaal in de veronderstelling dat het goed was gekomen en dat Sierra Leone een veelbelovende toekomst had. Maar kijk nu eens naar de plek. Als dit soort dingen nog steeds gebeurt, als er nog steeds rondzwervende ex-RUF'ers zijn die hulpverleners doden, waar was het dan allemaal voor? Het was vier jaar geleden het grootste nieuws in Engeland, en sindsdien zijn we er niet meer teruggeweest om te kijken. Het is een follow-up, een veel te late follow-up.'

Hennessey nam het in overweging. Danny kon zien dat hij aarzelde. Hij had alleen nog een extra duwtje nodig. Danny gebaarde naar de brief op het bureau.

'Ik kan deze als ingang gebruiken,' zei hij. Hij keek naar de brief die tussen hen in lag, met woorden die van angst en nood spraken en nu waren afgesloten met een bloedige dood.

'Maria zat op de een of andere manier in de problemen,' zei Danny, zowel tegen zichzelf als tegen Hennessey. 'Ik kan me niet voorstellen wat het was. Maar het kan geen toeval zijn. Ze had vier jaar lang niets meer van zich laten horen. Dan schrijft ze me om hulp te vragen, maar voordat de brief hier zelfs maar is aangekomen, wordt ze vermoord. Ze zegt dat ze in de problemen zit. Ze zegt dat ze me nodig heeft. Dat ze niet eens de telefoon kan gebruiken. Ik weet niet wat dat betekent, Tom, maar een klootzak heeft haar vermoord.'

Danny huiverde van de woorden die uit zijn eigen mond kwamen en de nieuwsberichten schoten hem weer te binnen; hun beknopte taalgebruik maskeerde wat zijn fantasie makkelijk kon invullen. Een slingerende weg, broeiend in de middaghitte en aan alle kanten omgeven door het dichte groene struikgewas. Een eenzame auto die noordwaarts reed, de inzittenden die aan het kletsen waren of misschien zwegen, die sliepen in het vooruitzicht van een lange reis. Onbevreesd en onbewust van de seconden waarin hun levens wegtikten. Maria als een van hen. De moordenaars die wachtten, keken en besloten aan te vallen. Het plotselinge geknal van schoten... Hij stopte. En dwong zichzelf te spreken.

'Maria was nooit ergens bang voor. Ze had nooit iemand nodig. Dit is niet zomaar een roofoverval, Tom. Ze zat in de problemen en iemand heeft haar laten vermoorden. Ik wil erachter komen wie. Ik wil weten waarom,' zei hij.

Hennessey haalde zijn schouders op.

'Ik weet het niet, Danny. Soms zijn de dingen gewoon wat ze zijn. Sierra Leone is nog steeds geen veilige plek. Het kan zijn dat ze op het verkeerde moment op de verkeerde plek was.'

'Er zit hoe dan ook een verhaal in,' viel Danny hem in de rede. 'Ik kies een persoonlijke invalshoek, zodat het meer een magazineachtig stuk zal worden.'

Hij had het al gezegd voordat hij besefte waar hij mee bezig was. Hij sleet Maria's dood als een verhaal. Maar het opgekomen schuldgevoel maakte snel plaats voor vastberadenheid. Hij zou doen wat vereist was om terug te kunnen gaan naar Freetown. Ze had hem in ieder geval nodig gehad. Op een manier zoals hij dat nooit had gevoeld toen ze samen in Freetown waren. Opeens leken de laatste vier jaar in Londen met zijn baan, zijn huis, zelfs met Rachel als een grijze droom waaruit hij ontwaakte. Ze leken verleden tijd. Zijn echte wereld bestond uit Freetown en Maria.

'Moet ik me zorgen over je maken?' vroeg Hennessey.

Hij leunde naar voren.

'Je bent nooit meer echt dezelfde geweest sinds je terug bent gekomen,' zei hij op gedempte toon. 'Ik ben niet de enige die dat vindt. Gaat dit eigenlijk om een verhaal of gaat het om jou?'

'Je krijgt een verhaal van me, Tom. Geef me de ruimte en ik zal je het verhaal bezorgen.'

Hennessey overwoog het, maar Danny wist al dat hij om was. Hij wachtte en Hennessey stak opeens een sigaret op.

'O, Jezus, wat zal het ook,' zei Hennessey en zweeg een moment.

'Luister, Danny. Begrijp me niet verkeerd. Je moet wel met iets komen. Ik kan het me niet permitteren dat het een soort van geprolongeerde therapiesessie in de jungle wordt.'

Danny voelde een golf van opluchting. Hij zou teruggaan naar Sierra Leone.

Hij draaide zich om en liep weg. Hennessey keek hem een lange tijd roerloos na en merkte niet dat de sigaret in zijn hand langzaam tot as opbrandde.

TOEN HIJ WEER achter zijn bureau zat, stond Danny zichzelf voor het eerst toe aan Maria te denken. Haar lange, donkere haar, de moedervlek op haar rechterschouder, de manier waarop ze haar ogen tot spleetjes samenkneep als ze vond dat hij te ver ging. Haar aanrakingen. Hoe kon iemand als zij doodgaan? Het voelde alsof het universum verstoord was. Hij moest erheen. Hij moest zien waar het was gebeurd, zien dat iets wat zo slecht was echt kon zijn.

Hij wenste dat Hennessey niet zo openhartig was geweest over zijn carrièreval. Hij wist dat hij vast was komen te zitten sinds zijn terugkeer vier jaar geleden. Londen leek alles uit hem getrokken te hebben, als een stofzuiger die al het licht had opgezogen. Hij herinnerde zich de dag waarop hij terugkeerde nadat de oorlog was beëindigd, Sierra Leone ontvluchtend, Maria ontvluchtend... op de vlucht voor alles wat er gebeurd was... Hij dwong zichzelf te stoppen. Hij wilde niet denken aan de gebeurtenissen tijdens het einde van de oorlog. Hoe alles uit de hand liep. Ze hadden een onuitwisbare indruk op hem achtergelaten, het was als een helder rood litteken dat over zijn leven liep: vóór Freetown en erna. Hij realiseerde zich nu dat hij aan een vorm van posttraumatische shock leed. Hij was boos geweest, verbitterd en had regelmatig woedeaanvallen. Het was alsof plotseling alle kleur aan de wereld was onttrokken en er een korrelig zwart-witresidu overbleef. Hij liet alles waaien, liep op zijn werk de kantjes ervanaf en verzuurde.

Rachel had hem hieruit gered.

God mag weten wat ze toen in hem gezien had, dacht hij. Misschien was het haar verzorgende aard die maakte dat ze zich aangetrokken voelde tot degenen die haar gekwetst leken. Hij had haar ontmoet tijdens een etentje – ze waren naast elkaar gezet door een getrouwde vriend – en was verrast toen ze interesse in hem toonde en haar hand licht op zijn knie liet rusten als hij sprak. Het was zo lang geleden dat hij zich pas na een paar uur en twee flessen wijn realiseerde dat ze met hem flirtte. Ze was redactrice bij een kleine uitgeverij in Bloomsbury en leek verrukt te zijn van zijn grote verhalen uit de journalistiek, en wist hem zover te krijgen dat hij te veel over zijn werk vertelde. Niet lang daarna ontdekte ze dat ze aan zijn vaders binnenkort te verschijnen – en snel goedlopende – biografie over Winston Churchill werkte.

'Jij bent de zoon van Harry? Jij bent Danny!' zei ze stomverbaasd. 'Maar ik heb zoveel over je gehoord.'

Toen hij in Rachels sprankelende ogen keek had hij voor deze ene keer geen bezwaar tegen de vermelding van zijn vaders naam. Sterker nog, hij had genoten van de vertrouwelijke, complimenteuze hint. Het was even alsof de mist was opgetrokken en een rechte weg vooruit onthulde. Hij was erin gedoken, hervond zijn charmes, lachte en maakte grappen. Zijn hofmakerij was snel en agressief geweest – iets wat Rachel als een slecht teken had kunnen zien maar wat ze in plaats daarvan als brandende passie zag – en binnen een halfjaar woonden ze samen. Hij had haar erin gesleurd, had haar een week lang op haar werk bloemen gestuurd. En toch herinnerde hij zich het moment dat ze samen hun appartement betraden als het eerste teken dat er iets fout zat. Ze stonden daar, hand in hand in de kale woonkamer. Zij had zich opgelucht gevoeld dat ze de juiste keuze had gemaakt, haar twijfels had overwonnen, maar hij wist opeens vanbinnen dat er iets onverwachts was gebeurd: dat de huiselijkheid zich nu voor hem uitstrekte. Hij wuifde het gevoel toen weg als natuurlijke mannelijke zenuwen. Maar in plaats daarvan was de mist vanaf dat moment langzaam teruggekomen. Het leven was goed met Rachel – dat wist hij, dat wist hij echt – maar als hij erop terugkeek leek het nu alsof echte kleuren alleen in Afrika bestonden. In Freetown, in de armen van een andere geliefde.

Nu wilde hij weer leven. Sierra Leone was een geschiedenis geweest die belangrijker was dan alle andere en Maria had er deel van uitgemaakt. De echte wereld, en zijn leven met Rachel, het leek allemaal een flikkerende schaduw op de muur, niet meer dan een suggestie van wat het leven zou moeten zijn.

Zijn telefoon ging. Hij nam op.

Het was Rachel. Ze kwam slecht door en hij kon de geluiden van het vliegveld horen op de achtergrond.

'Hé daar,' zei ze, haar stem schreeuwde helder over het tumult heen.

'Heb je een vlucht terug?' vroeg hij.

'Ik heb een uur vertraging. Zoals je weet is het weer in Edinburgh altijd onvoorspelbaar.'

Ze begon over de conferentie en het praatje dat ze had gehouden. Rachel was op dit moment een rijzende ster op het gebied van de populaire biografie, en haakte in op de laatste uitgeverstrend. Maar ze klonk enigszins vermoeid van de gehaaste reis en haar lezing. Hij wist dat hij daar begrip voor moest tonen, maar zijn hoofd zat nog te vol met de implicaties van zijn besluit om terug te gaan naar Sierra Leone.

'Luister, ik moet op pad voor een verhaal,' zei Danny. Het had geen zin eromheen te draaien.

'Ik ga terug naar Sierra Leone.'

Er viel een stilte aan de andere kant van de lijn.

'Er is een vriendin van me vermoord daar. Ik wil uitvinden wat er is gebeurd en er een stuk over schrijven. Het zal me goed doen er weer eens tegenaan te gaan.'

'Danny...' zei Rachel. Hij zag voor zich hoe ze op het vliegveld stond, hoe ze haar gewicht van het ene been op het andere liet rusten, wat ze altijd deed als er iets onverwachts gebeurde. Ondanks de honderden kilometers tussen hen kon hij haar recht in zijn oor horen ademen. Hij wilde zich naar haar uitstrekken en haar vasthouden.

'Het spijt me van je vriendin,' zei ze zacht. 'Hoe goed kende je haar?'

Danny negeerde de vraag.

'Luister, ik zie je vanavond als je terug bent. Dan zal ik je meer vertellen,' zei hij.

'Ik maak me zorgen, Danny. Dit is zo plotseling,' zei Rachel. Als hij nu was weggekomen met zijn vaagheid, dan ging het slechts om een tijdelijk uitstel. Rachel was een goede redactrice, met een oog voor detail. Zijn vader had dat honderden keren aan den lijve ondervonden. Hij wist dat er van alles in haar hoofd omging, en misschien, misschien was er wel het begin van twijfel.

'Ik zie je straks thuis,' zei Danny.

'Wacht even,' zei Rachel haastig, en onderbrak zijn poging om het gesprek te beëindigen.

'Je weet dat je vader ziek is. Hij zal gek van bezorgdheid zijn.'

Danny sloot zijn ogen. Daar had hij zo zijn twijfels over. 'Ik zal hem bellen. Ik zag hem gisteren. Hij leek in goede conditie en we hadden een leuk gesprek.'

Danny wist dat deze leugen waarschijnlijk geen stand zou houden. Maar het was het makkelijkste om te zeggen. Rachel zou nu gerustgesteld zijn. Ze vond het verschrikkelijk dat Danny en zijn vader zo slecht met elkaar konden opschieten. Haar werk met hem was haar ziel en zaligheid geweest, wat nog versterkt werd door het enorme succes van het Churchill-boek. Ze vormden een goed koppel. De oude Kellerman had vreemd genoeg opengestaan voor haar suggesties, zijn gebruikelijke koppigheid was verdwenen. Ze kregen een hechte band met elkaar, als vader en dochter, nog voordat Danny haar leerde kennen. Danny wist dat elk teken van dooi tussen hem en Harry – ook al was het vals – te belangrijk voor haar was om te negeren.

'Oké, we hebben het er later wel over,' zei ze, plotseling afgeleid door een aankondiging op het vliegveld. 'Ik geloof dat ze het over mijn vlucht hebben.'

Danny legde de telefoon neer. Misschien dat hij zijn vader maar moest bellen. Hem in ieder geval gedag zeggen. Het was tenslotte een soort vredesaanbod, en die waren van beide kanten zeldzaam genoeg. Hij begon een nummer in te toetsen. Een moment lang geloofde hij werkelijk dat hij naar zijn vaders huis belde. In plaats daarvan belde hij naar het reisbureau van de krant.

Hij leest het wel in de krant, dacht hij terwijl hij zijn vlucht boekte.

2

ZELFS IN DE drukke menigte die rondom de helikopter krioelde viel Kam makkelijk te ontwaren. Hij zag eruit als een enorme rots van obsidiaan, de armen voor zijn borst gevouwen, onbewegelijk in de mensenzee die heen en weer golfde rond het landingsplatform in Freetown. Met een zweem van vertrouwde arrogantie knikte hij naar Danny toen deze in zicht kwam. Daarna baande hij zich naar voren. Danny zette zijn bagage neer en sloeg zijn armen om de lange Senegalees. Kam was zijn vroegere chauffeur. Zijn oude vriend. Danny was blij en opgelucht hem te zien en zijn omhelzing te beantwoorden. Opgelucht omdat een paar haastige telefoontjes van Londen naar de balie van het Cape Sierra Hotel deze Afrikaanse geest uit de fles hadden gehaald om weer zijn ogen en oren te zijn. Maar ook pure blijdschap om de man te zien die hem door de oorlog had geloodst.

Danny was terug in Sierra Leone.

'Het is goed je te zien,' zei Danny. 'Ik was bang dat je mijn berichten niet had ontvangen.'

Kam grijnsde.

'Een vriend van mij bij het hotel trof me thuis aan. Hij zei dat je er zo snel mogelijk aankwam en weer een chauffeur zocht. Maar weet je, je had me op mijn mobiel kunnen bellen,' zei hij.

Met een zwierig gebaar haalde hij een mobieltje tevoorschijn en pronkte er trots mee.

Danny keek naar het wonder van vernuft. 'De laatste keer dat ik hier was viel er in het hele land nauwelijks een mobiel te vinden,' zei hij.

Kam haalde zijn schouders op.

'De tijden zijn veranderd, mijnheer Danny. Alles is veranderd in Sierra Leone.'

Danny wist al dat dit een ander soort reis zou worden dan toen hij gekomen was om de oorlog te verslaan. Het vliegveld was nog steeds chaotisch, maar het was chaos met een regelmatige hartslag. Ook Kam zag er anders uit, hij droeg niet langer een versleten T-shirt maar was uitgedost in een helderblauw zijden hemd met gouden en groene weefpatronen erdoor. Op zijn hoofd droeg hij een wit mutsje, een symbool van zijn islamitische kindertijd in Dakar. Zijn zwarte schoenen glommen, hoewel de glans bij de tenen dof was door het stof van Freetown. Ook zijn auto was nieuw. Zijn oude en kleine gedeukte blauwe Renault met de klemmende deur was verdwenen. Er was een grijze Mercedes voor in de plaats gekomen. Danny liet zijn hand over de motorkap gaan en klikte goedkeurend met zijn tong.

'Wat is er me je auto gebeurd? Ik hield wel van die oude Renault.'

Kam snoof vol gespeelde afkeer.

'Ik heb haar voor een goede prijs verkocht. Ze is goed voor me geweest, maar...' Zijn stem stierf weg terwijl hij naar de Mercedes keek en naar de juiste woorden zocht.

'Ze was als een vriendin wanneer je een jonge man bent. Ze was goed voor het moment, maar een man moet verder. Hij moet een vrouw vinden die beter bij zijn positie in het leven past. Dit is meer mijn soort auto nu,' verklaarde hij.

De Mercedes was een oud model, tweedehands. Maar Kam was er zo trots als een pauw op. De grijze lak was tot aan de velgen van de wielen gepoetst. 'Ik rijd deze speciale dame meestal voor mijnheer Ali,' zei Kam. 'Ik rijd haar slechts voor een paar mensen nu. Alleen exclusieve mensen. Kam werkt nu voor de machtige mannen in Sierra Leone.'

Mijnheer Ali was Ali Alhoun, een Libanese zakenman die overal in West-Afrika een vinger in de pap had. Het was logisch dat Kam voor hem werkte. Als er iemand goed zou gedijen in het naoorlogse Sierra Leone dan was het Ali. Danny glimlachte bij de gedachte aan Ali's talent voor overleven – nee, voor succes – in zware tijden. God mocht weten waar Ali mee bezig was nu er geen rebellenlegers waren om zijn altijd toenemende belangen in de weg te staan.

'Hoe is het met Ali? Ik zou hem graag weer zien.'

'Je zult ruimschoots aan je trekken komen,' zei Kam, die het portier voor Danny opendeed en hem gebaarde te gaan zitten. 'Toen ik hem vertelde dat mijnheer Danny terugkwam om ons kleine stukje Afrika te bezoeken, stond hij erop dat je in zijn villa zou logeren. Hij is voor een paar dagen het binnenland in, maar hij zei dat je moest doen alsof je thuis was en dat hij, als hij terug is, met je komt drinken.'

Dit klonk bijna te mooi om waar te zijn. Danny had niet echt teruggewild naar het Cape Sierra. Of een van de opgekalefaterde hotels die er nu omheen stonden. Het verblijf in Ali's huis zou de kosten drukken, maar hem ook een betere basis in het land verschaffen dan de steriele omgeving van de hotels.

Danny keek naar buiten terwijl Kam de auto door de verstopte straten stuurde. Op het eerste gezicht leken ze niet veranderd. Er zaten nog steeds gaten in de wegen en Kam moest om enkele grotere kraters heen sturen, waar het leek alsof een reusachtige golfer het asfalt eruit had geslagen. Andere auto's zigzagden er ook omheen in een ingewikkelde wals die zich niets aantrok van de weghelft waarop men verondersteld werd te rijden. De trottoirs waren ook nog steeds overbevolkt, vol mensen die heen en weer liepen of spullen verkochten met daarachter een bonte afwisseling van gebouwen die vervallen of opgeknapt waren. Hij draaide het raampje omlaag, liet de koele lucht uit de auto verdwijnen en ademde de hitte en de geur van de straat in. De geur van Freetown. Verzadigd en smerig, het aroma van kookvuren, zweet, rottend fruit en goedkope parfum tintelde achter in zijn neus. Het rook naar leven. Het rook naar dood. Kam keek hem zwijgend aan.

'Hoe is het in Freetown tegenwoordig?' vroeg Danny terwijl hij zijn blik op de straten gericht hield.

'Het gaat beter,' zei Kam. 'Foday Sankoh is nu weg. Dood. Ze zeggen dat hij gek was geworden tegen de tijd dat hij stierf. Nog gekker dan voordat ze hem hadden opgepakt. Hij heeft dit land zoveel ellende bezorgd.'

Kam zweeg even, alsof hij nadacht over zijn volgende opmerking.

'De andere RUF-leiders zijn zo slecht nog niet, weet je,' zei Kam kalm. 'Er zijn geen problemen. De zaken gaan goed.'

Danny draaide zich om naar zijn oude vriend. Hij kon niet echt geloven wat hij zonet had gehoord. Kam was nooit iemand geweest die met een oordeel klaarstond; hij was een overlever die geld probeerde te verdienen. Maar hij had het RUF altijd verafschuwd, hij haatte hun domme wreedheid toen ze hun verdoemde rebellenoorlog voerden die het land tot een verzameling puinhopen had gereduceerd.

'Je neemt me in de maling, toch?' vroeg Danny. Kam bleef voor zich uit kijken, maar schudde zijn hoofd.

Hij leunde voorover.

'Weet je, ze betalen ook beter dan de Libanezen. Beter dan mijnheer Ali. Het RUF bestaat uit Afrikanen. Ze weten dat we voor elkaar moeten zorgen en geen Afrikaans geld de oceaan over moeten sturen.'

Het leek even alsof er een donkere wolk de auto binnendrong. Veel Sierra Leoners hadden de Libanezen en hun rijkdommen altijd verfoeid. Het was een redelijk verklaarbaar gevoel, veronderstelde hij, dat voortkwam uit afgunst, exploitatie en ras. Maar hij had Kam nooit zulke sentimenten horen uiten.

'Werk jij voor sommige ex-RUF'ers?' vroeg Danny. Kam lachte en klopte op het dashboard van de Mercedes.

'Natuurlijk!' zei Kam. 'Mijnheer Danny, dit is het nieuwe Sierra Leone. Er heerst nu vrede. Ik werk voor iedereen. Dus ik werk ook voor ex-RUF'ers. Van wie denk je dat ik deze auto heb gekregen?' Kam stelde de vraag terloops, alsof hij het over het weer had.

'Minister Gbamanja! Die oude schoft van een generaal Mosquito! Hij gaf me deze auto en nu is Kam een zeer gerespecteerd man in Freetown,' riep Kam uit.

Het werd Danny bijna te veel. William Jusu Gbamanja was de nieuwe minister van Informatie in Freetown. Maar dat was alleen maar zijn officiële titel. Het betekende niets. Gbamanja's werkelijke macht lag bij de reputatie die hij tijdens de oorlog had opgebouwd. Hij stond beter bekend onder zijn bijnaam van die dagen: generaal Mosquito. Het was een bizarre naam, zoals zoveel bijnamen die RUF-soldaten zich aanmaten nadat ze hun oude identiteit van onbeduidend boertje achter zich hadden gelaten om moordenaars te worden. Mosquito was een voor de hand liggende keuze: een bloedzuiger. Mosquito was tijdens de oorlog een van de bloederigste bevelhebbers geweest. Gbamanja was een gevaarlijke misdadiger en een bruut die aan het hoofd stond van een bende gedrogeerde psychotische kindsoldaten. Danny voelde zich gedesoriënteerd. Hij voelde zijn huid wegtrekken van de passagiersstoel, als reactie op het feit dat de auto was verdiend met Gbamanja's bloedgeld. Kam voelde zijn onbehaaglijkheid.

'Ik rijd wel eens voor hem, meer niet. Ik weet dat hij tijdens de oorlog een slechte man was. Een zeer wrede man.

Maar het is nu een nieuw land. Het heeft geen zin wrok te koesteren. We laten het verleden rusten.'

Hij gaf nog eens een klap op het dashboard en gaf plankgas.

'Trouwens, je houdt toch van mijn nieuwe auto, ja?'

Danny greep zijn stoel vast toen de auto een plotselinge bocht maakte en in het tegemoetkomende verkeer verdween. Hij hoorde getoeter van een woedende chauffeur achter hen. Kams grillige rijstijl was in ieder geval nog steeds in staat hem de stuipen op het lijf te jagen. Die was hetzelfde gebleven.

'Wil je niet terug naar Senegal? Hoe zit het met je vrouw?' zei hij haastig om van onderwerp te veranderen.

'Mijnheer Ali, Gbamanja en anderen hebben te veel werk voor me hier. In Senegal is het nog steeds moeilijk voor me. De regering daar heeft het niet op mijn stam, de Jola.'

Kam knipoogde. 'Daarbij, hier heb ik mijn liefjes om me warm te houden. En ik weet dat mijn liefjes mijn vrouw niet aardig zullen vinden. Nee, ze zullen absoluut niet met elkaar kunnen opschieten,' zei hij.

Ondanks zijn nieuwe witte mutsje had Kam zijn islam altijd licht opgevat. Hij hield van een borrel net als een ander, en vier jaar geleden werd hij altijd op zijn wenken bediend door een harem van Sierra Leoonse schoonheden. Het was goed om te zien dat ook dat niet veranderd was.

De auto kroop langzaam maar zeker uit de lage buitenwijken van Freetown – waar het arme volk woonde – omhoog, de heuvels boven de stad in. In de dagen van het Britse gezag hadden veel koloniale ambtenaars deze schaduwrijke hellingen uitgekozen voor een huis, hoog genoeg in de bergen om een fortuinlijk briesje te vangen.

Het gebied had de naam Hill Station gekregen, als een echo van de Indiase Raj waar de ambtenaren die in Sierra Leone waren gestationeerd ongetwijfeld stiekem naar verlangden. Nadat de Engelsen het gebied hadden verlaten werd het de thuisbasis van Sierra Leone's heersende klasse: Krio-politici, legergeneraals en Libanese en Griekse families. Net als in de binnenstad was de rijkdom van de buitenwijken toe- én afgenomen. Sommige huizen stonden leeg en staarden de wereld aan door ramen die zo leeg waren als oogkassen, hun tuinen overwoekerd als ongekamd haar. Andere waren in het trotse bezit van hoge nieuwe veiligheidshekken met bewakers ervoor in kleine wachthuisjes. Hun wapens leken te verwijzen naar de staat van de familierijkdommen binnenshuis. De een werd bewaakt door een eenzame oude man in een blauwe overall die een knoestige houten stok vasthield. Terwijl een deur verder twee jongemannen in militaire uniformen rondkuierden, ze hadden semiautomatische geweren om hangen en bewaakten een metalen toegangspoort met tralies.

Het was door deze poort dat Kam naar binnen stoof, hij knikte naar de bewakers die verbluft keken toen ze een glimp van Danny's blanke gezicht opvingen. De auto stopte voor de voordeur van de villa. Het was een onregelmatige, hoekige bungalow die in de jaren zeventig was gebouwd, laag en van beton maar met grote ramen en erkers, allemaal scherpe hoeken en lichte cementmuren. Het was onlangs opnieuw wit geschilderd, maar dat kon de nietsontziende invloed van het vochtige klimaat op het beton niet helemaal verhullen, het deed het van binnenuit rotten en barsten.

Kam overhandigde Danny zijn bagage.

'Ik moet wat klusjes verrichten voor andere klanten. Maar ik kom morgen langs. Ik heb geregeld dat je een paar mensen kunt ontmoeten. Ik weet niet precies wat je hier wilt gaan doen, maar we moeten ergens beginnen,' zei Kam.

Er zat een soort verwijt in Kams woorden. Danny had Kam alles willen vertellen zodra hij hem zag, maar hij was te veel van zijn stuk gebracht door de veranderingen. Ex-

RUF-soldaten hadden Maria vermoord. Maar nu werkte Kam voor sommigen van hen. En niet de eerste de beste, maar Gbamanja. Een van de wreedste mannen in een land dat er vergeven van was. Hij moest voorzichtig zijn. Danny schudde Kams hand en negeerde de onuitgesproken vraag.

'Heel veel dank, vriend,' zei hij. Kam glimlachte en liet de zaak verder rusten. Danny liep de villa in. De airconditioning stond niet aan, maar elke kamer had een ventilator aan het plafond. De bureaus waren bezaaid met foto's, een visuele geschiedenis van de Alhoun-clan. Achter veel van de gezichten zag je Libanese bergen en steden, maar op andere foto's doemden de dichte groene bossen en witte stranden van Sierra Leone op. Terwijl Danny ze bekeek hoorde hij het geluid van voetstappen achter zich. Hij draaide zich om en zag een jonge, gezette Libanese man de kamer binnen lopen. Een kleine, zwaargebouwde figuur met een rond gezicht onder een rommelig geknipte pony. Hij zweette overdadig en depte zijn voorhoofd met een zakdoek.

'Allejezus, het is warm vandaag. Te warm voor een dikke man,' zei de man vrolijk en stak zijn hand uit. 'Ik ben George, Ali's neef,' zei hij.

Danny glimlachte bij wijze van begroeting.

'Waar is Ali, trouwens?'

George wist het niet zeker.

'Ik sprak hem twee dagen geleden en toen reed hij naar Bo. Daarna vertrok hij geloof ik oostwaarts naar Kono. Iets van problemen bij de diamantmijnen.'

Naar Bo rijden? Zaken in Kono? Het was vier jaar geleden allebei net zo onmogelijk als dat je van Freetown naar de maan zou willen gaan. Het waren toen RUF-bolwerken of ze waren omsingeld door deze moordende troepen. Het zou zelfmoord geweest zijn om ze te proberen te bereiken. Alleen de armen en wanhopigen, gedwongen door familie of omstandigheden, zouden het gewaagd hebben.

Danny sprak zijn verbazing uit over hoe de dingen schenen te zijn veranderd. Het zonnige gedrag van George verdween en hij liet zich zuchtend in een stoel zakken.

'Ja. Maar het is nu een complexere plek. De dingen worden hier moeilijk voor ons. Nu er vrede is moeten de mensen de Libanezen niet meer. Ali brengt de helft van zijn tijd in het diamantgebied door en probeert te behouden wat we hebben. Wij hebben daar jaren gewerkt, maar sommige van die nieuwe types denken dat ze het gewoon kunnen inpikken. Alleen maar omdat ze een zwarte huid hebben, en geen bruine.'

George leek de mogelijkheid om stoom af te blazen te waarderen. Hij beschreef de afgunst jegens hen als die jegens buitenstaanders, en dat terwijl de Alhouns hier al meer dan honderd jaar geleden waren gekomen. Danny luisterde geduldig en sprak zijn verbazing uit over het feit dat Kam voor ex-RUF'ers werkte, dat hij voor Gbamanja reed.

George lachte.

'Die ouwe Kam werkt voor iedereen. Hij heeft zijn prijs, zoals elke Afrikaan, en er is op het moment veel geld in Freetown,' zei hij. Danny voelde zich weer compleet van zijn stuk gebracht. De dingen waar je van op aan kon tijdens de oorlog leken in vredestijd uiteen te vallen. George haalde zijn schouders op.

'Maar Kam is nog steeds de beste chauffeur in de stad. Wat heeft je trouwens hierheen teruggebracht?'

Wederom voelde Danny de verleiding om alles te zeggen. Om naar Maria te vragen. Het was bijna een explosieve drang. Maar hij hield zich in. In plaats daarvan vroeg hij alleen maar wanneer Ali terug zou kunnen komen.

'Over een paar dagen, hoop ik,' zei George, en hij stond op om weg te gaan. Hij krabbelde iets op een velletje papier. 'Hier is mijn mobiele nummer. Bel me als er problemen zijn.'

Danny keek hoe het gezette figuur van George de deur uit

waggelde, terwijl hij nog steeds zijn voorhoofd depte. Toen keek hij weer naar de foto's aan de muur. Het was het familieleven: mensen die tevreden en lachend naar de camera keken, de armen om elkaar heen geslagen. Hij dacht aan Rachel. Wat was hij hier aan het doen? Hij zou in Londen moeten zijn, en gelukkig met haar proberen te zijn, en met zijn baan. Zelfs met zijn vader. Praktisch iedereen in dit land zou er een moord voor plegen om zijn leven in Engeland te krijgen en hij liep ervan weg.

Hij liep een slaapkamer aan de achterkant in en begon langzaam uit te pakken, zijn kleren, een mobiele telefoon, een laptop en een stapel lege aantekenboekjes. Hij was terug. Weer in Freetown. Hij had gehoopt dat de stad als een tweede huis voelde. Maar dat deed het niet. Het voelde als een plek die hij nog nooit eerder had gezien.

Hij haalde Maria's brief tevoorschijn en staarde – voor wat wel de honderdste keer moet zijn geweest – naar de woorden op het papier. Hij hoefde ze niet meer te lezen. Hij kende ze uit zijn hoofd. Zijn blik volgde het handschrift, de letters, de inkt waarmee ze geschreven waren. Hij vroeg zich af wanneer Maria ze had geschreven. Had ze in haar slaapkamer gezeten en gehaast de paniekerige brief samengesteld? Was ze op haar werk geweest, in het weeshuis? Of had ze vastgezeten, op een andere plek, die de reden van haar angst vormde, en waar het haar alleen maar was gelukt een paar momenten te pakken om te schrijven. De woorden gaven geen antwoord. Ze waren vastgelegd in een verdwenen moment in de tijd, en zwegen. Afgezien van een simpele mededeling: ik heb je nodig. Dat was genoeg. Hij wist waarom hij hier was.

DANNY WERD DE volgende ochtend wakker van het abrupte geluid van de ventilator die stopte. Hij opende zijn ogen. Het was al volop licht buiten. Terwijl de bladen van de ventilator vertraagden voelde hij de warme lucht om zich heen stollen als bloed op een wond. De stroom was uitgevallen. Toen hoorde hij het geluid van een generator brullend tot leven komen en de ventilator begon weer te bewegen.

Hij had gehoopt van Maria te dromen, maar in plaats daarvan had hij van Rachel gedroomd. Ze waren niet goed uit elkaar gegaan. Ze was gekwetst toen hij vertelde waarom hij ging, en hij had zijn schuldgevoel onderdrukt door tegen haar te snauwen terwijl ze juist wat geruststelling nodig had. Maria had niets met haar te maken, zei hij haar, en hij vond dat hij recht op een eigen verleden had. Maar hij wist waarom ze beduusd was. Hij had Rachel zo ongeveer alles verteld over wat er in Sierra Leone was gebeurd, maar niets over Maria, hij had haar voor zichzelf gehouden als een geheime totem. En daar was Maria dan, een vreemde aan de deur die hem wegriep. Danny wist dat Rachel het recht had zich geërgerd te voelen. Voor haar had het iets van een belachelijke en hopeloze zoektocht naar een ex-geliefde, een rivale wier grootste voordeel was dat ze geen vergissingen meer kon maken. Maria's fouten lagen in het verleden en waren vergeven, ze had ontheffing vanwege de kogels die haar leven hadden beëindigd. Erger nog, Danny kon niet verklaren waarom dit zoveel voor hem betekende. Hij kon niet vertellen waarom dit zo belangrijk voor hem was zonder haar hart te breken.

In zijn droom had hij de woordenwisseling opnieuw afgespeeld. Ze was bozer geweest dan in werkelijkheid. Haar zachte stem was in zijn hoofd vervangen door een geschreeuw en heftigheid waarvan zijn onderbewustzijn misschien dacht dat hij het verdiend had. Hij lag op zijn rug, staarde naar de draaiende ventilator en strekte een arm uit naar zijn horloge. Het was al negen uur.

'Shit,' mompelde hij en werkte zich uit bed en in de richting van de badkamer.

Toen hij tien minuten later de keuken binnenliep, was hij niet echt verrast om Kam aan de tafel te treffen met een verse pot dampende koffie voor zich. Kam schonk hem een kop in. De hete vloeistof leek hem het sein te geven de dag te beginnen.

Nog eens tien minuten later reden ze de poort uit. Kam had haast en had Danny met veel drukte de villa uitgekregen. Hij had hem net genoeg tijd gegeven om een aantekenboekje, een taperecorder en een paar pennen te pakken. Kam kondigde aan dat hij voor vanochtend een interview voor hem had geregeld. Het was met generaal Foster Hinga, het nieuwe stafhoofd van wat voor het Sierra Leoonse leger doorging. Het verraste Danny niet dat het Kam gelukt was zo snel iets te organiseren. Kams zaakjes waren altijd in mysteriën gehuld geweest, en nu hij voor Ali en Gbamanja werkte was dat alleen maar erger geworden. God mocht weten wat voor een gunst Kam aan Hinga verschuldigd was, maar er moest een soort schuld terugbetaald worden. Er waren talloze valuta in Freetown, en geld was er maar een van. In razende vaart reden ze door Hill Station naar beneden. Kam mopperde fluisterend over te laat komen terwijl ze de poorten van de grootste legerkazerne tegemoet reden. De basis lag achter een dikke, vervuilde betonnen muur die hem afschermde van de drukke sloppenwijken eromheen. Kam stopte voor een norse bewaker bij de poort en werd na het noemen van generaal Hinga's naam doorgelaten. Hij reed zijn auto langzaam door een open ruimte die gemarkeerd werd door vervallen gebouwen en stopte voor een blok gehavende kantoren.

Kam liep vlak voor hem en joeg Danny door de entree, hij benaderde de receptionist met een air dat hij nooit gehad zou hebben als hij alleen was. Zelfs nu was het nog steeds vreemd te zien dat Danny's huid hem, en zijn gezelschap, een speciale autoriteit verleende. Het was een teken van separatie, van verheven zijn boven de massa.

'Dit is Danny Kellerman,' zei Kam. 'We komen voor generaal Hinga. Voor een interview.' Hij sprak het woord 'interview' zorgvuldig uit, alsof het iets fysieks was.

De man keek in de agenda en pakte de telefoon. Hij tikte verscheidene keren tegen de hoorn om een kiestoon te krijgen. Na een minuut van vruchteloze pogingen keek hij op met een verontschuldigende blik.

'De vierde etage,' zei hij. 'Loop maar naar boven.'

Ze sjouwden de trappen op, en begonnen tegen hun zin in te zweten. Op de vierde verdieping ging Kam Danny voor door een halfduistere gang en stopte voor een deur waar Hinga's naam op stond. Hij klopte zacht en duwde hem een klein beetje open.

'Ah, Kam!' bulderde een stem.

Kam deed de deur verder open en Danny volgde hem naar binnen. De generaal zat achter een armoedig bureau dat beladen was met stapels papier. Hij was een grote man met een taille die de voorkant van zijn groene militaire uniform uitrekte. Hij schonk een kop thee in, Kam liep op hem af en gaf hem een krachteloos handje. Kams air was nu verdwenen. Het gebruikelijke eerbetoon gold nu weer.

De generaal keek naar Danny.

'U moet mijnheer Kellerman zijn. Gaat u zitten,' zei hij. 'Neem wat thee.'

'Dank u, generaal,' zei Danny. 'Ik waardeer het dat u me op zo'n korte termijn kon ontmoeten. Ik weet dat u een drukbezette man moet zijn.'

De generaal straalde. Hij genoot duidelijk van het vooruitzicht geïnterviewd te worden.

'Het is goed dat u naar Sierra Leone bent gekomen. We zien tegenwoordig weinig Britse journalisten hier. Maar vertel eens, is dit uw eerste keer in Freetown?'

Danny schudde zijn hoofd. 'Ik was hier vier jaar geleden.'

'Goed, goed,' zei hij enthousiast. 'Dan ziet u hoeveel er nu veranderd is. De regering heeft de touwtjes weer in handen. De mensen leven in vrede.'

'En het RUF?'

'Er is geen RUF,' lachte Hinga. 'Er zijn wat mensen die eens in het RUF hebben gezeten, maar ze zijn veranderd. We zijn nu allemaal Sierra Leoners. Natuurlijk, we zijn nog steeds arm. Daarom ben ik blij dat u gekomen bent. U moet de mensen in Engeland laten weten dat we nog steeds hulp nodig hebben.'

Danny keek naar de warme glimlach van de generaal, maar vanbinnen ergerde hij zich aan alle platitudes. Hij was hier niet om te helpen.

'Wat weet u van Maria Tirado?' vroeg hij kalm. Hinga keek verbluft. Hij schudde zijn hoofd alsof hij de vraag niet had gehoord. Danny herhaalde hem.

'Ze was een hulpwerker die ongeveer een week geleden door een ex-RUF'er is vermoord. Dat klinkt niet echt als een land in vrede, generaal.'

Hinga's gezicht verstrakte. Danny hoorde ook hoe achter hem Kam zijn voeten verschoof, en een plek in het midden van zijn ruggengraat werd warm toen hij zich voorstelde hoe diens blik zich in zijn rug boorde. Opeens was Hinga's joviale toon verdwenen. Danny kon niet uitmaken of er zojuist een masker van Hinga's gezicht was gevallen, of dat hij er een had opgezet. Hoe dan ook, Maria's naam had alles veranderd. Hinga aanschouwde Danny van een afstand die veel verder leek dan alleen maar de breedte van een beschadigd bureau.

'De dood van deze vrouw was een tragedie. Maar het was een roofoverval. Zulke dingen gebeuren in arme landen,' zei hij vlak en gedecideerd.

'Hoe kunt u daar zo zeker van zijn?' vroeg Danny. De generaal negeerde de vraag.

'Waarom vraagt u hiernaar, mijnheer Kellerman? Onze

politie heeft verklaard dat het een roofoverval was. Daar zou u misschien genoegen mee hebben genomen als de slachtoffers zwart waren geweest. Maar omdat het een blanke vrouw was, is het niet genoeg. Valt de dood van blanke mensen niet aan onze politie toe te vertrouwen? Het was een roofoverval. De bandieten die het hebben gedaan zijn al dood. De zaak is gesloten.'

'Er gaan geruchten...' begon Danny, die overwoog Hinga over de brief te vertellen. Maar Hinga viel hem in de rede en stond abrupt op.

'Geruchten doen dit land alleen maar kwaad. U zou ze niet moeten verspreiden. Schrijf een verhaal over onze behoeftes, niet over deze tragische dood.'

Hinga wierp Kam een kwade blik toe. Kam kromp ineen.

De generaal beende om het bureau heen en blafte Kam toe te vertrekken. Hij deinsde achteruit onder de bevelen van de generaal, en mompelde dat hij maar eens terug moest naar de auto. Hinga boog zich over Danny heen. Zijn ogen, die eerst zo zachtmoedig hadden geleken, schitterden nu woest. Danny kwam met moeite overeind, onzeker over wat er zou gebeuren.

'Kom met me mee, mijnheer Kellerman. Ik zal u laten zien waarom we niet van geruchten houden,' snauwde Hinga.

De generaal leidde Danny naar beneden en naar buiten. Hij zag Kam wachten bij de Mercedes en ontwaarde een angstige blik op zijn gezicht. Zijn hart begon sneller te slaan. Hij volgde de generaal langs een rij lage gebouwen, half ingestort en bijna overwoekerd. Hinga hield stil voor een ervan en Danny tuurde naar binnen. Hij kon een jonge vrouw in een haveloze jurk zien die gehurkt voor een kookvuur zat en, in de schaduw, groepjes mannen die op zachte toon praatten. Sommige van hen rookten en Danny rook een krachtige vleug marihuana in de lucht. Hinga schreeuwde iets in het Krio en langzaam stonden de gestaltes op, ze kwamen met knipperende ogen naar het daglicht toe, alsof ze er niet aan gewend waren. Het was een zootje schorem, gekleed in verschillende groene uniformen, met lang en besmeurd haar. Sommige van hen schenen nog maar nauwelijks tieners, terwijl anderen misschien begin twintig leken. Ze staarden Danny nors aan, zijn aanwezigheid maakte geen enkele emotie bij hen los maar tegelijkertijd verloren ze hem geen moment uit het oog. Ze gingen rommelig in het gelid staan, een paar van hen met vettige mitrailleurs waarbij de munitiehouders met zwarte tape op de wapens waren geplakt. Hinga wendde zich tot Danny.

'Dit zijn mijn soldaten,' zei hij. 'Sommige van hen zijn van het regeringsleger. Sommige van hen zijn ex-RUF'ers. Maar vier jaar geleden zaten ze allemaal in de jungle.'

Hinga hoefde niet verder te gaan. Deze mannen en jongens deinsden nergens voor terug. De oorlog had hun dorpen en hun levens vernietigd, en ze hadden gedaan wat ze moesten doen om te overleven. Nu waren ze hier, wiet rokend in een halfverlaten legerbasis, wachtend op een toekomst die nog niet was gearriveerd. Maar ze hadden in ieder geval hun verleden achter zich gelaten.

'Vier jaar geleden vermoordden deze jongens mensen. Nu doen ze dat niet,' zei Hinga. 'Dat is vooruitgang. Dat is verandering. Dus onthoud dat het voor ons niets betekent als je vragen stelt over de dood van je blanke vriendin. Wat belangrijk is, is dat deze soldaten in vrede leven.'

Hinga bleef maar hameren op het feit dat Maria blank was, een vreemdeling zoals hij. Danny wilde iets zeggen, maar Hinga prikte een vinger in zijn borst. 'Deze mannen hebben allemaal gemoord. Ze doen het zo weer als je het ze zegt. Als je ze een reden geeft. Het maakt ze niets uit.'

Hinga keek Danny indringend aan en liet zijn woorden in de lucht hangen. Het leek plotseling stil. Danny keek naar de mannen en twijfelde er geen moment aan dat het waar was wat de generaal zei. Hij slikte diep. Hij keek Hinga in de ogen en probeerde te peilen hoe serieus deze bedreiging was. Hij wenste dat Kam er was.

'Ze hebben verschrikkelijke dingen gezien en gedaan,' vervolgde Hinga, die zijn stem liet zakken tot een samenzwerend gefluister. 'Hun geboortedorpen zullen hen niet terugnemen. Sommige van hen hebben hun eigen ouders vermoord, weet u?'

'Ik weet het,' zei Danny, verrast over hoe moeilijk het was om de woorden uit zijn mond te krijgen.

Hij keek weer naar de soldaten, die in het gelid stonden als verdachten tegen een muur. Danny was bang, bevreesd dat Hinga een bevel zou geven om hem heimelijk te laten verdwijnen in dat duistere, sombere gebouw. Weer een buitenlander vermist of dood in Sierra Leone. Een volgend ongeluk.

Maar toen, vanuit het niets, nam Hinga de vriendelijk waarschuwende houding van een onderwijzer aan en sloeg een dikke arm om Danny's schouders. Hij leidde Danny weg van de soldaten en bracht hem terug naar het hoofdgebouw.

'U ziet deze mannen, mijnheer Kellerman. Ze hebben geen uniformen. Geen training. We hebben jullie hulp nodig. Toen we elkaar aan het uitmoorden waren, toonden jullie in het Westen je zo betrokken. Nu hebben we vrede en zijn we vergeten. Dat is waarom de dood van Maria Tirado met rust gelaten zou moeten worden. Dat soort ongelukken heeft nog nooit iemand geholpen.'

Ze waren nu bijna terug bij de auto. Hinga's arm rustte nog steeds zwaar op Danny's schouder. Kam keek hoe ze aan kwamen lopen, zijn gezicht getekend door bezorgdheid en met trillende mondhoeken. Hinga keek naar Kam.

'U zou goed op onze vriend moeten letten, Kam,' zei Hinga tegen hem. 'Hij kan wel wat hulp gebruiken om te zien wat het nieuwe Sierra Leone hem te bieden heeft.' De generaal wilde zich omdraaien maar stopte halverwege. Hij keek Danny aan en zuchtte diep.

'Ik ben in uw land geweest, mijnheer Kellerman. Acht weken in Sandhurst, als gast van uw Britse leger. En elke zondag ging ik naar de kerk om mijn God te eren. Maar het leek er wel een museum. Jullie Europeanen brachten het woord van God naar Afrika, maar alleen hier wordt er nog naar geluisterd. Ik ben eraan gewend met veel mensen te bidden en te zingen, maar daar was ik altijd alleen.'

Hij zweeg, gegrepen door een verbleekte herinnering. 'Weet u, op een dag zou ik wel in Engeland willen wonen,' zei Hinga. 'Denkt u dat dat mogelijk is?'

'Alles is mogelijk, generaal,' zei Danny. 'Ik had nooit gedacht dat er vrede zou komen in Sierra Leone. Maar hier sta ik dan.'

De generaal had zijn bulderende lach weer terug.

'Ja, mijnheer Kellerman, dat is de goede houding. Wij Sierra Leoners zijn helemaal geen slechte mensen, weet u? U moet de wereldopinie over ons veranderen.' Hij schudde Danny's hand met een handpalm die droog aanvoelde. Zo droog als een koud, dood bot.

TOEN ZE WEGREDEN in de auto stak Kam een snelle monoloog vol verwijten af.

'Dat was slecht, mijnheer Danny. Slecht,' zei hij. 'Ik had je hier nooit naartoe gebracht als ik had geweten dat je vragen ging stellen over juffrouw Maria. Dit was niet de juiste manier om het erover te hebben.'

Danny keek naar de Senegalees. Hij leek zich niet bewust van Maria's dood.

'Ze is dood, Kam. Maria is dood. Ik wil weten wat er is gebeurd.'

Kam remde af tot de auto stopte en staarde voor zich uit,

zijn handen om het stuur geklemd. Toen hij uiteindelijk sprak was het op een zachte toon waar bezorgdheid doorheen klonk.

'Natuurlijk, ik weet ervan. Het stond in alle kranten. Ze is in de buurt van Bo door bandieten vermoord. Het waren rovers. Slechte mannen.'

'En zij zijn ook dood?'

'Regeringssoldaten zijn ze gaan zoeken en hebben ze gedood. Het waren bandieten...'

'Ze schreef me een brief voordat ze stierf, Kam,' zei Danny. Zwijgend haalde hij de brief tevoorschijn en overhandigde hem. Kam zette voorzichtig een sierlijk brilletje op en ontvouwde het papier, hij zag eruit als een esoterische professor die een oude tekst bestudeert. Zijn gezicht vertoonde geen emotie toen hij het las. Hij gaf de brief terug en sprak met een stem die boos en bitter klonk.

'Maria was een prachtige vrouw. Ze hield van dit land en het heeft haar gedood. Deze mensen kunnen zó gek zijn.'

Kam spuwde de woorden uit. Het waren momenten als deze die Danny eraan herinnerden dat Kam hier net zozeer een vreemdeling was als hijzelf. Dat Sierra Leone, ondanks zijn lange ervaring, hem gekker had gemaakt dan welke westerling ook.

'Wil je me helpen?' herhaalde Danny.

Kam keek hem aan. Er viel bezorgdheid van zijn gezicht af te lezen.

'Natuurlijk,' zei hij. 'Maar Hinga heeft óók gelijk. Overvallen gebeuren nu eenmaal en goede mensen sterven. Daar kunnen we niets aan doen. In dat opzicht verschilt Sierra Leone van geen enkel ander land in de wereld.'

3

[2000]

HET WAS EEN klop op zijn schouder geweest die hem de eerste keer naar Sierra Leone had gebracht. Toen hij later in Freetown in een bar zat of – daarna – alleen en dronken in een Londens café, wilde hij graag denken dat het een vinger van God was geweest die uit de hemel was verschenen om zijn leven te veranderen. Maar het was een klop op zijn schouder geweest. Dat was alles. Dat was genoeg.

Hij was toen aan het werk en zat aan zijn bureau.

Klop, klop.

Danny had zich omgedraaid om Tom Hennessey te zien die een proefdruk van een artikel dat hij zojuist had geschreven stevig vasthield. Het was een onthullend stuk over wapenhandelaars. Goed werk, had Hennessey gezegd. Hoe zou je het vinden om een reisje naar Sierra Leone te maken? De redactie Buitenland is onderbezet op het moment en het wordt daar steeds erger. We moeten er iemand hebben voor een paar weken.

Danny had Hennessey een moment wezenloos aangekeken. Hij had een jaar lang gelobbyd voor dit moment, zijn redacteur aan zijn kop gezeurd om hem naar het buitenland te sturen. Hij had in de redactiekamer zitten zwoegen op het plaatselijke nieuws – de crimes passionels, de ranzige politici, de corrupte dienders – maar al die tijd geweten dat de schoonheid in de wijde, wijde wereld lag als buitenlandcorrespondent. Hij grijnsde vanbinnen zo breed dat hij dacht dat zijn gezicht zou opensplijten. Maar hij bleef rustig. 'Sierra Leone?' zei hij. 'Natuurlijk. Geen probleem.'

Een leven kan snel veranderen.

Twee dagen later zat Danny in een gammel vliegtuig op het asfalt van Abidjan, de tweede stad van Ivoorkust, op weg naar Freetown. Er was geen directe vlucht van Londen naar Sierra Leone, en daarom moest hij een tussenstop maken in dit stukje Frans West-Afrika. Het was op het eerste gezicht verwarrend. Abidjan had op elke willekeurige Europese stad geleken met zijn bedrijvenparken die als bekroning hoog oprijzende gebouwen vol spiegelende ramen hadden. De moderniteit was een verrassing. Toen hij later zijn achtergrondnotities bestudeerde, realiseerde hij zich dat Abidjan slechts een illusie was. Een glimmende façade voor wat erachter lag. Hij had elk artikel van de laatste drie jaar dat hij over Sierra Leone kon vinden uitgeprint: nieuwsberichten, krantenartikelen, tv-transcripties en tijdschriftartikelen. Hij las het allemaal.

Het was een snelle leerschool. Zoals talloze andere landen langs de West-Afrikaanse kust was Sierra Leone een stukje Brits wereldrijk geweest dat lukraak uit de jungle was gehakt. Toen de Europeanen zich er in de late twintigste eeuw snel uit de voeten maakten, kwam het boven water als een onafhankelijk land. In het begin ging het Sierra Leone goed. De heersende elite van het land bestond uit Krio's, afstammelingen van bevrijde slaven uit het Amerikaanse continent die door de Engelsen waren teruggebracht. Ze regeerden over een bevolking van autochtone Afrikanen van meer dan vijfentwintig stammen, die hun overheersers met hun Britse manieren en namen als Wilson, Stevens en Smith verfoeiden. Toen ging het verkeerd. Aan het eind van de jaren tachtig vormde een gedesillusioneerde kolonel die Foday Sankoh heette het Revolutionary United Front. Met weinig of geen politieke ideologie werd het RUF het vehikel van Sankoh's persoonlijke doeleinden. Ze namen de diamantmijnen in het binnenland over en rekruteerden soldaten door de kinderen van hun slachtoffers te ontmenselijken. Hun visitekaartje was de 'lange-mouwen-of-korte-mouwen'-methode, het afhakken van armen: korte mouwen waren boven de elleboog; lange mouwen waren boven de pols. Jongens werden gedwongen hun eigen familie te vermoorden om daarna soldaat te worden. Door hun misdaden konden ze nooit meer terug naar hun dorpen. Het RUF werd hun enige manier om te overleven.

Danny voelde zijn keel droog worden. Het was van een onvoorstelbare wreedheid. Hij las verder.

Het RUF plunderde Freetown in 1997 na een militaire staatsgreep. Het jaar daarna arriveerde er een vredesleger onder Nigeriaans gezag, maar ook dat plunderde de stad, en het jaar daarop viel het RUF weer aan. Tegen de tijd dat de Verenigde Naties een vredesakkoord afsloten lag het grootste deel van Freetown in puin, met twee miljoen daklozen en tienduizenden doden.

Maar de nachtmerrie was nog lang niet voorbij. Sankoh had een handvol ministersposten geaccepteerd in een nationale regering en betrok een villa in Freetown. Maar tegelijkertijd fluisterde hij de jungle in dat de strijd niet voorbij was. Het RUF haalde zijn machetes weer tevoorschijn. Terwijl Sankoh door de puinhopen van Freetown paradeerde, kwamen de kindsoldaten gruweldaad na gruweldaad dichterbij en de macht van de regering kromp als een poel die uitdroogt in de Afrikaanse zon. Freetown was hulpeloos, als een verkrachtingsslachtoffer dat bebloed in de goot ligt, de beurs gestolen, de rok gescheurd, wachtend op de genadeslag.

Later, toen Danny's vliegtuig over de startbaan van Abidjan begon te rijden, op weg naar Freetown en zijn onbekende inwoners, herinnerde hij zich de woorden van een jonge

Keniaanse BBC-journaliste die hij op de vlucht vanaf Londen had ontmoet. Ze was een veterane in de verslaggeving over Sierra Leone en had gezien dat het zijn eerste keer was. 'Relax,' zei ze. 'Het zijn geweldige mensen daar... wanneer ze elkaar niet aan stukken hakken.'

Het was een staaltje galgenhumor geweest om hem in te wijden in de club van journalisten die op weg waren om verslag te doen van de tragedie die zich aan het voltrekken was. Hij glimlachte en genoot van de terloopse wijze waarop iemand gevaar en zwarte humor wist te combineren. Maar toen hij zijn aantekeningen weglegde en het vliegtuig zichzelf de lucht in trok, zag hij de grond onder zich verdwijnen. Binnen twee uur zou hij in Freetown zijn.

HET EERSTE WAT Danny in Sierra Leone voelde was een stoot hete, vochtige lucht die het vliegtuig in stroomde alsof er zojuist een oven was geopend. Een van de piloten, hij had een zwaar Russisch accent, was naar achteren geklauterd en had de cabinedeur opengedaan.

Danny liep de trap af en knipperde met zijn ogen in het felle zonlicht. Hij voelde dat zich al een dun laagje zweet op zijn huid had gevormd. Een zwerm mannen in haveloze uniformen had een luik in de buik van het vliegtuig geopend en was de bagage aan het uitladen, alsof ze een reusachtige vogel aan het uithollen waren. Danny voelde opluchting toen hij zijn koffer op de grond zag staan. Hij pakte hem op en zag dat hij naast de BBC-journaliste stond.

'Weet je hoe ik in de stad kan komen?' vroeg hij, zich er opeens van bewust dat hij geen idee had waar hij was. Ze was een stapel zilverkleurige metalen koffers met apparatuur zorgvuldig aan het natellen en keek op.

'Freetown heeft geen eigen vliegveld. Vanaf hier vlieg je met een helikopter Freetown in. Je ziet de borden wel nadat je door de douane bent.'

Danny lachte.

'Je bedoelt dus dat je eigenlijk een vlucht moet nemen om van en naar het vliegveld te komen. Dat is idioot.'

'Nou, je kunt met de auto gaan. Maar als je je armen aan je lichaam wilt houden zou ik het je niet echt aanraden, want de weg wordt door het RUF gecontroleerd.'

En na die woorden dook ze in de kolkende massa passagiers. Danny trok zijn koffer over het asfalt in de richting van een vervallen terminal. Hij liep door een gang langs een verroeste en sinds lang in onbruik geraakte bagageband en zag toen een bord met informatie over de helikoptervlucht naar Freetown. Tien minuten later – en zestig dollar lichter – zat hij in een oude VN-helikopter. Mensen zaten op de vloer, ze hielden hun bagage tegen zich aangeklemd en zaten tegen elkaar aan gepropt langs de zijkanten. Danny deelde een stoel met een Arabisch uitziende man in een zwart maatkostuum en met een zonnebril waar de naam van de ontwerper op prijkte.

'Mooie zonnebril,' zei Danny. De man draaide zich om en Danny vroeg zich een moment lang af of de man wel Engels sprak.

'De beste die Italië te bieden heeft,' antwoordde hij uiteindelijk.

'Ik ben Danny Kellerman. Ik schrijf voor een Britse krant, *The Statesman*.'

'Aangenaam kennis te maken, mijnheer Kellerman,' zei de man op een toon die het tegenovergestelde suggereerde.

'Woont u hier?' vroeg Danny.

'De meeste tijd, ja.'

'Wat doet u zoal?'

De man bekeek Danny een moment, hij taxeerde het onverwachte verhoor.

'Zaken.'

Zijn toon was kortaf, maar dat kon Danny niets schelen.

Hij was opgewonden. 'Dit is mijn eerste keer hier,' zei hij. 'En ik ben ook nog nooit eerder in Afrika geweest.'

De man liet een verrast lachje horen. Toen nam hij met een theatraal effect zijn zonnebril af. Hij glimlachte nu.

'U neemt me in de maling,' zei hij. 'Uw redacteur stuurt u voor uw eerste keer in Afrika naar Fréétown?'

De man zuchtte diep.

'Dit is geen safari in Kenia, weet u? De laatste leeuwen zijn hier honderd jaar geleden gedood,' zei hij.

De man grinnikte in zichzelf.

'U moet iemand bij uw krant goed pissig hebben gemaakt. Of u hebt de verkeerde genaaid. Vertel me, mijnheer Kellerman, hebt u de vrouw van uw redacteur genaaid?'

Het ijs was gebroken, het gesprek was nu open en plezierig.

'Eigenlijk was het een soort beloning,' zei Danny.

'Dit is niet te geloven,' zei de man met gespeelde verontwaardiging. 'Ze hebben je bedonderd, mijn vriend. Iemand bij je krant wil je dood hebben en je weet het niet eens. Kom op, vertel me, wie heb je genaaid?'

Terwijl de man sprak begon de helikopter te klapwieken en zichzelf van de grond op te tillen, hij bevocht de zwaartekracht als een zwanger insect. De man merkte het nauwelijks op en verhief zijn stem toen de oorverdovende motoren hem dreigden te overstemmen.

'Dit land is volledig naar de klote, weet je?' schreeuwde de man volhardend boven de herrie uit.

'Sankoh wil alles hebben en hij zal het nemen. Het maakt mij niet uit. Ik red me altijd wel. Het RUF en Sankoh of president Kabbah en zijn boevenbende. Wat maakt het uit? Ik doe gewoon zaken met de winnaar. Maar ik heb te doen met deze arme stakkers.' De man gebaarde naar de Afrikanen op de vloer van de helikopter, samengeperst met hun uitpuilende tassen met kleren en voedsel.

'Denk je echt dat het RUF een poging gaat wagen om het

over te nemen?' vroeg Danny terloops, terwijl hij probeerde net zo onbezorgd te klinken als zijn nieuwe vriend.

De man knikte.

'Ze hebben niet tien jaar oorlog gevoerd om genoegen te nemen met de kruimels die op de grond zijn gevallen,' zei hij. 'Trouwens, wat hebben ze te verliezen? Een volgende plundercampagne is waarschijnlijk het enige waar die jongens in de jungle naar kunnen uitkijken.'

De man boog zich naar Danny toe en liet zijn stem zakken zodat de andere passagiers hem niet zouden horen.

'Ik ben overal in Afrika geweest,' zei de man. 'En er is één manier om te zien of een land in de problemen zit: is de brouwerij gesloten? Ik ben in de meest afgelegen delen van Congo geweest en ze hadden altijd bier. Primus mag dan wel bocht zijn, je kunt het loodje leggen na het drinken van twee flessen, maar ze maken het nog steeds. Dat land redt het wel.'

Danny keek naar de man. Hij wist niet of hij het nu meende.

'Hoe zit het met de brouwerij in Freetown?' vroeg Danny.

De man barstte uit in een daverende lach.

'Man, die brouwerij is al twee jaar dicht. Het RUF heeft hem platgebrand. Je zult geïmporteerde Heineken drinken tot ze je handen er af komen hakken.'

Danny keek uit het raam terwijl de man doorpraatte. Hij stak een monoloog af over de recente problemen in Freetown en zijn eigen 'zaken', die vaag en winstgevend bleven maar nooit winstgevend genoeg. Hij noemde nog steeds zijn naam niet, maar onthulde dat hij Libanees was, een relikwie van het Franse keizerrijk dat eens had geregeerd over het grootste gedeelte van West-Afrika. Door het raam zag hij hoe de helikopter zo'n veertig meter boven de golven van de brede baai tussen Freetown en Lunghi danste. Hij zag een uitgerekte bergketen die als een verwijtende vinger uitliep in de zee. Freetowns slordige wildgroei kroop langs de kust, beklom de heuvels en zeeg neer in de valleien tussen de pieken. Onder hem bespeurde hij kleine kano's verspreid over de ruwe zee, ze waren net als de helikopter afgeladen met mensen en bagage. De nietige bootjes voeren op de open zee van en naar het vliegveld. Het zag er beangstigend uit, met de golven die hoog boven de fragiele kano's kolkten. Maar hij nam aan dat er geen andere manier was als de weg door het RUF was bezet.

Toen waren ze in de stad. Voor de tweede keer die dag knipperde Danny met zijn ogen in het zonlicht en de chaos. Hij zocht de Libanees, in de hoop dan tenminste een naam en misschien een visitekaartje te krijgen, maar de man was al weg. Danny pakte zijn bagage en wilde weglopen uit de menige die zich om de helikopter heen had verzameld, maar hij raakte er alleen maar dieper in verstrikt, een zee van gezichten die zich tegen hem aandrukte, aan zijn shirt trok en zijn tas probeerde te grijpen.

'Mijnheer, mijnheer. Auto nodig?'

'Chauffeur nodig, mijnheer?'

Danny bleef doorlopen. Maar hij kwam niet vooruit. Hij stopte en hief zijn handen in de lucht toen iemand hem plotseling bij zijn schouder pakte. Hij draaide zich om en daar stond de Libanees.

'Jezus. Ik let even niet op je en je bent al omsingeld door vijandige inboorlingen. Freetown zal je met huid en haar opvreten, man.'

Danny werd heen en weer geduwd. Overal op hem zaten armen en handen die niet bij lichamen of gezichten leken te horen. De Libanees trok hem naar voren en hij stond voor een lange Afrikaan, mager, pezig en met een zeer donkere huid. Hij leunde tegen een gedeukte blauwe auto en droeg een sjofele gebleekte spijkerbroek, zijn witte overhemd open tot aan zijn navel.

‘Kam, mijn vriend,’ riep de Libanees hem toe, ‘ik heb een klant voor je. Dit is een journalist uit Londen. Breng hem naar het Cape Sierra en bezorg hem een kamer. Pas een paar dagen op hem, wil je?’

De lange man boog zich voorover en pakte zijn koffer op.

‘Ik ben Kam,’ zei hij, ‘ik zal je chauffeur zijn.’

‘Kam zal het voor je regelen,’ zei de Libanees. ‘Hij is de beste chauffeur van Freetown.’ En met deze woorden was hij weer verdwenen.

Danny besloot het maar op zijn beloop te laten. Hij geloofde niet dat de Libanees of deze nieuwe vreemdeling, Kam, het slecht met hem voor had. Hij zette zijn zorgen opzij en volgde Kam naar de auto. Hij trok aan het portier, dat vast scheen te zitten. Kam strekte zijn arm uit en hengstte hem met een ruk open. Hij glimlachte Danny ontspannen en geruststellend toe. Wat is iedereen vriendelijk hier, dacht Danny, en dat voor een land dat zich op de rand van de totale ondergang bevindt.

‘Ik breng je nu naar het Cape Sierra. Het beste hotel voor journalisten,’ zei Kam. De auto trok op en Kam schakelde hem met een dramatische klap in de hoogste versnelling. Een groepje mensen dat bij de ingang van de heliport stond stoof uiteen. Met een slippende koppeling en gierende banden schoot de wagen de straten van Freetown in en Danny vloog mee.

Het Cape Sierra-hotel lag op een klein eiland, dat alleen bereikt kon worden via twee verhoogde wegen aan de uiterste punt van Freetown. Eens was het eiland het centrum van de landelijke toeristenindustrie geweest, en vanaf de zijkanten stonden enorme hotels zij aan zij om een perfecte halvemaan van wit zand heen gebogen. Bijna alle hotels waren vervallen kolossen, zonder ramen en met lobby’s die bewoond werden door daklozen. Maar het Cape Sierra was nog steeds in bedrijf. Kam duwde hem naar binnen en ging tekeer tegen de receptionist totdat Danny niet lang daarna in een suite met airconditioning zat. Kam keek toe hoe hij zijn koffer uitpakte en zei hem dat ze elkaar de volgende ochtend om acht uur na het ontbijt zouden zien. Kam duldde geen tegenspraak, die Danny ook niet bood.

Nadat de Senegalees was vertrokken voelde Danny een sterke behoefte aan drank en gezelschap. Hij ging terug naar de lobby beneden en volgde het zachte geroezemoes van stemmen tot hij een ruimte binnenkwam die volgens hem de hotelbar moest zijn. Aan een kant bevond zich een bar waar een man in een wit uniform achter stond die koude blikken bier uit een vrieskist viste. De ruimte was felverlicht door tl-buizen en in een hoek stond een televisie op CNN afgestemd. Een bonte verzameling mannen zat in groepjes bij elkaar aan tafels met bergen bierblikken erop. Ze waren voor het merendeel blank en zagen eruit als ex-militairen. Hun haar was kortgeknipt en de zwaargebouwde lichamen verrieden een gespierd verleden dat nog niet helemaal door de middelbare leeftijd werd verdoezeld. Veiligheidsadviseurs, dacht Danny. Huurlingen dus. Het waren mannen als deze die met een forse gage twee jaar geleden de regering hadden gered toen het RUF de laatste keer de macht wilde overnemen.

'Mag ik een biertje?' zei Danny tegen de man van de vrieskist.

Er werd een blik Heineken op de bar gezet.

'Hebt u niet iets van hier?' vroeg Danny.

De barman lachte.

'Nee mijnheer, de brouwerij is gesloten.'

Danny drukte het blik tegen zijn wenkbrauw en voelde het gekoelde metaal op zijn huid. Hij nam een flinke slok en keek om zich heen. Hij merkte een ander groepje op dat aan een tafel vlak bij hem zat. Het was een mix van mannen en vrouwen en het betrof hier duidelijk geen huurlingen. Hulpverleners, veronderstelde Danny. Ook zij hadden indrukwekkende piramides van bierblikken opgebouwd. Er werd op luide toon geconverseerd en rauw gelachen. Hij zoog de exotische scène in zich op en glimlachte in zichzelf. Het leek wel de bar uit *Star Wars*, dacht hij. Het rumoer klonk onverminderd voort.

Langzaam werd de bar zich echter bewust van een aanhoudende woordenstroom die uit de tv kwam. Een van de hulpverleners zette het volume harder. CNN was halverwege een verslag van de Sierra Leone-crisis. Het lawaai in de bar verstomde toen een blonde CNN-correspondent op het scherm verscheen die voor iets stond wat op een controlepost van het regeringsleger leek.

Op dat moment vloog er een blik bier door de ruimte dat de tv raakte. Het schuimende vocht liep over het toestel en van een van de huurlingentafels klonk bulderend gelach. Er stond een grote man op die een overdreven buiging maakte.

'Freddie, wat ben je toch een mafkees,' riep een van de mannen lachend, met een barse stem die rechtstreeks uit Lancashire kwam.

'Een klootzak zou ik eerder zeggen,' klonk een andere, vrouwelijke stem, nu echter met een Amerikaanse nasaalheid.

De woorden van de vrouw klonken na in de bar. Danny keek in de richting van de hulpverlenerstafel. Daar zat een jonge vrouw, haar zwarte haar zat strak achterover gebonden en omlijstte een ovaal gezicht. Ze hield één wenkbrauw vragend opgetrokken en had een glimlach op haar lippen. De huurling vond het beduidend minder leuk. Hij maakte aanstalten om naar de tafel van de vrouw te lopen. Haar vier tafelgenoten schoven ongemakkelijk op hun stoelen. De man was bijna twee meter lang, met armen vol verbleekte blauwe tatoeages. De vrouw vertrok echter geen spier.

'Laat toch, Freddie,' riep een van de huurlingen hem toe. Maar de man bleef lopen. Hij kwam op de tafel af en de vrouw stond opeens op. Ze keek hem recht in de ogen en stak van wal.

'Voordat er nu een "zeg dat nog eens" komt, Freddie: ik zal je de moeite besparen en je vertellen hoe het zit,' zei ze met een stem waar de agressie en verachting vanaf dropen. 'Ik weet alles van je, Freddie. En als je denkt dat ik geen vrienden in de regering heb die jouw kleine werkcontractje zullen beëindigen als ik het zeg, dan zit je er goed naast.'

Ze zweeg voor het effect. Om de woorden te laten indalen.

'Dus waarom ga je niet gewoon weer zitten; neem nog een biertje en hou verder als een goede kindermoordenaar je mond.'

De man leek versteend. De vrouw ging verder.

'Ga dan. Sodemieter op,' zei ze.

De man boog zich over de vrouw heen zodat ze heel klein leek. Maar er viel geen spoor van nervositeit bij haar te bespeuren. Freddie leek zijn opties te overwegen, de onverwachte bedreiging had hem onzeker gemaakt. Zijn neusvleugels trilden van woede; hij was als een enorme stier die naar de matador keek, eerst verbaasd en vervolgens bang voor de wervelende rode mantel.

Toen verscheen er vanuit het niets een man in een gesteven zwart colbert. Een glimmend bordje op zijn revers maakte duidelijk dat hij de manager was. Het was duidelijk dat hij jarenlange praktijkervaring had, vaardig pakte hij Freddie bij zijn arm en leidde hem de andere kant op.

'Mijnheer Freddie,' zei hij. 'Tijd voor een volgend rondje. Van het huis. We gaan niet vechten, alleen maar drinken.'

Freddie stond toe dat hij werd weggeleid, maar niet voordat hij nog een keer omkeek.

'Stomme trut,' mompelde hij, en hij liep gelaten terug

naar zijn tafel onder een bulderende golf van gelach en hoon.

De vrouw had haar aandacht ondertussen alweer op haar gezelschap gericht.

'Nog een rondje?' zei ze alsof er niets was gebeurd. Ze liep naar de bar.

Voor het eerst bekeek Danny haar eens goed. Ze had een lichtgekleurde huid en een brede neus onder een paar bruine ogen. Hij dacht dat hij een lichte blos op haar wangen zag, misschien de enige zichtbare verwijzing naar wat er zojuist gebeurd was.

'Jij hebt ballen,' zei hij, en had er meteen spijt van. Stommeling.

'Pardon?' zei ze, terwijl ze zich bruusk omdraaide.

'Sorry. Dat was niet de juiste opmerking,' zei Danny. 'Die vent leek me een enorme eikel. Wie is hij?'

'Iedereen kent Freddie,' zei ze. 'Fiji Freddie? Hij is piloot op een gevechtshelikopter van de regering. Dat is zo'n beetje de enige reden waarom het RUF hier nog niet is om gezellig met ons mee te drinken in dit hotel.'

'O, neem me niet kwalijk. Ik ben pas net aangekomen. Ik wist niet dat hij een lokale beroemdheid is.'

De vrouw fronste.

'Hij is een moordenaar, net als de rest van de huurlingen. Op het moment hebben we ze nodig, maar dat hoef ik nog niet leuk te vinden en ik kan hun domme gedrag in bars niet uitstaan. Ze gedragen zich als een stel Britse hooligans.'

Danny vroeg zich af of de vrouw zijn Engelse accent had herkend. Ze bestelde vier bier; er viel een stilte terwijl de barman ze uit de vrieskist viste. Hij keek naar haar. Hij kon er niets aan doen, maar terwijl hij zijn blik over haar gezicht liet gaan moest hij zichzelf dwingen niet lager te kijken. Er was iets magnetisch aan haar, vanaf het eerste moment. Ze voelde zijn blik en keek hem aan.

'Mijn naam is Danny Kellerman,' zei hij omdat hij niets beters kon verzinnen. 'Ik schrijf voor *The Statesman*. Dat is een Engels dagblad.'

Ze knikte.

'Ah, een journalist,' zei ze. 'Nog nat achter zijn oren komt hij naar ons kleine oorlogje kijken. Precies wat we nodig hebben. Meer toeschouwers.'

'Zo zou ik het niet willen zeggen,' zei hij.

'Hoe zou jij het dan willen zeggen?'

Maar terwijl de vraag haar mond nog niet had verlaten greep ze de biertjes en begon terug te lopen naar haar tafel.

'Wacht even,' zei Danny, die zich bedacht dat hij haar maar beter niet bij haar arm kon pakken. 'Wat is je naam? De mijne is Danny Kellerman, en jouw naam is...? Het is wel zo beleefd die te geven als ik je erom heb gevraagd, en ik weet dat je niet van grof gedrag in bars houdt. Dat zei je net.'

De vrouw stopte. Ze liet een kort lachje klinken. Danny voelde hoe de zon zijn wereld binnen scheen.

'Dom gedrag. Ik zei dat ik niet hield van dom gedrag in bars. Ik heb niets tegen grof gedrag.' Ze maakte rechtsomkeert om terug naar haar vrienden te gaan, maar niet voordat ze nog een keer omkeek en zei: 'Maria. Mijn naam is Maria.'

4

[2004]

DANNY BEVOND ZICH op Lumley Beach – vlak bij het Cape Sierra – en keek hoe de zon richting horizon zakte. Enkele honderden meters verderop zwermde een wolk witte meeuwen om vissers heen die een net uit zee ophaalden. Hij kon het geschreeuw horen dat zich mengde met het schelle gekrijs van de meeuwen die de vangst wilden inpikken, de zwaaiende armen die ze probeerden te verjagen negerend.

Hij was stil blijven staan voor een verzameling in elkaar gezakte betonnen muren. Tijdens de oorlog was hij hier een keer met Maria geweest. Vier jaar geleden. Ze hadden deze plek in de schaduw uitgezocht, eens had er een strandtent gestaan maar nu restten er puin en verroest staal. Op een verknipte manier was hij blij dat het er net zo uitzag als de vorige keer. Dit liefdesnestje hoefde niet opnieuw gemaakt te worden.

Nu stond hij hier als een vreemdeling. Net als op elke andere plek was het alsof hij hier nog nooit was geweest, hoewel zijn blik bij elke stap wel iets bekends ontwaarde. Wat voor problemen waren er, Maria? Wat is er met je gebeurd? Het waren loze vragen. Hij wilde niet aan haar laatste momenten denken. De angst en het besef dat de overvallers van plan waren haar te doden. Hij kon alleen maar hopen dat het snel was gegaan. Hij vermeed instinctief eraan te denken, het was een pad dat nergens toe leidde. Hij dacht weer aan hun tijd op Lumley Beach, hoe ze tussen het puin van een ingestort strandcafé lagen, hoe ze midden in een oorlogszone slechte Franse wijn dronken en de liefde bedreven in het zachte zand.

Opeens voelde hij zijn mobiel in zijn zak trillen. De ringtoon bracht hem terug naar het echte leven, evenals het nummer dat op zijn scherm knipperde. Het was Rachel.

'Het is goed je te horen,' zei hij.

Opeens besefte hij dat hij de waarheid sprak. Hij voelde een vreemde mix van schuld en opluchting bij het horen van haar stem en ging in het zand zitten, de betrouwbaarheid van de vaste ondergrond deed hem goed.

'Ha, daar ben je. Het is ook fijn om jouw stem te horen,' zei ze. Haar toon was zoals gebruikelijk zacht, maar Danny voelde er ook iets harders onder zitten. Hij wist dat hij haar eerder had moeten bellen.

'Ik had je vanavond willen bellen,' loog hij.

'Mooi. Ik hoopte al van je te horen,' zei ze. 'Maar ik ben straks op pad en ik wilde je spreken voordat ik wegga. Hoe is het daar?'

'Goed,' zei hij. Toen zuchtte hij onhoorbaar. 'Goed' was een woord dat vele gebreken dekte. Niemand zei dat het goed ging als het werkelijk goed ging.

'Alles gaat goed,' herhaalde Danny. Hij kon er niets aan doen.

'Het land is veranderd, er is echt een hoop veranderd en het lijkt beter te gaan. Ik heb vanmorgen thee gedronken met een bonafide generaal van het leger. Het was...'

Zijn stem stierf weg. Zijn ontmoeting met Hinga en zijn bende naargeestige soldaten viel moeilijk te beschrijven. Hij wist niet wat hij moest denken van het impliciete dreigement te stoppen met het stellen van vragen en de doden met rust te laten. Of ten minste hun verzoeken te negeren.

'Het was... interessant,' zei hij halfhartig.

'En die vriendin van je? Heb je al iets over haar gevonden?'

Danny wist dat dit Rachels manier was om wat te porren, om erachter te komen wat er werkelijk aan de hand was, om te laten merken dat ze bezorgd was en zich bedreigd voelde. Ondanks zijn pogingen zich te beheersen voelde Danny even woede opwellen. Maria was dood, kom op zeg. Ze zou hem niet van haar afnemen.

'Ik ben me nog aan het oriënteren. Er valt een hoop werk te doen,' zei hij zo terloops mogelijk.

Rachel zweeg en Danny voelde hoe ze daar in hun woonkamer in Highgate haar moed verzamelde terwijl ze met haar haren zat te spelen. Daar kwam het...

'Ik sprak je vader vanmorgen,' zei ze uiteindelijk. 'Hij klonk verschrikkelijk. Hij zei ook nog dat jullie laatst ruzie hadden gehad.'

Ah, natuurlijk. Het zou eens niet over pa gaan. De teleurstelling klonk duidelijk door in Rachels woorden, en hij voelde zich er een moment lang schuldig over dat hij haar een kinderachtig leugentje had verteld. Het kon niet opwegen tegen Rachels liefde voor Harry. Zoals zoveel anderen zag ze zijn politieke overtuigingen en zijn persoonlijke leven over het hoofd voor het genot van een volgende gin-tonic en een absurd verhaal dat hij waarschijnlijk zojuist verzonnen had. 'Zo is Harry nu eenmaal' was praktisch een standaarduitdrukking van Rachel. Danny voelde zich nu ellendig. Hij had haar om de tuin geleid met zijn bewering dat ze een goede tijd hadden gehad samen, terwijl in werkelijkheid de zoveelste scheldpartij had plaatsgevonden.

'Hij wist niet eens dat je naar Sierra Leone was vertrokken, Danny. Wanneer had je het hem willen vertellen? Dit zal zijn gezondheid alleen maar verslechteren.'

'Sorry, sorry, ik was het helemaal vergeten,' zei Danny. Hij wist dat het niet overtuigend klonk. En hij wist ook dat ze het niet geloofde. Waarom zou ze in godsnaam?

'Ik zou zo graag willen dat jullie met elkaar konden opschieten. Ik heb mijn vader verloren en ik weet hoe erg het is als je spijt hebt als ze er niet meer zijn.'

Rachels vader was overleden toen ze een tiener was, hij werd ziek en stierf binnen een kort traumatisch jaar aan huidkanker. Rachel had zich op de zorg van de jongere gezinsleden gestort, ondanks het grote verdriet dat ze had. Harry zou jaren later een nieuwe vaderfiguur voor haar worden, en Danny wist dat ze het goed bedoelde, maar dit was niet het moment. 'Luister, ik moet nu gaan. Ik bel je morgen,' zei hij, terwijl hij barser klonk dan de bedoeling was.

'We moeten praten, Danny,' zei ze.

'Morgen, morgen zullen we praten.'

'Mooi,' luidde Rachels antwoord, ze fluisterde het door de lijn. Danny reageerde gebeten op het gebruik van het gevreesde woord. 'Nee, wacht, ik bedoel...' begon hij. Hij dacht aan duizend dingen die hij moest zeggen, maar hij kreeg ze niet uit zijn mond en in plaats daarvan bleef het stil. Zijn lippen vormden het woord 'sorry' maar de kiestoon zoemde al in zijn oor.

DIE AVOND ZEI hij tegen Kam dat hij wilde gaan eten bij Alex's, een Libanees restaurant dat bijna recht tegenover het Cape Sierra lag. Het was een van de weinige plekken die de hele oorlog open waren geweest. Elke brandhaard op de wereld had wel ergens een Alex's zitten. Een plek waar zelfs op de donkerste momenten de dure drankjes en het lekkere eten bleven toestromen. Toen Kam stopte zag hij dat de tent halfleeg was. Het was er vier jaar geleden altijd vol, maar vanavond zat er slechts een handvol mensen aan de tafels en aan de bar zaten een paar eenzame mannen. Hij draaide zich naar Kam en vroeg hem om mee te gaan. De Senegalees schudde zijn hoofd.

'Heb je een vriendinnetje?' vroeg Danny. Hij wist dat

Kam een bescheiden netwerk van lokale kroegjes had waar hij zijn harem mee naartoe nam, waar hij met wat dollars strooide om de grote man te spelen; plekken waar je met een beetje buitenlands geld voor een koning werd aangezien.

'Nee, mijnheer Danny. Ik heb het zo druk gehad dat ik al mijn vrouwen verwaarloosd heb. Als ik ze niet wat meer respect betoon zal ik binnenkort vrijgezel zijn.'

Dat het vrijgezellendom voor Kam alleen maar betekende dat hij getrouwd was zonder andere vrouwen ernaast liet Danny maar even buiten beschouwing.

'Ga dan mee.'

'Ik moet wat klusjes doen,' zei hij, en voegde er bij wijze van uitleg aan toe: 'Ik moet rijden voor een klant die ik maar beter niets kan weigeren.'

'Gbamanja? Of een andere ex-RUF'er?' vroeg Danny. Het irriteerde hem. Hij kende de aantrekkingskracht van geld. Hij had het verhaaltje dat het verleden begraven moest worden aangehoord. Maar hoe kon Kam voor deze mensen werken? Kam probeerde te lachen.

'Het is gewoon een chauffeursklusje. En, ja, het is voor minister Gbamanja. Zoals ik al zei, hij is niet iemand die je iets weigert.'

Danny stapte de auto uit en Kam reed weg. Kam was vier jaar geleden tijdens de oorlog onberispelijk, hij was tijdens de oorlog de meester van zijn chaotische domein en verachtte de oorlogsstokers die het land ruïneerden. Nu er vrede heerste kwam er een geheimzinnige kant van hem naar boven; hij had eerbied voor wie macht had. Het leek alsof de voorspoed hem een andere verzameling overlevingstechnieken had bezorgd.

Hij draaide zich om, liep Alex's in en ging aan de bar zitten. Hij keek om zich heen naar de sporadische klanten, een mix van Afrikanen, Libanezen, Indiërs en westerse zakenlieden. Het geroezemoes van de gesprekken werd slechts onderbroken door de fladderende aanwezigheid van een groepje jonge vrouwen in korte rok of strak zittende broek. Elke vijf minuten liep er een op een man alleen af of, als de verwachting hoog was, schoof er een bij aan een tafeltje. Ze waren hier om zaken te doen. Maar vanavond leek het of iedereen door de hitte was bevangen. Elk uitstapje eindigde ermee dat de vrouw terugkeerde bij de groep, om als lusteloze roofdieren te kletsen en te giechelen terwijl ze slokjes cola met veel ijs namen.

Danny bestelde een bier en wat lamskoteletten, en sloeg de avances van een van de vrouwen van zich af met zo veel mogelijk gratie als hij kon opbrengen. De maaltijd arriveerde en hij at traag van het vlees. Het was het bier waar hij werkelijk trek in had. Het bracht hem tot rust en creëerde een aangename leegheid waarin hij kon wegzinken, zonder iets te voelen of denken. Hij had zich de hele dag niet goed gevoeld, met twijfels die aan hem knaagden, en er was ook angst. Hij kon er maar niet uitkomen of Hinga hem had bedreigd of alleen maar kwaad was geweest. En met Kam wist hij het ook niet precies. Door het bier wist hij weer waar hij stond.

Hij bestelde er nog een – de laatste, zei hij tegen zichzelf – en zag op dat moment dat er een man op de kruk naast hem zat. Het was een lange blanke man die het soort crèmekleurige pak droeg dat men associeert met Europese toeristen in de tropen. Het hing om zijn magere lijf heen en had duidelijk betere tijden gekend. Als deze man vers van de boot kwam, dan was het een lange zeereis geweest.

Misschien kwam het door het bier dat Danny de man zo lang aanstaarde dat deze hem in het oog kreeg. Zijn gezicht was verrassend jong en zijn spontane glimlach warm en vriendelijk.

'Nieuw in de stad?' vroeg hij.

Dit was geen Engelse stem, zoals Danny had verwacht.

Het was Amerikaans, welbespraakt en beleefd, verborgen achter de korte klinkers van de Oostkust klonk de vriendelijke brom van de Midwest.

'Nee, niet echt,' zei Danny, waarna hij zich herstelde. 'Nou, eigenlijk wel, ja. Ik ben hier echter eerder geweest. Vier jaar geleden. Maar er is veel veranderd.'

De grijns van de man werd breder en hij lachte.

'Dat is zeker zo. Sierra Leone is op de weg terug, weet u.'

Danny schudde de uitgestoken hand van de man, die zich voorstelde als Harvey Benson, Amerikaans diplomaat. Hij was hier sinds twee jaar, en kwam rechtstreeks van een post in de Centraal-Aziatische republieken. Hij noemde ze de 'Stans' op een manier die Danny gewoonlijk haatte, maar bij deze man klonk het innemend, charmant zelfs. Harvey was duidelijk enthousiast over het land, in zo'n mate dat Danny het bijna ontroerend vond. Hij scheen alle hoofdrolspelers te kennen, en maakte indruk door in zijn woordenvloed ontmoetingen met president Kabbah te noemen. Met een nauwelijks waarneembaar handgebaar richting barman werd er nog een rondje besteld. Een paar andere mannen en vrouwen kwamen langs en Harvey groette ze. Maar hij bleef bij Danny zitten en kwam steeds onverstoorbaar terug op het gespreksonderwerp, het leek wel of hij een verkooppraatje over Sierra Leone afstak en Danny de klant was.

'Diamanten zullen dit land erbovenop helpen, Danny,' zei Harvey nu. 'Ze hebben het tijdens de oorlog bijna te gronde gericht. Maar nu kunnen ze het erbovenop helpen. Daar ben ik zeker van. De potentiële rijkdom is ongelofelijk. Als we die zouden kunnen aanwenden om goede dingen voor het land te doen, en het weer op te bouwen, in plaats van om de zakken van een kleine minderheid te vullen. Stel je voor, een rijk Sierra Leone. Daar zouden we allemaal wat van kunnen leren, denk je niet?'

Danny knikte. Zijn blik begon nu wazig te worden. Hij realiseerde zich dat de grens tussen veel drinken en te veel drinken was overschreden. Harvey zag Danny's dronkenschap aan voor verveling.

'Sorry. Ik kan er uren over doorgaan. Ik weet dat dit een klein stukje van Afrika is, maar ik ben zeer gecharmeerd van dit land. De mensen zijn geweldig, zo levenslustig, en denk eens aan alle verschrikkingen die ze hebben doorstaan en dat ze gewoon doorgaan. Fantastisch. Het zal hier eindelijk goed gaan komen.' Hij zweeg weer en bekeek Danny met een glimlach. Misschien dat hij nu in de gaten had dat hij zich in het gezelschap van een dronkaard bevond.

'Maar goed, ik praat te veel. Hoe zit het met jou? We zien hier tegenwoordig niet zo veel journalisten. Jullie club volgt de oorlogen. We zijn nu een land in vrede. Dat maakt ons officieel saai, of wist je dat nog niet?'

Harvey keek gespeeld bezorgd.

'Wacht even, je weet niet iets wat ik niet weet, toch? Het zal toch niet fout gaan hier?'

Harvey had de argeloze zorgeloosheid van een gelegenheidsvriend en dat was, nu Kam god weet wat aan het uitvoeren was, precies waar Danny op dit moment behoefte aan had.

'Ik ben hier eigenlijk omdat er een vriendin van me is vermoord,' zei hij. 'Maria Tirado. Ze was een hulpverlener. In alle persberichten stond dat het om een roofoverval ging, maar ik wil het zeker weten.'

Harvey keek verbluft.

'Maria Tirado? Mijn god, dat spijt me werkelijk. Dat was verschrikkelijk. Wij hebben het op de ambassade moeten regelen. Het was een nachtmerrie om het aan haar familie te vertellen. Maar dit land is nog steeds arm. Overvallen zullen altijd plaatsvinden, vooral in het diamantgebied.'

Harvey legde een hand op zijn schouder en kneep er licht in.

'Ik weet dat het je niet veel zal helpen.'

Harvey leek in het geheel niet dronken te zijn, maar Danny had het niet meer onder controle. Hij schudde zich los. Hij wilde tegen de Amerikaan tekeergaan en hem duidelijk maken dat het geen roofoverval was. Ze zat in de problemen. Ze heeft me een brief geschreven. Ze wilde mijn hulp. Hij wilde opstaan, maar ging al bijna onderuit op zijn kruk. Harvey pakte hem bij zijn elleboog vast. Opeens wilde hij alleen nog maar terug naar Ali's huis.

'Ik denk dat ik maar beter kan gaan,' zei Danny, zwalkend op benen die op een vreemde manier ver weg voelden. 'Ik heb minstens een bier te veel op.'

Harvey ondersteunde hem.

'Het spijt me werkelijk van je vriendin,' zei hij, 'maar ik ben er zeker van dat ik je op pad kan helpen nu je hier bent. Ik ken veel mensen van de regering. Laat me wat ontmoetingen regelen. Ik kan je een paar echte hoofdrolspelers laten zien. Je reis zal niet voor niets zijn. Ik zal je een goed verhaal over Sierra Leone bezorgen.'

Danny bedankte hem met een knikje. Geweldig, dacht hij. Wie was Harvey allemaal een gunst verschuldigd in de stad? Danny was voor hem dus ook een betaalmiddel. Net als voor Kam. Toch krabbelde hij zijn mobiele nummer op een servetje, hij zag zijn rommelige handschrift uit de pen vloeien alsof het niet het zijne was. Harvey glimlachte instemmend en onderdrukte een lachje.

'Dat bier is sterk spul, vooral in dit klimaat. Toen ze de brouwerij heropenden hebben ze het alcoholpercentage verhoogd,' zei hij terwijl Danny naar de deur wankelde.

'Je hoort nog van me.'

Danny hoorde zijn laatste woorden nauwelijks. Hij strompelde Alex's uit en was zich er vaag van bewust dat hij door een tenger gebouwd persoon de taxi in geholpen werd. Hij zat achterin en legde zijn hoofd in zijn nek, hij probeerde het slingeren van de auto te negeren toen deze door de straten schoot en aan de klim naar Hill Station begon. De taxi stopte voor Ali's villa en hij stapte wankelend uit, de chauffeur wat Sierra Leoons geld overhandigend. Danny liep zijn slaapkamer in en ging liggen wachten tot de kamer zou ophouden te draaien. Hij moest zichzelf hervinden en keek opzij naar het nachtkastje waar hij Maria's brief op had gelegd. Het lezen ervan bracht hem zingeving en rust, zoals het herhalen van een mantra. Of een gebed. Het nam de twijfel over zijn daden weg. Hij strekte zich ernaar uit en stopte toen.

Iemand had eraan gezeten.

Of hij dacht dat iemand dat had gedaan.

Met zijn benevelde hoofd keek hij naar het bezoedelde velletje papier dat opengevouwen op het nachtkastje lag, terwijl hij zwoor dat hij het had dichtgevouwen. Hij vouwde het altijd dicht om de inhoud te verbergen. Maar nu lag het handschrift boven en was zichtbaar voor de wereld. Was hij paranoïde? Er leek niets veranderd in de kamer. Hij stond op, leunde tegen de muur om tot rust te komen en liep de villa uit naar de toegangspoort. Hij stak een sigaret op, de vuurkegel gloeide als een kooltje in de duisternis.

'Is hier iemand geweest vanavond?' vroeg hij.

De bewaker keek beledigd, alsof Danny zijn baan in twijfel trok.

'Niemand hier. Geen vreemden. Alleen George.'

'Weet je het zeker?'

'Alleen George,' zei hij en voegde eraan toe: 'En Kam. Hij was er een uur geleden om iets op te halen. Maar geen vreemden, baas.'

Danny keerde terug naar de villa. Hij was paranoïde. Dat was zeker. Hinga had hem hysterisch gemaakt. Deze hele situatie had hem hysterisch gemaakt. Hij vouwde de brief op en deed hem in zijn portefeuille, hij zou hem niet meer laten rondslingeren. Hij zou hem bij zich houden, dicht tegen zijn lichaam. Hij probeerde op te staan, om zich tenminste uit te kleden. Maar het was een verloren zaak, een gevecht tegen drank en vermoeidheid dat hij niet kon winnen. Hij gaf zich over aan de slaap, en sloot zijn ogen voor een wereld die onoverzichtelijk was geworden.

TOEN DANNY DE volgende ochtend versuft en met een knallende hoofdpijn Ali's keuken binnenviel was Kam er alweer. Maar hij was deze keer niet alleen. Aan de tafel zat een goedgebouwde Afrikaanse man in een felgroen militair uniform, zijn koffiekopje halverwege de tafel en zijn lippen. Hij was gladgeschoren, zijn haar was kortgeknipt en zijn gezicht leek uit ebbenhout gebeiteld. Een pet met een gedetailleerd zilverkleurig insigne lag voor hem. De man stond op en Danny zag het blauwe VN-logo dat op zijn rechterschouder was genaaid.

Toen hij Danny's onverzorgde verschijning zag verscheen er even een ontstelde blik op Kams gezicht, maar hij herstelde zich.

'Dit is majoor Oluwasegun. Hij behoort tot het Nigeriaanse contingent van UNSAMIL,' zei hij tegen Danny.

Danny keek hem uitdrukkingsloos aan. Waarom had Kam deze man hier gebracht? Hij bereidde zich voor op een eindeloze conversatie over het hoe, wat en waarom van de VN-missie in het nieuwe Sierra Leone. Kam bespeurde Danny's verwarring.

'Majoor Oluwasegun is een vriend van me,' zei Kam. Daar gaan we weer, dacht Danny. Maar wat Kam daarna zei kwam als een koude douche.

'Het waren mannen van zijn eenheid die Maria hebben gevonden,' zei hij.

Danny ging zitten. Wat Kam gisteravond ook had uitgevoerd, het waren niet alleen maar klusjes voor Gbamanja geweest. Het bleek in ieder geval nuttiger dan dronken en sentimenteel worden in Alex's. Hij voelde gêne en schaamte toen de herinnering aan zijn verdenkingen bij Maria's brief naar boven kwam. Belachelijk. Kam kwam met bewijzen. Als er iemand moeite deed om achter de waarheid van Maria's verhaal te komen, dan was het Kam.

Danny wenste hem goedemorgen. Majoor Oluwasegun zat er enigszins ongemakkelijk bij.

'Mijnheer Kellerman,' begon hij, 'ik weet niet of ik kan helpen. Maar Kam zegt me dat u en juffrouw Tirado goed bevriend waren en dus zei ik dat ik u wel wilde ontmoeten en vertellen wat mijn mannen op die dag aantroffen.'

'Noem me Danny,' zei Danny.

De majoor verstijfde zichtbaar.

'Ik wil niet onbeleefd zijn, mijnheer Kellerman,' zei hij, 'maar ik ben een soldaat van het Nigeriaanse leger in actieve dienst en u bent een burger. Alleen al u te ontmoeten is tegen de reglementen, maar ik heb Kam mijn woord gegeven dat ik het zou doen. Dus hier ben ik.'

'En daar dank ik u voor,' zei Danny. Hij begon het type te herkennen. Te midden van de chaos van Afrika, vooral in de legers, waren er altijd mannen als majoor Oluwasegun. Mannen die op de heksenketel reageerden door orde op te leggen, op corruptie reageerden met moraal, op het overtreden van de regels met gehoorzaamheid. Ze staken als lange bloemen boven het gras uit, en zo werden ze ook doorgaans omgemaaid.

'Mijn mannen waren bij de weg tussen Freetown en Bo gestationeerd. Een van mijn patrouilles was op de terugweg naar het basiskamp toen enkele dorpelingen hen aanhielden. Ze zeiden dat er een ongeluk was geweest en dat er buitenlanders waren omgekomen. Ze volgden hen naar de weg en troffen een voertuig aan. Het zag eruit alsof er een ongeluk was geweest, misschien nadat de banden waren lek geschoten. Het viel moeilijk uit te maken.'

'Waarom?' onderbrak Danny hem.

De majoor stopte en wierp Kam een geërgerde blik toe. Oluwasegun was er niet aan gewend onderbroken te worden.

'Hij was in brand gestoken. Mijn mannen maakten radiocontact met de basis. Nadat ik mijn eigen bevelvoerende officier had geïnformeerd ging ik erheen. Toen ik ze vond was het zoals ze me hadden verteld. De wagen was uitgebrand en ze vonden de slachtoffers op een open plek, zo'n vijftig meter van de weg af. Het waren uw vriendin juffrouw Tirado en haar drie metgezellen. Ze waren alle vier neergeschoten.'

De majoor zweeg en slikte. Wat voor een beeld hij ook in zijn hoofd had – de lichamen in de jungle, bebloed en verminkt – het was iets wat hij liever niet wilde zien.

'God hebbe hun ziel,' zei hij.

'Wat gebeurde er toen?'

'Het is niet onze taak om zulke criminele zaken te onderzoeken. Ik zorgde ervoor dat de lokale politie werd ingelicht en heb het incident in mijn dagelijkse rapport opgenomen. Het was een droevige dag. Ik ben sinds een jaar in dit land, mijnheer Kellerman, en ik heb een hoop erge dingen gezien. De duivel is hier al lange tijd actief en houdt ons elke dag bezig. Maar zo'n zinloze daad als deze had ik nog niet gezien. Mijn gebied gold als rustig. We hebben een halfjaar lang geen berichten gehad van zulke bandieten en nu gebeurde er dit.'

Hij zweeg geruime tijd. Zijn stem raakte iets van zijn militaire discipline kwijt. Danny zag voor het eerst dat hij een groot gouden kruis aan een ketting om zijn nek droeg. De majoor raakte het aan toen hij weer begon te praten.

'Ik ben niet geboren als een man van God, mijnheer Kellerman, maar werd het als een kind,' begon hij. Hij was opgegroeid in Yoruba-land, zei hij. Het was een onbeduidende plek, een van de talrijke stokarme dorpjes aan het eind van een modderspoor in de jungle. Zijn vader was het dorpshoofd geweest en hij de oudste zoon en daarom ging hij, in tegenstelling tot zijn vele broertjes en zusjes, naar school in de kerk van een lokale missionaris. Een Amerikaanse man. Een goede man.

'Pater Weissmuller kwam uit een stad die Cincinnati heet,' zei Oluwasegun. 'Ik stel me voor dat het er heel anders uitziet dan mijn geboortedorp. Maar pater Weissmuller leerde me dat we allemaal dezelfde God aanbidden. Ik geloof zeer diep in deze God. Hij leidt me in mijn leven. Maar soms... begrijp ik Zijn wegen niet.'

Hij zag er gepijnigd uit.

'De mannen die deze mensen hebben vermoord – die uw vriendin hebben vermoord – kenden geen God,' zei hij. 'Ik was verheugd toen ik hoorde dat het leger ze had gedood. De Heer stond niet toe dat zulk kwaad onbestraft bleef.'

Danny keek de majoor aan.

'Majoor, wist u of Maria problemen had? Had ze iemand in Freetown tegen zich in het harnas gejaagd, had ze vijanden gemaakt?'

De majoor schudde langzaam het hoofd.

'Juffrouw Tirado leefde voor haar werk, haar weeshuis. Er waren er die vonden dat ze die kinderen niet moest verzorgen, veel van hen waren RUF'ers, kleine moordenaars. Maar dat was geen reden om haar iets aan te doen.'

Er viel een stilte die lange minuten leek te duren. Toen stond majoor Oluwasegun op om te vertrekken.

'Ik heb u verteld wat ik weet en ik denk dat u niet veel meer dan dit te weten zult komen. Van wat ik heb gehoord was juffrouw Tirado een zeer goede vrouw. Ze hield van dit land en heeft hier goed werk verricht. Haar ziel zal in de hemel komen.'

Uit de blik die Oluwasegun nu op hem wierp kon Danny opmaken dat de majoor er een duidelijke mening op nahield waar zíjn ziel naartoe zou gaan. Niet naar een plek waar hij Maria gezelschap zou kunnen houden. De majoor wendde zich tot Kam.

'Ik zal teruglopen naar de stad,' kondigde hij aan. 'De oefening zal me goed doen.'

Kam liet de majoor uit, toen hij terugkwam was Danny koffie aan het inschenken. Hij wilde Danny de huid vol schelden over zijn katerige verschijning, maar Danny stelde hem meteen een vraag.

'Waar heb je hem gevonden?'

'Kam kent iedereen. Het is een vreemde man, de majoor. Hij lijkt zó rechtlijnig dat hij nauwelijks voorover kan buigen. Hij wil dat de mensen denken dat hij zelfs rechtop zijn behoefte doet.' Kam lachte. 'Maar ik ben er niet zo zeker van.'

Danny fronste. 'Wat bedoel je?'

Kam ging op een stoel zitten en legde zijn benen op tafel. Hij krabde aan zijn kin, alsof hij aan het nadenken was.

'De Nigerianen die onder zijn commando vallen zijn geen prettig stel. Degene met het grootste geweer heeft het altijd voor het zeggen gehad in dit land, en deze Nigerianen hebben veel wapens. Ze hebben ook veel meisjes en ze verhandelen drugs. Ze smokkelen zelfs mensen. Je weet wel, mensenhandel. Sommige van deze mensen willen weg, anderen niet. En dan hebben we de majoor. Hij komt hier aanzetten met al zijn vrome gepraat. Maar Kam weet het niet zo zeker.'

Hij haalde zijn schouders op.

'Als hij niet weet waar zijn mannen mee bezig zijn, dan kun je erop rekenen dat hij weer snel in Lagos terug is. Of hij eindigt dood in een greppel.'

Danny haalde een hand door zijn haar. Hij had alweer

hoofdpijn en dat was niet alleen maar het gevolg van gisteravond. Hij wist niet meer waar hij het moest zoeken. Niemand leek te vertrouwen.

'Hij leek niet te denken dat er iets ongewoons was aan de gebeurtenis,' zei Danny.

Kam haalde weer zijn schouders op.

'Hij zegt dat hij een man is die rapporteert wat hij ziet.'

'Hoe ken je hem?'

'Sommige van mijn meisjes kennen sommige van zijn mannen. De majoor tolereert me omdat hij zegt dat hij om mijn ziel geeft. Hij zegt dat hij deze arme moslim wil redden van de hel. Maar we zijn van hetzelfde laken een pak. Ik denk dat ik hem kan redden als ik hem tot een drankje kan verleiden. Het lijkt erop dat geen van ons tot nu toe succes heeft geboekt. Maar het zou me niets verbazen als de majoor zijn pleziertjes ernaast heeft. Niemand kan zo braaf zijn. Niet in dit land.'

Danny wist niet wat hij moest denken. Als de majoor alleen maar speelde dat hij de rechtschapen christen was, dan deed hij dat erg goed. Hij wist zeker dat de majoors afkeer van zijn katerige verschijning vanochtend niet gespeeld was. De man was per slot van rekening een geheelonthouder en hij voelde het ranzige zweet van de alcohol uit zijn poriën komen. Hij mocht de majoor niet, maar hij geloofde hem.

Hij zat en dacht na. Eerst Harvey Benson, nu majoor Oluwasegun. Ze zeiden allebei hetzelfde. Het was simpel en duidelijk: Maria was gedood bij een roofoverval. Hij keek naar Kam en had het gevoel dat de Senegalees dat ook dacht. Op een bepaalde manier voelde hij hoe er een last van zijn schouders begon af te vallen. Wat als de brief niet zo sinister was als hij eruitzag? Wat als Maria's dood gewoon een ongeluk was? Verdomme, dacht hij. Hij was hier nog steeds om een verhaal te krijgen.

'Rijd me de stad door, Kam. Laten we een kijkje gaan nemen bij het presidentiële paleis. Praat met de vrienden die je daar hebt,' zei hij.

Kam keek verheugd.

'We kunnen vanuit de auto naar majoor Oluwasegun zwaaien als we hem onderweg tegenkomen. Die klootzak denkt altijd dat hij te goed is om met Kam in de auto te zitten,' zei hij.

5

DE VOLGENDE PAAR dagen verstreken in een lethargische mist, een nietszeggende deken doordrenkt van zware, vochtige hitte. Ali was nog steeds in het binnenland, zijn neef George had geen idee waar hij was en met wie hij zaken deed. Hij had weinig te zeggen als Danny hem vroeg naar Ali's mogelijke terugkeer: 'Misschien vandaag. Misschien volgende week. Ali zal bellen als hij klaar is.'

Ondertussen had Kam beloofd om meer mensen te vinden die iets over Maria's dood konden vertellen, in ruil daarvoor had Danny toegestemd om leden van Sierra Leones nieuwe elite te ontmoeten: een circus van onbelangrijke regeringsambtenaren die achter hun bureau theedronken en Danny lieten aanhoren hoe ze hun platitudes opdreunden. Kam bevond zich altijd enthousiast knikkend op de achtergrond. Zijn verzameling gunsten groeide met de dag.

De parade van kale kantoren, haveloze entrees en gebarsten theekopjes vervaagde bij Danny tot één beeld. De mannen die hij ontmoette – en het waren zonder uitzondering mannen – leken door het licht van de vrede verblind te zijn. Niemand scheen iets te weten over Maria's dood. Ze benadrukten dat het een vreselijk ongeluk was en schudden hun hoofd bij zoveel tragiek voordat ze terugkeerden naar het zoveelste praatje dat Danny had onderbroken.

Maar op andere plekken zag Danny werkelijk verandering. In de ruïnes van kantoorblokken verschenen nieuwe bedrijven. Villa's werden tot huurappartementen verbouwd. Europese families lagen te zonnebaden op Lumley Beach. Sierra Leone was uit een lange nachtmerrie ontwaakt. Je kon het nog geen wereldstad noemen, maar het was een voorzichtige stap in de goede richting.

Danny bracht de avonden alleen door in Ali's villa, waar hij de drankkast plunderde om in slaap te komen. Ali hield er een spectaculaire collectie *single malts* op na, maar Danny hield zich netjes aan het goedkope spul. Hij was niet meer in Alex's geweest sinds hij Harvey had ontmoet, hoewel de Amerikaan verscheidene uitnodigingen voor de lunch op zijn mobiel had achtergelaten. Danny negeerde ze. Hij had het gevoel dat Freetown alle energie uit hem zoog, of dit nu aan een depressie of het klimaat lag kon hij niet uitmaken.

Zijn mobiel klonk luid toen hij net een volgend slaapmutsje voor zichzelf aan het inschenken was. Hij verwachtte dat hij voor de derde keer die dag Harvey's nummer zou zien opflitsen. Maar hij was het niet, het was een nummer uit Engeland. Hij overwoog even om het te negeren en toen hij de stem aan de andere kant van de lijn hoorde had hij er spijt van dat hij toch had opgenomen. Het was zijn vader.

'Dag Daniel.'

Danny's haren gingen meteen overeind staan.

'Hallo pap,' zei hij bruusk. Hij liet een stilte vallen. Hij voelde zich kinderachtig door deze directe vijandigheid, gegeneerd zelfs. Toch kon hij er niets aan doen, hij kon zijn patroon niet doorbreken. Of hij was te moe om het zelfs maar te proberen.

'Hoe gaat het?' zei zijn vader met behoedzame afstandelijkheid, hij had de toon van zijn zoon gehoord.

'Prima,' antwoordde Danny.

'Gaat het goed met je?' zei zijn vader, Danny's vervelende toon negerend. Dat deed hij anders nooit. 'Ik belde Rachel gisteravond voor een praatje,' vervolgde hij. 'Volgens mij maakt ze zich zorgen over je. Ze is bang dat je god weet waar rondhangt op zoek naar god weet wat.'

Dit was de universele aanpak van vaders. De vriendinnen van hun zonen maakten zich zorgen. Hun moeders ook. Maar vaders: nooit. Ze maskeerden hun zorgen met angst om andere dingen. Uit vrees dat zou blijken dat het ze wel iets deed.

'Echt, pap. Het gaat prima. Het is goed om hier weer te zijn. Ik denk dat ik weg moest uit Londen, er even tussenuit,' zei hij.

'Ik vraag me af of je dat gesjouw naar een hellepoel in Afrika "er even tussenuit" kunt noemen. Geef mij maar een weekendje Malta. De inboorlingen daar zien er een stuk vriendelijker uit,' antwoordde zijn vader.

Zijn vaders toon was nu schertsend. De bekende oude komische riedel. Het irriteerde Danny in net zo'n mate als dat Rachel er gek op was. Maar Danny voelde dat zijn vader alles deed om een ruzie te vermijden, iets waar hij zelf opeens ook geen zin meer in had.

'Serieus. Bel Rachel nu eens op. Het is een geweldige meid. Die je zeker niet kwijt wilt.'

'Geef me geen relatieadvies, pap,' zei Danny. 'Sinds je mam verliet heb je dat recht verspeeld. Trouwens, het is onzin wat je zegt. Met mij en Rachel gaat het prima. Ze maakt zich er alleen zorgen over dat ik me in dit gedeelte van de wereld bevind. Maar ik heb het haar al proberen te zeggen, de oorlog is voorbij. Het is nu veilig hier.'

Zijn vader zweeg aan de andere kant van de telefoon. Het was een stilte die alles zei. Rachel en Harry hadden een hechte band. Ze nam hem in vertrouwen. Ze wisten allebei dat Rachels angst niets met oorlog en veiligheid te maken had.

'Praat met haar. Dit gaat niet om mij, het gaat om haar,' zei zijn vader.

'Luister, ik zal haar bellen,' zei Danny. 'Zodra ik heb opgehangen. Maar hoe gaat het met jou? Ben je al naar de dokter geweest?'

Harry leek de mogelijkheid om van onderwerp te veranderen ook te verwelkomen.

'Je weet dat ik de pest heb aan dokters. Ze prikken en steken je, en het merendeel spreekt geen Engels meer tegenwoordig. Behalve ouderdom en te veel drank mankeert me niets, en aan beide kan ik niet veel doen.'

Er viel weer een stilte. Danny wist niet hoe hij hem kon doorbreken. Ze schenen elkaar niet veel te zeggen te hebben als ze niet tegen elkaar aan het schreeuwen waren. 'Luister, Daniel, ik hang nu op. Ik heb nog veel te doen, je weet wel. Maar wees voorzichtig en kom snel thuis. Rachel mist je, weet je.'

Danny zei gedag en verbrak de verbinding. Zijn vader had gelijk. Door Rachel te bellen zou hij zich beter voelen, tot leven komen. Ze zou hem opbeuren, zoals ze altijd deed. Hij hoefde alleen maar zijn telefoon te pakken.

Maar in plaats daarvan pakte hij zijn glas whisky en dronk het in één teug leeg. Het brandde in zijn keel en hij trok een grimas voordat hij de volgende inschonk. De wereld was vergeven van juiste dingen die niet gedaan werden.

HARVEY HAD NIET zozeer aangedrongen op een ontmoeting als wel Danny ertoe gedwongen. Nadat Danny de berichten op zijn mobiel had genegeerd, was de diplomaat op een ochtend bij Ali's villa verschenen. Hij stond voor de deur, in hetzelfde witte pak, met een enigszins sullige grijns op zijn gezicht. Als Danny wat achterdochtiger was geweest, dan had hij het gevoel kunnen hebben dat hij werd opgepikt voor een afspraakje.

Harvey lachte om Danny's verbaasde blik toen hij de deur opendeed. Danny kon zich niet herinneren dat hij Harvey had verteld dat hij in Ali's huis verbleef. Hij nam aan dat hij dat had gedaan tijdens die dronken nacht bij Alex's.

'Danny. Je hebt me ontweken,' riep Harvey uit, maar zonder beschuldigende toon. 'Maar je kent ons Amerikanen. Wij nemen geen genoegen met "nee" als antwoord.'

Harvey gebaarde naar achteren. Een gestroomlijnde zwarte limo stond voor het hek geparkeerd, met een jonge Sierra Leoonse chauffeur in een mooi grijs uniform erin.

'Kom op, ga met me mee voor een laat ontbijt. Ik zal zien of ik je met iets kan helpen nu je hier bent.'

Danny zei niets. Hij probeerde vooral de moeheid uit zijn ogen te wrijven en zich in te stellen op Harvey's plotselinge aanwezigheid. Maar de Amerikaan zag zijn gedrag als oprechte tegenzin.

'O, kom op,' zei hij met enige drang in zijn stem. 'Alsof ik het zo druk heb hier. Zo vaak krijgen we hier geen journalisten, laat staan iemand van *The Statesman*. Ik krijg problemen met het verantwoorden van mijn salaris als je me niet je ontbijt laat betalen.'

Danny lachte. Harvey was opgelucht.

'Oké,' zei Danny. 'Geen probleem.'

De wagen schoot Freetown in en Kam, die moeite had hen bij te houden, volgde in zijn Mercedes. Danny had verwacht dat ze in een chic restaurant bij Lumley Beach of bij het zwembad van het Cape Sierra zouden terechtkomen, maar de limo reed het centrum van de stad in, naar een wirwar van oude straten waar plompe stenen gebouwen aan stonden. Het was een gedeelte van de stad dat nog niet was bereikt door nieuwe ontwikkelingen, maar dat ook niet zoveel oorlogslittekens vertoonde. De auto stopte voor een restaurant dat uit nauwelijks meer bestond dan een kleine kamer met een verzameling gebutste plastic stoelen en gammele houten tafels erin.

'Ik dacht dat je wel genoeg zou hebben van luxediners,'

zei Harvey, die hem naar binnen leidde. Het was er warm en broeierig, maar niet onverdraaglijk. Ze gingen aan een van de tafels zitten en een gezette vrouw van middelbare leeftijd slaakte een gilletje van verrukking bij het zien van haar gasten.

'Mijnheer Harvey,' zei ze, en kneep in zijn arm.

'Mama Fornah,' antwoordde Harvey grijnzend. 'Hoe gaan de zaken vandaag?'

De vrouw rolde met haar ogen.

'Ah, niet zo goed, mijnheer Harvey. Jullie zijn mijn enige gasten.'

Gezien de berg vuile borden die in de keuken stond opgestapeld, betwijfelde Danny dit, maar Harvey leek het spel graag mee te spelen.

'Dan nemen we je uitgebreide menu,' zei hij, en Danny zag hoe hij heimelijk een handvol dollars in haar hand drukte. Ze stopte ze weg in een plooi van haar jurk en stommelde terug naar de keuken, waar al snel het kabaal van potten en pannen vandaan kwam.

'Dit is niet wat ik had verwacht,' zei Danny.

Harvey haalde zijn schouders op.

'Ik ben opgegroeid in een klein stadje in het midden van Missouri,' zei hij. 'Alleen maar maisvelden. Precies wat je zou verwachten in de Midwest. Maar als je erachter wilde komen wat er speelde, dan ging je naar het plaatselijke restaurant. Het heette Grandma's, al werd het gerund door een man wiens naam José was en die uit Mexico kwam. Hier is het niet anders. Als je wilt weten wat de blanken denken, dan ga je naar Alex's, maar als je wilt luisteren naar de plaatselijke bevolking, dan ga je naar Mama Fornah.'

Al snel verschenen er plastic schalen met eten op hun tafel. Stapels gefrituurde bananen, rijst met geitencurry en vette kip. Het was zwaar voedsel en niet echt lekker. Maar het was bevredigend en Danny smulde er vol overgave van.

Hij merkte dat hij eindelijk trek in iets had wat niet uit een fles werd geschonken.

'Het heeft ook hetzelfde aantal calorieën als zo'n Midwest-dieet,' zei Harvey.

Danny vroeg zich af waarom Harvey hem had meegenomen voor deze lunch. Het was mogelijk de behoefte om iets te doen, wat dan ook, wat zijn positie hier in West-Afrika rechtvaardigde. Harvey leek zo'n Amerikaan te zijn die zich volledig overgaf aan wat dan ook waarvoor hij was aangesteld, doorgaans gehoorzaam en vol goede zin. 'En hoe heb je het gehad?' vroeg Harvey. 'Ik weet nog steeds een hoop mensen met wie je kennis zou moeten maken.'

Danny schudde zijn hoofd.

'Ik ben nog steeds met de dood van Maria Tirado bezig,' antwoordde hij.

Harvey fronste.

'Ik dacht dat dat een hopeloze onderneming was,' zei hij.

Er klonk iets afwijzends in Harvey's stem wat bij Danny een reactie ontlokte.

'Nee hoor,' zei hij bars. Zonder na te denken greep hij in zijn zak en haalde Maria's brief tevoorschijn. Hij legde hem op tafel. Harvey keek verward.

'Maria schreef me een maand voordat ze stierf. Ze zei dat ze in de problemen zat en vroeg me om hulp. Helaas kreeg ik dat verdomde ding nadat ze was overleden.'

Er verscheen een verbijsterde uitdrukking op het gezicht van de Amerikaan. Hij pakte de brief en hield hem voorzichtig vast, alsof hij zou kunnen exploderen. Toen hij hem las sperden zijn ogen zich open als een amateur-pokeraar die een full house in zijn handen krijgt.

'Jezus Christus,' fluisterde hij, en keek toen Danny aan. 'Dit had ik niet verwacht. Helemaal niet verwacht.'

Danny vond het op een vreemde manier prettig dat hij Harvey had gechoqueerd.

'En wat verwacht je nu?' vroeg hij.

'Luister, dit is ernstig. Maria Tirado was een Amerikaanse staatsburger en deze brief is bewijs inzake haar dood. Dit betekent dat we haar zaak zouden kunnen heropenen,' zei hij. Harvey leek geïrriteerd.

'Ik wou dat je hier meteen mee gekomen was, in plaats van door Freetown te slenteren.'

Danny strekte zich uit om de brief te pakken, maar Harvey legde zijn hand erop. Er was een hardheid in zijn stem gekomen, een ijzige vastberadenheid die ongevoelig was voor argumenten en die Danny raakte als een linkse directe.

'Danny. Ik herhaal het nog eens. Deze brief is bewijs betreffende de dood van een Amerikaanse staatsburger. Een Amerikaanse staatsburger die gedood is op mijn terrein.'

Danny voelde nu opeens dat hij in de verdediging zat, dat hij de controle over de situatie kwijtraakte.

'Dat is alles wat ik van haar heb,' zei hij. Hij klonk bijna jammerend. Harvey keek hem lang aan.

'Luister, ik heb deze een paar dagen nodig terwijl ik informatie ga inwinnen. Maar ik beloof je dat je hem terug zult krijgen. Het is nog steeds jouw eigendom,' zei hij.

Harvey had de brief al opgevouwen, hij stopte hem in zijn colbert en stond op. Danny zat daar en voelde zich plotseling verloren. De brief was alles wat hij van Maria had en nu had iemand anders hem. Hij voelde zich stuurloos. Harvey legde een hand op zijn schouder.

'Je moet me vertrouwen. Je krijgt hem terug. Ik weet hoe het is om iemand te verliezen. Geloof me maar.'

Met deze woorden vertrok Harvey, terwijl Danny achterbleef, nu opeens zonder datgene wat hem hier in de eerste plaats had gebracht. Hij stond op om mee te lopen maar zag de limo van de Amerikaan al optrekken. Kam stond vlakbij op hem te wachten en liep op hem af. Hij zag dat Danny er enigszins bleek uitzag.

'Verdomme,' vloekte Danny, boos op zichzelf. Hoe had dat kunnen gebeuren? Even speelde hij met het idee Kam te vragen Harvey te volgen, maar toen hernam hij zich.

'Laten we teruggaan naar Ali's huis,' zei hij en ze stapten in de Mercedes. Het eten van Mama Fornah lag hem opeens zwaar op de maag, onverteerbaar als modder.

Kam deed de radio aan terwijl ze langzaam door de drukke straten reden en Danny keek uit het raam, broeiend op het verlies en zijn stommiteit. De muziek was hard en Afrikaans, en Kam tikte afwezig mee op het stuur. Met een plotselinge ruk aan het stuur sloeg hij een zijweg in.

'Man, er is geen doorkomen aan vandaag,' zei Kam. 'Ik neem een andere route.'

Ze doorkruisten een sloppenwijk, waarbij Kam de auto behendig door onmogelijke zijstraatjes liet zigzaggen totdat ze, onverwacht, op een stuk snelweg zonder verkeer uitkwamen. Ze snelden verder en het was slechts geleidelijk aan, zonder het eerst echt te geloven, dat hij zich realiseerde dat ze gevolgd werden. Twee zwarte SUV's met verduisterde voorruit bleven op ongeveer dertig meter achter hen aan rijden. Danny zag ze in de zijspiegel en keek toen over zijn schouder achterom. Ik zal het me wel verbeelden, dacht hij.

'Dat is gek,' zei hij. 'Maar het lijkt wel of die twee auto's ons volgen.'

Hij lachte nerveus. Kam keek in zijn spiegel en de uitdrukking op zijn gezicht zei genoeg. Het was alsof al het bloed eruit wegtrok. Danny keek nog eens. Een van de SUV's had zijn snelheid opgevoerd en kwam op hen af. Kam bleef gelijkmatig doorrijden en keek recht voor zich uit.

'Kam, wat is hier verdomme aan de hand?' zei Danny.

De SUV bevond zich nu naast hen en het zijraam ging omlaag. Een zwart gezicht keek naar buiten. Een jonge man, expressieloos en met een zonnebril die hem eruit deed zien als een soort gemaskerde kever, gebaarde Kam naar de kant te gaan.

'Ik denk dat het politie is. We kunnen maar beter stoppen,' zei Kam.

Danny keek de man aan. De man keek terug en wees met zijn vinger naar de kant van de weg. Danny maakte een beslissing.

'Ze bekijken het maar, Kam. Blijf doorrijden.'

Kam keek nog eens, zijn gezicht vertoonde paniek.

'Mijnheer Danny, het is politie,' zei hij en begon vaart te minderen.

Nu raakte Danny in paniek. De man zag er zo ijzingwekkend kalm uit, zo gevoelloos dat stoppen hem het slechtste leek wat ze konden doen. Hij keek om zich heen. Langs de weg stonden bouwvallige, ontmantelde fabrieken, voor het merendeel leegstaand of ingestort. Dit was geen goede plek om te stoppen. Het rook hier naar verlatenheid, naar eenzaamheid en kwetsbaarheid. Kam bleef vaart minderen en de SUV haalde hen in, terwijl de tweede wagen steeds dichterbij kwam. Danny keek naar Kam.

'Kam,' zei hij. 'Blijf doorrijden.'

Ze gingen nog langzamer.

'Blijf doorrijden!' schreeuwde Danny.

Kam keek hem met een wilde blik aan, zijn gezicht één en al besluiteloosheid. Toen nam iets in de Senegalees de leiding over. Hij trapte het gaspedaal in en liet de auto naar het midden van de weg zwenken. Ze hadden de eerste SUV gepasseerd, die hen slingerend probeerde bij te houden. Ook de tweede wagen voerde zijn snelheid op, maar Kam had ze achter zich gelaten. Ze raasden nu over de weg en Kam vloekte fluisterend terwijl hij reed.

'Dit is niet goed. Niet goed,' zei hij aan één stuk door terwijl hij heen en weer schommelde. Zijn zichtbare angst sloeg op Danny over, die nog eens over zijn schouder keek.

De twee SUV's waren vlak achter hen, en ontweken als gekken het andere verkeer, dat drukker was geworden sinds ze het industriegebied achter zich hadden gelaten en weer een volgende sloppenwijk binnenreden.

Plotseling schreeuwde Kam en trapte op de rem. Midden op de weg bevond zich een kar met een ezel ervoor, geleid door een man die niet gewend was aan auto's die zo hard reden. De Mercedes week uit en Danny zag een moment lang voor zich hoe ze over de kop zouden gaan. Een volgend dodelijk ongeluk in Sierra Leone. Maar Kam wist de controle te behouden door als een razende aan het stuur te draaien en pompend te remmen zodat de banden niet zouden slippen. Ze draaiden één keer om hun as en stonden bijna stil. Een van de SUV's kwam op hen af, draaide scherp bij en raakte met zijn zijkant de voorkant van de auto. Er was een klap en het geluid van schrapend metaal. De tweede SUV stopte met gierende banden achter hen, zodat ze ingesloten waren. Zowel Danny als Kam gooide het portier open en rolde de auto uit. Kam stond met moeite op en liep naar de voorkant van de auto, toen hij de schade zag betrok zijn gezicht. Danny keek om zich heen, en zag al snel dat vluchten zinloos was. Ze waren omgeven door een doolhof van golfplaten hutten dat er net zo ondoordringbaar uitzag als een jungle. Hij voelde zich veiliger in de open ruimte. De SUV's stonden er met gesloten portiers en stationair draaiende motor bij als twee woedende bijen. Toen kwam de man die hen tot stoppen had gemaand uit een van de wagens tevoorschijn. Hij stapte uit en strekte eerst zijn ene been, daarna het andere, zichzelf ontvouwend als een soort insect. Hij was lang, gespierd en droeg een zwart maatkostuum. Zijn gezicht stond strak en hij leunde achterover tegen de motorkap van de wagen. Wat hij ook was, dit was geen politie.

'Kan ik u ergens mee helpen?' vroeg Danny. Het was een bijna komische zin, maar er schoot hem niets anders te binnen. De man bekeek Danny van top tot teen, en negeerde Kam volkomen. Zijn gezicht trilde licht, alsof er iets over zijn huid kroop.

'De minister van Informatie Gbamanja wil u zien. Hij wil weten waarom u hier bent. En waarom zit u overal in te neuzen? U hebt hem geen toestemming gevraagd in dit land te zijn.'

Danny verwerkte de informatie met een schok. Hij had bij regeringslieden te veel van het verkeerde soort vragen gesteld en hetzelfde register bespeeld als bij generaal Hinga. Niemand vond het prettig om Maria's naam te horen.

'Het spijt me. Het was niet mijn bedoeling hem te beledigen. Misschien dat ik morgen langs kan komen om hem te zien.' Vanuit zijn ooghoek zag Danny dat een klein groepje mensen van de hutten zich in de buurt had verzameld. God mocht weten wat ze ervan dachten. Maar hij zag dat de man ook een blik in hun richting wierp.

'Kom nu mee,' zei de man. Hij haalde zijn neus op alsof hij iets onaangenaams had geroken en opende het achterportier van de SUV.

Danny kon niets van de binnenkant ontwaren, alleen maar duisternis. De man knikte resoluut met zijn hoofd.

'Stap in,' zei hij.

Danny bewoog zich niet. Alleen de loop van een geweer zou hem die auto in kunnen krijgen. Dat geopende portier was het einde van de wereld, zoveel wist hij zeker. Hij keek de man aan, zijn hart bonsde. Danny hief zijn handen verontschuldigend op. Het groepje was uitgegroeid tot zo'n dertigtal mensen, ze stootten elkaar aan, lachten en wezen. Het moest een vreemd spektakel zijn, deze confrontatie tussen blank en zwart in hun sloppenbuurt.

'Ik heb andere afspraken gepland staan vandaag. Belangrijke afspraken met de VN en de Britse ambassadeur. Ze verwachten me,' zei Danny.

Hij liet de implicatie van de leugen even binnenkomen. Ik zal gemist worden, had hij gezegd. Door mensen die net zo belangrijk zijn als je baas.

'Ik ben eigenlijk al laat. Misschien dat ik morgen bij minister Gbamanja kan langskomen?'

De man wipte heen en weer op zijn voeten. Voor het eerst viel er emotie op zijn gezicht af te lezen, een mengeling van frustratie en woede. Maar hij overwoog zijn opties. VN-bevelhebbers en ambassadeurs konden niet genegeerd worden. Het waren mannen die hun eigen machtsbasis hadden en er een eigen agenda op nahielden. Maar hij wist natuurlijk niet dat Danny loog dat het gedrukt stond.

'Kom nu mee,' zei de man, maar zijn stem klonk al moedeloos en zijn schouders hingen neer.

Danny voelde dat hij de krachtmeting had gewonnen. De opluchting was enorm.

'Ik zal morgenmiddag komen. Naar zijn kantoor. Ik zie ernaar uit om hem te ontmoeten,' zei hij.

De man deed een stap naar voren en wees hem aan met zijn wijsvinger.

'Je komt morgen. Zo niet, dan weten we je te vinden. En dan zal je geen afspraken hebben.'

Danny knikte en stapte in Kams auto. Hij keek voor zich uit, zijn oren gespitst op het geluid van de wegrijdende SUV's. Uiteindelijk hoorde hij de portieren dichtslaan en banden die steentjes vermaalden terwijl ze wegreden. Hij voelde zich opeens misselijk en was bang dat hij moest overgeven. Hoeveel arme stakkers waren er niet in Sierra Leone in zulke voertuigen gestapt en er nooit meer uitgekomen? God mocht weten wat Gbamanja wilde. Kam stapte ook in en liet zich op de chauffeursstoel glijden. Ze bleven samen zwijgend zitten. Toen lachte Danny om de stilte te doorbreken. Al had hij net zo goed in tranen uit kunnen barsten.

'Ik geloof dat we morgen een afspraak hebben.'

'Ga je erheen?' vroeg Kam verrast.

'Ik zal gaan. Maar alleen als er mensen zijn die weten dat ik erheen ga. Ik zal het aan Harvey vertellen. Iedereen zal het weten. In alle openheid en op mijn voorwaarden. Als Gbamanja me zo graag wil zien, dan wil ik weten waarom.'

Kam keek treurig door de voorruit naar de plek waar zijn motorkap opkrulde als een golf. Hij zuchtte.

'Maak je geen zorgen. Dit is het nieuwe Sierra Leone waar geen journalisten meer worden vermoord. In ieder geval geen blanke exemplaren. Hij wil alleen maar wat aandacht of je eruit schoppen.'

Kam startte de motor, die hoestend en sputterend tot leven kwam. Ze begonnen aan een pijnlijk langzame rit terug naar de villa. Op de een of andere manier stelden Kams laatste woorden Danny niet echt gerust.

6

[2000]

CNN VORMDE DE soundtrack van de oorlog. Het was de herkenningsmuziek die in bars, restaurants en hotels klonk. De armen hadden hun radio's, afgestemd op lokale stations of BBC World Service. Maar voor de rijken en buitenlanders was het de schallende tv die overal aanwezig was. Het was beter om de verschrikkingen die zich afspeelden via een kastje in de hoek te aanschouwen dan ze op straat te riskeren.

In een beweging die net zo instinctief zou worden als het zetten van koffie, klikte Danny op zijn eerste ochtend in het Cape Sierra zijn tv aan. CNN bewoog zich over het scherm. Freetown was het hoofditem.

Hij schoot rechtop. De situatie was vannacht verslechterd. Een handvol VN-troepen dat door het RUF omsingeld was en al weken zonder contact zat, had zich een uitweg gevochten in zuidelijke richting en was in de buitenwijken van Freetown aangekomen. Er werd een verwilderde officier met modder op zijn gezicht geïnterviewd. Ze zaten zonder voedsel en water vast in hun basis in het noorden en vreesden een aanval van het RUF. Uit wanhoop en angst hadden ze besloten te vluchten.

Ze hadden Freetown zonder verliezen bereikt. Maar ze hadden de stad angst gebracht, wat de mensen als een kwaadaardige ziekte infecteerde. Dorpen waren verlaten door boeren die met al hun spullen naar Freetown trokken.

De nachten waren niet langer veilig in hun hutten. RUF-moordenaars met kindergezichten kwamen uit de jungle tevoorschijn en slopen steeds dichter naar de stad toe. Veel wegen lagen vol lichamen. Danny keek vol ongeloof naar het scherm. Hij wist niet hoe hij zich moest voelen. Onder zijn raam lag het kitscherige hotelterrein onder een helderblauwe hemel die het diepere blauw van de oceaan omsloot. Vogels fladderden loom in de palmbomen. Een hotelemployé spoot met een tuinslang het betonnen pad naar het zwembad schoon. Het zag er allemaal zo normaal uit.

Hij belde Londen. Ze waren over hun toeren. Hennessey kwam aan de telefoon en ratelde: 'De BBC zegt dat de Britse troepenmacht in hoogste staat van paraatheid is gesteld. We willen iets groots van je hebben. Godzijdank hebben we je daarheen gestuurd. We moeten de concurrentie voor zijn. Misschien dat je wel op de voorpagina komt.'

Danny's hart ging sneller kloppen, als een verslaafde die een snuif van zijn favoriete drug heeft gekregen. Het was de roes van de journalist. Op jacht naar je naam op de voorpagina.

'Geen probleem. Ik ga op pad en zal wat vluchtelingen proberen te vinden, ik bel als ik terug ben.'

Beneden in het restaurant was de eetzaal nagenoeg leeg. Eén tafel was afgeladen met sneden oudbakken witbrood, schalen met jam en een handvol hardgekookte eieren. Danny bediende zichzelf en een ober serveerde hem een kan bitter smakende koffie. Hij bedankte hem en een vrouw naast hem keek op bij het horen van zijn Engelse accent.

'Bent u journalist?' vroeg ze. Ze stond op en depte haar mond met een zakdoek. 'Ik hoopte dat ik hier de enige zou zijn. Maar zo te zien zijn we hier samen. Ik ben Christine Hoyes van *The World*.'

Christine Hoyes. Jezus. Danny kende haar artikelen. Ze reisde al tien jaar de wereld rond nadat ze naam had gemaakt in Bosnië. Haar dagboek vanuit een belegerd Sarajevo was zelfs verfilmd. 'Ik ben hier pas vanmorgen aangekomen en heb nog geen kans gezien op pad te gaan,' zei Hoyes. 'Maar ik heb een chauffeur geregeld bij de poort en stond op het punt te vertrekken. Wilt u me misschien vergezellen? Ik vind het altijd veiliger om in dit soort situaties met zijn tweeën te zijn. Vindt u ook niet?'

Haar toon was onmiddellijk samenzweerderig en kameraadschappelijk. Danny wist niet of zij wist dat dit zijn eerste keer was 'in dit soort situaties'. Maar hij nam het aanbod graag aan.

'Daar ben ik het helemaal mee eens.' Hij glimlachte.

'Geweldig,' riep Hoyes uit. 'We zullen een klein konvooi vormen. Dan zie ik u beneden.'

Toen Danny tien minuten later de lobby binnenliep was Hoyes er al. Danny keek om zich heen of Kam er was en zag hem al snel. De slungelachtige gestalte droeg nog hetzelfde losse overhemd en liet de autosleutels in zijn hand rinkelen.

'Het ziet er niet goed uit, mijnheer Danny,' zei hij terwijl hij op hem afliep zonder te groeten. 'Ik luisterde naar de radio vanmorgen en ze zeggen dat het RUF nu heel dichtbij is. Er komen veel vluchtelingen.'

Danny stelde hem voor aan Hoyes. Hij leek zich niet bewust van haar bekendheid, maar wel van haar loshangende blouse. Ze bloosde onder zijn onmiskenbare blik.

'Goed. Jij rijdt voor, Kam. We gaan de stad uit. Laten we kijken hoe ver we komen,' zei ze.

Hoyes liep weg, kennelijk verwachtend dat de rest haar zou volgen. De stad úít? Ze zouden tegen de stroom in de richting van de Zambiaanse vredestroepen gaan. Naar het gebied waaruit ze weggevlucht waren. Dit is het helemaal, dacht Danny. Hij voelde zich opgewonden en er schoot een golf adrenaline door zijn aderen.

KAM BEGON TE praten toen hij reed. Zoals iedereen in Freetown had hij bijna de hele nacht aan de radio gekluisterd gezeten en er zaten dikke wallen onder zijn ogen. 'Ik dacht gisternacht echt dat het beter was om te vertrekken, mijnheer Danny,' zei hij. 'Maar ik heb dit eerder meegemaakt. Dit is een gek land voor mensen als ik. Voor chauffeurs als ik geldt: hoe slechter het wordt, hoe meer geld ik verdien. Ik moet hier blijven. Voor mijn familie in Senegal. Met mijn dollars kunnen mijn dochters naar school in Dakar.'

Hij schudde zijn hoofd en lachte snuivend.

'Weet je, de hele situatie is goed voor me. Goed! Niet te geloven, toch?'

Danny keek naar het stadsbeeld. Winkels waren geopend en auto's zochten hun weg door het verkeer en langs de kuilen in het wegdek. De trottoirs waren drukbevolkt.

'Hoe erg zal het worden, Kam?'

Kam zweeg een moment en keek Danny recht aan, het leek alsof hij de auto op zijn instinct, en niet op zijn waarnemingsvermogen stuurde.

'Iedereen hier weet dat het RUF eraan komt. Ze willen dat het voorbij is.'

Hij klonk wrang.

'Het is als een maagd met een slechte echtgenoot op haar huwelijksnacht. Ze wil dat het snel gebeurt. Jullie hebben er Engelse woorden voor. Hoe zeg je dat in jouw land?'

Kam mat zich een Brits nepaccent en een gemene grijns aan.

'Het is tijd voor Freetown om klaar te gaan liggen en aan Engeland te denken,' zei hij. Hij lachte hard, blij om zijn eigen grap.

Buiten kwamen de straten van Freetown voorbij. Danny hing zijn hoofd uit het raam en voelde de warme lucht, die ondanks de snelheid waarmee ze reden niet koeler werd. Er verspreidde zich een geur in de auto, de scherpe rook van vele matineuze kookvuren. Het was met nog iets anders vermengd, iets ranzigers wat uit de open riolen kwam die langs de kant van de weg liepen. Danny keek naar de mensen buiten. De meeste negeerden hem, maar een paar vingen een glimp op van zijn gezicht in de auto en stopten om te blijven kijken, ze gaapten een blanke man aan die naar hen terugkeek. Af en toe probeerde hij een glimlach, maar hij ontving alleen maar verwarde blikken terug.

MIDDEN IN HET centrum bevond zich een grote rotonde met een oude boom waar eens veilingen van slaven werden gehouden. De boom was nu halfdood en omgeven door straatverkopers die fruit, brood en andere etenswaren verkochten. Kam reed langzaam de rotonde af en Danny zag een rij flats waarvan de meeste ramen zwarte brandsporen lieten zien, als uitgelopen mascara op een betraand gezicht. Het leek erop dat er nog maar weinig voor het RUF te plunderen viel als ze er zouden zijn. Op de bevolking zelf na dan.

Al snel kwamen ze op een lang stuk snelweg terecht dat langs de sloppenwijken aan het strand liep. Het was de hoofdverbinding om Freetown uit te komen en voor het eerst kwamen ze wegversperringen van het regeringsleger tegen. Ze bestonden slechts uit een paar olievaten met wat bakstenen erbij. Er stonden een paar jonge soldaten die een verscheidenheid aan wapens bij zich hadden. De meesten droegen groene uniformen, maar sommigen hadden alleen maar wat haveloze kleding aan.

Niet lang daarna verschenen er ook controleposten van de VN. Deze zagen er anders uit. Ze waren gemaakt van betonnen B-2 blokken en veranderden de weg in een S-bocht, waardoor voertuigen gedwongen werden vaart te minderen en mee te sturen. Ze werden bemand door Indiërs die over de toppen van hun miniforten uitkeken, elk met een VN-vlag die in de wind klapperde. Hun blauwe helmen glinsterden in de zon, maar de VN-soldaten hielden niet eens het verkeer aan. Kam verborg zijn walging niet.

'Ze konden hier een einde aan maken, als ze maar vochten,' zei hij. 'Maar ze beschermen alleen maar zichzelf. Als het RUF komt dan vermoorden ze de mensen recht voor hun neus en ze zullen niets doen.'

Kam had gelijk. Het VN-mandaat schreef alleen maar zelfverdediging voor. Als het RUF hen niet aanviel grepen ze niet in. Zo kwam het dat jongens die met AK-47's en roestige machetes zwaaiden de bewapende voertuigen en tanks van de VN op de vlucht hadden gejaagd. Zij hadden de wil om te doden. De VN niet.

Ongeveer vijfentwintig kilometer buiten Freetown verschenen de eerste groepen vluchtelingen, die al snel aangroeiden tot een menigte. Kam minderde snelheid. Honderden mensen ploeterden voort over de weg, jonge mannen, oude mannen, moeders met baby's. Sommigen duwden kruiwagens of trokken karren met hoog opgestapelde bezitting voort. tv's, kleren, een koelkast zelfs; het werd allemaal meegesleept op weg naar Freetown.

Kam reed door, de auto kroop langzaam tegen de stroom in – die met tegenzin uiteen week in. Al snel bereikten ze een verzameling gebouwen, die door een verroest bord werd aangekondigd als het stadje Waterloo. Het was eerder een rij ingestorte hutten langs de weg dan een stad te noemen. De ruïnes waren oud en overwoekerd. Welke oorlogsuitwas ze dan ook had gesloopt, het was jaren geleden gebeurd, niet in de afgelopen uren. Dat was in ieder geval goed nieuws. Danny zag een wegversperring van de regering voor zich. Het was een stuk touw dat tussen twee olievaten was gespannen. Een zestal soldaten stond erbij. Hoewel de vloed mensen het makkelijk had kunnen overspoelen, of eromheen had kunnen lopen, stopten ze gehoorzaam voor het koord. Van een afstand was er constant gemurmel van geschreeuw en smeekbedes hoorbaar. Zo vaak als de ene soldaat iemand terugduwde liet de ander hem door, het touw naar beneden duwend zodat ze eroverheen konden stappen en hun looptocht naar Freetown konden hervatten. Danny vermoedde dat elke vluchteling de wegversperring iets lichter verliet dan hij er was aangekomen, verlost van wat groezelige bankbiljetten of voedsel.

Kam stopte de auto en ze begaven zich in de menigte. Danny hield zijn pas in en keek om zich heen. Al deze mensen waren opgejaagd door iets verschrikkelijks; iets wat de sloppenwijken van Freetown aantrekkelijker maakte dan hun huizen. Hoyes haalde hem in, haar notitieboekje al in de aanslag. Ze liep naar de wegversperring en begon een van de soldaten heftig toe te spreken.

Kam schudde zijn hoofd.

'Ik ken dat soort vrouwen,' zei hij. 'Ze wordt onze dood nog eens.'

Danny gaf geen antwoord. In plaats daarvan benaderde hij een man in een morsig pak, iets waardoor hij opviel tussen de andere vluchtelingen. De man glimlachte beleefd. Hij droeg een aktetas en zag er meer uit als een zakenman tussen de boeren en hun families die om hem heen stonden.

'Neemt u me niet kwalijk, mijnheer. Waar komt u vandaan?' vroeg Danny.

'Ik kom van Rogberi. Dat ligt ongeveer honderd kilometer hiervandaan,' antwoordde hij in perfect Engels.

De man wachtte attent. Hij moest al dagen onderweg zijn, maar hij leek graag voor Danny te stoppen. Misschien zag hij het als een soort erkenning voor zijn reis en was hij daar blij om. Danny haalde zijn notitieboekje uit zijn zak.

Zijn naam was Sulaiman Ramanu. Hij spelde zijn achternaam zorgvuldig en vergewiste zich ervan dat Danny het goed had. Hij was onderwijzer en zijn voettocht duurde al vijf dagen. Zijn dorp had een week van angst ondergaan;

een week waarin bendes jongens in de jungle waren gesignaleerd, waarin 's nachts schoten waren gehoord. En toen, zes dagen geleden, was de maat vol. Twee boeren waren 's morgens naar hun land vertrokken en kwamen 's avonds niet terug. Het hele dorp was en masse op de vlucht geslagen. Net als iedereen had Ramanu familie in Freetown, broers en zussen en neven die een bestaan bij elkaar scharrelden in de sloppenwijken. Ze konden een soort onderdak verschaffen. De straten in de stad zouden veiliger zijn dan de bossen. Voor even.

De volgende interviews verliepen volgens hetzelfde patroon. Het RUF sloop door de jungle om de wegen te vermijden. Kindsoldaten met dode ogen verschenen plotseling in de nacht om geld en vlees te eisen. Dat was meestal genoeg om paniek te ontketenen. Was dat niet zo, dan volstond het doden van een paar dorpelingen. Danny sprak een uur lang met de vluchtelingen, en vulde zijn notitieboekje met hun verhalen. Op het laatst kreeg hij er genoeg van. Hij voelde zich overweldigd door hun collectieve ellende. Hij draaide zich om toen hij op zijn schouder werd getikt en keek in het stralende gezicht van Hoyes.

'Dit is geweldig materiaal,' zei ze. 'De soldaten bij de controleposten krijgen het op hun zenuwen. Ze zeggen dat het RUF in het volgende dorp is gesignaleerd. Dat is maar vier kilometer verderop.'

Hoyes leek hier blij mee te zijn. Danny keek nog eens naar de gezichten van de vluchtelingen. Wat hij voor gelatenheid of uitputting had aangezien, leek opeens pure angst te zijn. Danny keek over de hoofden van de vluchtelingen naar de weg. Het grijze asfalt strekte zich wazig achter hen uit in de hitte.

'Mijnheer Danny...' begon Kam.

Danny keek naar de weg. Een moment lang voelde hij de behoefte erheen te gaan, maar hij zette het van zich af. Hij was hier niet om zijn leven op het spel te zetten.

'Maak je geen zorgen, Kam,' zei hij. 'Ik denk dat we hier weg moeten zijn.'

Hoyes keek onzeker.

'Weet je het zeker?' zei ze. 'Ik denk dat we over de weg naar het volgende dorp moeten gaan, en kijken of er iets te zien valt.'

Danny schudde zijn hoofd. Toen hoorden ze het allemaal: de knal van een enkel geweerschot in de verte dat door de zware lucht heen brak. De stroom mensen verstijfde een moment lang en keek achterom. Waarna ze hun mars vervolgden. Vanaf de wegversperring klonken enkele paniekerige kreten van de soldaten. Ze lieten het touw vallen en iedereen mocht erdoor.

Danny wilde vertrekken. Nu.

'We gaan,' zei hij bot. Hij zag dat Hoyes hier een moment over nadacht en haar opties overwoog. Ze keek naar de weg en Danny zag even een blik vol verlangen op haar gezicht. Maar ook zij nam haar besluit.

'Je hebt gelijk,' zei ze. 'Dat is wel zo veilig.'

HET SCHRIJVEN VAN het artikel over de vluchtelingen was een redelijk eenvoudige klus. Danny putte uit zijn notitieboekje voor de ontroering en de wreedheid, het verdriet en de angst – het stroomde van zijn toetsenbord af. Hennessey had alles gewild. Geruchten over een Britse militaire interventie waren nu wijdverbreid in Londen. Sierra Leone was voorpaginanieuws. Danny had het gevoel dat hij een monster voerde dat gulzig zijn woorden opvrat.

'Danny!' bromde Hennessey goedgehumeurd door de telefoon. 'Geweldig stuk. Jammer dat Hoyes er ook is, maar voor morgen zijn we het grootste gedeelte van de concurrentie te snel af. Het komt groot op de voorpagina.'

Hij voelde zich goed, als een bokser die de eerste ronde heeft overleefd. Hij hoorde er nu bij, en liep voorop. Hij wilde de onderwijzer Ramanu vinden, en hem vertellen wat hij had gedaan. Ik doe het juiste, zou hij zeggen, ik vertel de wereld wat er hier gebeurt. Je lange voettocht was het waard.

Maar nu was het tijd om iets te drinken.

De bar van het Cape Sierra was vol toen Danny naar beneden kwam, en vanaf het moment dat hij naar binnen liep wist hij dat het in de bar anders was dan gisternacht: luidruchtiger, drukker en jachtiger. Groepen mannen en vrouwen verdrongen zich in de ruimte, de internationale pers begon op volle sterkte te komen.

Toen zag hij haar. Maria. Hij had de hele dag niet aan haar gedacht, maar nu was hij in één keer compleet van haar vervuld. Ze zat aan de bar, ogenschijnlijk alleen. God, was is ze mooi, dacht hij. Haar lange, donkere haar, haar lichtbruine huid, die diepe ogen. Hij voelde zich als een tiener die op het punt staat het knapste meisje uit de klas te benaderen. Hij realiseerde zich dat hij doelloos in de deuropening van de bar stond. Ach, wat zou het ook, dacht hij en liep op haar af.

'Hallo nogmaals,' zei Danny.

Hij stak zijn hand uit. 'Ik ben nog steeds nat achter mijn oren. Maar ik wil graag wat leren over dit land. Dus als jij me een drankje voor je laat bestellen, dan ga ik hier zitten en kun jij de docent zijn. Onderwerp: wat domme buitenlandse journalisten over Sierra Leone zouden moeten weten.'

Maria schudde zijn hand. 'Een whisky-soda graag.'

Het was duidelijk dat de barman haar smaak al wat langer kende dan vandaag, het drankje stond al op de bar voordat Danny de bestelling had herhaald.

'Kom je hier wel vaker?' lachte Danny. Maria beantwoordde zijn lach.

'Weet je, het is een heikel onderwerp: de domheid van buitenlandse journalisten. Waar zal ik beginnen? De meesten van jullie komen plotseling opdagen als er een crisis is, lopen mooi te wezen voor de camera en zeggen iets doms over de plaatselijke bevolking. Om vervolgens af te reizen naar de volgende brandhaard.'

'Dan is het maar goed dat ik jou heb gevonden,' zei Danny. Hij hapte niet en bleef glimlachen. 'Jij kunt me vertellen wat ik niet moet doen voordat ik een vergissing bega. Trouwens, ik weet dat ik niet knap ben en ik heb geen camera.'

Ze glimlachte, ondanks zichzelf.

'Jij zult het wel goed doen op tv, Danny. Dus pas maar op dat je niet naast je schoenen gaat lopen. Maar waarom vertel je me niet iets over je eerste dag in Freetown?'

'Ik ben de stad uitgegaan. Over de weg naar Waterloo.'

Hij vertelde haar over de vluchtelingen. Over zijn behoefte om het verhaal van de beleefde onderwijzer recht te doen. Toen het schot vanuit de jungle en de paniekerige terugreis, en hoe hij het van zich af had kunnen zetten door alles op te schrijven en naar Londen te versturen.

'Je bent naar Waterloo gegaan?' zei Maria toen hij klaar was met zijn verhaal. 'Op je eerste dag? Jezus, Danny. Dat ligt op de rand van het regeringsgebied. Misschien ligt het er nu zelfs wel buiten. Ben je levensmoe of zo?'

Danny haalde zijn schouders op. Haar woorden beangstigden hem en wonden hem tegelijkertijd op. Ze liet een korte proestlach klinken.

'Weet je, misschien ben je nu wel niet meer zo nat achter je oren.'

Hij grijnsde triomfantelijk en bestelde een volgend rondje.

DE VOLGENDE OCHTEND vroeg ontmoette Danny Kam in de lobby. Er was een aankondiging op de regeringsradio geweest. Er zou een anti-Sankohbijeenkomst worden gehouden in het nationale stadion. 'Een makkelijk klusje,' zei Kam. 'Het zal de enige gebeurtenis van de dag zijn. We hoeven vandaag Freetown niet uit.'

Kam was duidelijk opgelucht. Ze reden door de straten die nu stil waren. De luiken van de winkels waren nog omlaag en de weinige voetgangers die er waren liepen rustig in dezelfde richting: naar het stadion aan de buitenkant van het centrum. Terwijl ze verder reden verschenen er meer mensen op straat, geleidelijk aangroeiend tot een menigte. Hiertussen bevonden zich enkele minivans met speakers op het dak bevestigd waar slogans uit schalden. Verzet je tegen het RUF, schreeuwden ze. Weg met Sankoh! Groepen jonge mannen met houten stokken dansten en zongen, op en neer springend in hechte cirkels.

Ondanks alle afleiding bleef Danny aan Maria denken. Ze hadden uren aan de bar zitten praten, tot diep in de nacht. Ze was hulpverlener bij War Child International, een hulporganisatie die zich inspande voor de rehabilitatie van kindsoldaten. Ze hadden in heel West-Afrika weeshuizen, waaronder een ten zuiden van Freetown. Ze was al vijf jaar in Sierra Leone en had zelfs Krio geleerd. Ze sprak over het land met een passie die getemperd werd door een niets ontziend realisme. 'Ik wil de wereld niet veranderen,' zei ze herhaaldelijk. 'Ik wil alleen maar een stukje ervan veranderen. Als ik een paar van de kinderen die ik onder mijn hoede heb kan bereiken, niet meer dan een paar, dan is dat genoeg voor me.'

Danny had haar verteld over zijn beroemde vader, over het opgroeien in zijn schaduw, over de onoverbrugbare ideologische kloof die zich tussen hen bevond. En als klap op de vuurpijl, voegde hij eraan toe, gaat die ouwe klootzak ervandoor met een van zijn secretaresses. Daar had ze hard om gelachen, het bier kwam uit haar neus en ze verontschuldigde zich er giechelend voor. Waarop hij ook om zijn vader had gelachen. Het had goed gevoeld zijn woede te spuien. Het was een bevrijding.

Haar familie was totaal anders. De familie Tirado was een

grote clan uit Puerto Rico. Ze waren opgegroeid in armoede en verhuisden naar Ohio, het hart van Amerika. Ze was de ster van hun verwachtingen geweest, vlijtig en slim. Achter haar successen lagen de dromen van een complete familie, en niet de een of andere wrok tegenover een vaderfiguur.

Uiteindelijk had ze de bar verlaten, grijnzend om het late uur, en hem terloops op zijn wang gekust toen ze ging. 'Ik had het fout, Danny. Je bent niet zo'n eikel van een journalist.' Ze giechelde. 'Ik zie je wel weer.' Haar hand streek nog even over zijn arm en ze was weg. Het had twee uur geduurd voordat hij in slaap viel.

Toen Kam voor het stadion stopte, bracht de schok van de stoppende auto hem hardhandig terug in de realiteit. Op zo'n vijfhonderd meter van de hoofdingang zaten ze vast in de menigte.

'Dit is ver genoeg,' zei Kam. 'We gaan verder lopen.'

De menigte was zó opeengepakt dat ze als wrakhout op de golven werden meegenomen en het stadion in werden geduwd. Binnen verspreidden de mensen zich over een enorme arena van lage terrassen die een stoffige rechthoek omsloot waar een geluidspodium op was gebouwd. Danny zag de verzamelde pers staan. Camerateams van CNN, Sky en de BBC bevonden zich tussen de journalisten en fotografen.

Ze wachtten in de verstikkende hitte. De zeewind kon niet in het stadion komen, het was er enkele graden warmer dan in de straten erbuiten. Toch was de arena vol kleuren en lawaai. Duizenden mensen zaten naast elkaar op de terrassen, en ze waren allemaal aan het zingen en dansen. Gezangen begonnen aan de ene kant van de mensenmassa en verspreidden zich over de rijen om zich te vermengen en op te gaan in weer een ander gezang. Uiteindelijk betraden enkele sprekers het podium. Het waren allemaal gezette mannen, politici die hun pak hadden thuisgelaten om te delen in de T-shirtmode van de menigte. Ze gingen één voor één tegen Sankoh tekeer.

'Sankoh is hier in Freetown in zijn grote huis!' schreeuwde een man tegen een pantomime van boegeroep. 'Hij verkondigt vrede terwijl zijn mannen in de jungle op hetzelfde moment onze broeders en zusters vermoorden.'

Zo ging het maar door. Elke spreker schold het RUF uit, waarschuwde voor de afschrikwekkende gebeurtenissen die zouden komen en richtte zich vervolgens – met veel gevoel voor de tv-camera's – tot de VN om hulp. 'We zien jullie in onze straten met jullie geweren en jullie tanks, maar jullie doen niets,' schreeuwde een man. 'We smeken jullie om gerechtigheid, we smeken jullie om hulp.' De toon werd hysterisch. Slechts weinigen in de menigte, en niemand op het podium, twijfelden eraan wat er met regeringsfunctionarissen zou gebeuren als het RUF Freetown in zou nemen. Lange of korte mouwen? Hak, hak.

Opeens verscheen Kam naast Danny. Zijn gezicht stond ernstig en hij sprak gedempt.

'Mijnheer Danny,' zei hij. 'Sommige mensen hebben het stadion verlaten en zijn op weg naar het huis van Sankoh. Ze zeggen dat ze hem hiernaartoe zullen brengen.'

Kam maakte een ts-ts-geluid.

'Als ze het huis bereiken... dan komen er grote problemen.'

Danny keek om zich heen. De BBC-crew was haastig zijn spullen aan het inpakken. Ze hadden ongetwijfeld dezelfde tip gekregen van hun eigen chauffeur. Hij kon Kam wel zoenen. Dankzij hem kon hij wijs worden uit de maalstroom van gebeurtenissen, en anderen de loef afsteken.

'Oké. Laten we gaan,' zei hij.

Ze drongen zich een weg naar buiten langs mensen die nog steeds het stadion binnenkwamen en reden al snel door de lege straten. Ze reden omhoog het centrum uit en bereikten de rijkere buitenwijken op de hellingen die naar Hill Station leidden. Toen ze boven op de heuvel waren, verschenen er weer enkele groepen mensen. Maar deze verschilden van de vorige mensenmassa's. Het waren bijna allemaal jonge mannen. Ze marcheerden groepsgewijs en sommigen hadden stokken of brokken beton die ze uit ingestorte gebouwen hadden gehaald bij zich. Ze keken stuurs naar de passerende auto.

Uiteindelijk gingen ze de bocht om en voor hen lag op een lage heuvel een wit huis met twee verdiepingen dat omgeven was door een betonnen muur. Er had zich een menigte van een paar honderd mensen verzameld, ze leken niet te weten wat ze moesten doen. Voor het huis stond een eenzame pantserwagen van de VN geparkeerd, de hemelsblauwe vlag hing er lusteloos bij. Als een nerveuze schildpad die vanonder zijn schild gluurde, had een Indiase soldaat zijn hoofd uit de geschutkoepel gestoken. Kam maakte een volle draai met de auto en liet hem zo staan, met de voorkant naar beneden gericht, weg van Sankoh's huis.

'Voor het geval we hier extra snel weg moeten zijn,' zei hij.

Danny stapte uit en liep de weg op. Kam liep een paar passen achter hem en keek zenuwachtig om zich heen. De menigte leek geen rangorde te hebben, er viel geen leider te bekennen. Danny begaf zich tussen hen en liep naar voren om het huis te bekijken.

Twee gespierde jongemannen in gewone trainingspakken stonden voor een groene metalen toegangspoort. Ze droegen spiegelzonnebrillen en hielden hun mitrailleurs in de aanslag. Ze leken onverschrokken en emotieloos; koud en doelgericht wachtten ze tot de menigte in beweging zou komen. De betogers roerden zich zo'n twintig minuten lang als golven op het strand, vooruit en achteruit, vooruit en achteruit, en elke keer zagen de twee wachten het onbewegelijk aan. De situatie werd onhoudbaar. Het was als de lengte van een elastiek dat werd uitgerekt en op springen stond. Opeens had de Indiase VN-soldaat het gehad. Zijn hoofd verdween in de pantserwagen en hij sloot de koepel achter zich. Het geluid van het stalen luik dat werd dichtgetrokken weergalmde in de menigte.

Toen vloog er een kleine steen met een boog door de lucht, afkomstig van een onbekende hand achterin die zich gesterkt voelde door de afstand en de hoeveelheid mensen. Met een zachte klap kwam hij achter een van de wachten tegen de betonmuur terecht. De ander draaide zich om en keek naar zijn kameraad. Even leek het alsof er niets zou gebeuren. Toen werd er een tweede steen vanuit de menigte gegooid, harder dan de eerste. Hij vloog over de muur voor het huis. Toen een derde en een vierde. Opeens handelde de menigte als één lichaam, mensen bogen zich voorover om alles wat ze konden vinden te pakken en te gooien. Stenen, stokken, puin, blikjes, alles vloog door de lucht. Een van de wachten werd recht in zijn gezicht geraakt door een frisdrankblikje, waardoor zijn bril op de grond viel. De menigte brulde. De ogen achter de zonnebril waren nu zichtbaar en ze schitterden van woede. De wachten hieven hun armen op om zichzelf te beschermen, openden de poort en vluchtten naar binnen. De regen van projectielen werd heftiger, er verdween veel over de muur, van waarachter een crescendo van brekend glas te horen viel. Sankoh's huis werd belegerd.

Danny was opgewonden en bang. De menigte raakte buiten zinnen, dronken van haar eigen macht. Een paar mannen renden naar voren en begonnen het hek met hun vuisten te bewerken. Danny kwam instinctief in beweging om ze te volgen. Hij wilde zien wat ze hierna zouden doen. Maar Kam greep hem van achteren. Hij probeerde zich te ontworstelen aan de sterke armen van de Senegalees, maar Kam hield hem stevig vast.

'We moeten hier weg,' zei Kam, die hem meetrok naar

achteren. Danny hoorde de motor van de VN-pantserwagen tot leven komen. Het voertuig schoot naar voren. Het wilde ook graag weg. Projectielen kletterden als een zware regenbui op zijn dikke metalen huid. 'We gaan nu,' herhaalde Kam. 'Geen discussie mogelijk.'

Danny liet zichzelf meesleuren. Hij kon niet tegen Kams volharding op, maar toen ze bij de auto waren keek hij over zijn schouder. De menigte was bezig het kookpunt te bereiken, mensen sloegen op het hekwerk en dansten triomfantelijk rond. Toen, het leek tegen alle natuurwetten in te zijn, schoven de hekken opeens uit eigen beweging open. Het luide geknal van karabijnschoten echode vanaf het huis.

De menigte was direct uiteengeslagen, de mensen vluchtten weg als een kudde schapen in paniek, eerst de ene kant op, dan weer de andere kant op. Terwijl salvo na salvo weerklonk stroomden de mensen de heuvelflank af, struikelend en over elkaar heen vallend in hun verlangen weg te komen. Een paar schreeuwden van pijn en Danny meende te zien hoe een jonge man, een jongen nog, de lucht in werd gegooid, hij schokte alle kanten op als een marionet waarvan de draden in de knoop waren geraakt. Vanachter de hekken verschenen jonge mannen met karabijnen op hun heupen die onafgebroken op de menigte schoten. Kams stem klonk door de chaos heen.

'Stap in de auto, mijnheer Danny. Stap in!'

Danny deed wat hem gezegd werd en nog voor hij het portier had dichtgetrokken schoot de auto vooruit. Kam scheurde de heuvel af en remde niet voor bochten. Danny voelde dat de auto omhoog rees, op twee wielen reed en klampte zich wanhopig vast aan zijn stoel.

'Jezus, Kam. Zachter man!' gilde Danny uit. Kam negeerde hem. De schreeuwende blanke naast hem kon zeggen wat hij wilde, maar in het Cape Sierra was het veilig en hij zou daar zo snel mogelijk zijn als hij kon.

ZOALS IEDEREEN IN het hotel bracht Danny de nacht angstig en slapeloos door, gekluisterd aan CNN en luisterend naar de radio. Het nieuws was grimmig. Voorafgaand aan de schietpartijen had de VN zich teruggetrokken in barakken in Freetown. Er gingen al geruchten over RUF-soldaten in de stad, ze zouden uit de jungle zijn gekomen en wegversperringen hebben opgeworpen in de sloppenwijken. Niemand wist waar Sankoh was. Het enige hoopgevende waren de geruchten over een Britse interventiemacht. Maar de paniek sloeg toe. Toen Kam bij het eerste ochtendlicht voor zijn deur stond, vatte hij de situatie schouderophalend samen.

'Alle buitenlanders zijn Freetown aan het verlaten, mijnheer Danny.'

Ze reden naar de heliport en Danny zag direct wat Kam bedoelde. Het was er een drukte van belang. Drie grote choppers stonden op het asfalt, en een langgerekte rij mensen stroomde ernaartoe: hulpverleners, diplomaten en zakenlieden. Er had zich ook een menigte inwoners verzameld, ze stonden tegen de hekken die de landingsbaan omgaven aangedrukt en schreeuwden in de richting van de heliportingang. Ze hieven hun handen smekend omhoog en boden willekeurige papieren – brieven, documenten en paspoorten – aan als offerandes voor een onvriendelijk altaar. Een handvol angstige Pakistaanse VN-soldaten stond aan de andere kant van het hek, en af en toe zagen ze een gelukkige ziel met het juiste paspoort – Europees, Canadees of Amerikaans – en het hek ging op een kiertje open om hem door te laten. Wie het was rende onveranderlijk en zelfs zonder om te kijken naar de choppers, zijn bagage met zich mee slepend.

Danny liep erheen, gevolgd door Kam. De menigte week voor hem uiteen, hij zag boze en rancuneuze blikken.

'Help me, mijnheer. Ik heb mijn papieren verloren,' klonk een stem. Anderen volgden, steeds dringender.

'Mijnheer, mijnheer...'

Danny had geen paspoort bij zich, maar zijn huidskleur was genoeg. De poort ging een beetje open en hij perste zich erlangs. En sloot zich weer voor Kam toen deze probeerde te volgen.

'Hij hoort bij mij,' zei Danny.

De poort bleef gesloten. Hij leidde naar een andere wereld en Kams zwarte huid verbood hem toegang. Buiten het hek was Sierra Leone en wat daar zou gaan gebeuren. Erbinnen was een ticket naar de rest van de wereld.

Toen Danny op de rijen afliep blies de woelende wind van de helikopters door zijn haar. Een chopper verhief zich langzaam in de lucht, worstelend met de zwaartekracht voordat zijn neus naar beneden dook en hij zich boven de zee liet meevoeren. Danny keek hem na en toen hij zich omdraaide zag hij hoe de tweede chopper werd ingeladen.

Hij pakte zijn notitieboekje en begaf zich in de menigte om met de vertrekkenden te praten. Het waren onderwijzers, diplomaten, hulpverleners, missionarissen en zakenlieden. De orders waren gisteravond gegeven, de ambassades van elk land hadden het al eerder voorbereid. Na weken op eigen gezag te hebben gewaarschuwd, waren de gewelddadigheden bij Sankoh's huis reden voor het bevel tot evacuatie. Vertrek nu of loop het risico dat je niet meer kunt vertrekken. Dat was een gok die weinig buitenlanders wilden wagen.

Danny was al een uur aan het toekijken, waarbij hij af en toe aantekeningen maakte, toen hij een slanke gestalte op hem zag toelopen. Hij herkende haar en schrok. Het was Maria.

'Hé hallo,' zei ze, zo kalm en bedaard alsof ze een ommetje aan het maken was.

'Hoi,' antwoordde hij. Ze droeg een wit shirt dat doordrenkt was van het zweet, en haar haar hing in natte slierten over haar gezicht. 'Je gaat toch niet vertrekken? Ik dacht dat je hier nog wel even zou blijven. Ik red het hier niet in mijn eentje.'

Ze keek hem aan met een zuinig glimlachje, half beledigd en half flirtend – dat hoopte hij tenminste.

'Nee, Danny,' zei ze. 'Ik ga er niet vandoor. Ik ben vanochtend in een van onze weeshuizen geweest en heb geprobeerd om de plek wat beter te beveiligen, voor het geval dat. Daarna heb ik een paar stafleden een lift hiernaartoe gegeven. Ze hebben besloten de crisis in Abidjan af te wachten.'

'Maar jij dus niet?'

'Nee. Ik heb genoeg vrienden hier. Ze zullen voor me zorgen als het zover komt. Maar eerst moet er iemand zijn om de kinderen te helpen. De ene helft is familieleden kwijtgeraakt dankzij het RUF, de andere helft heeft deel uitgemaakt van het RUF. Je hebt er geen idee van wat voor een impact dit op hen heeft. Ze zijn doodsbang, en iemand moet ze in de gaten houden.'

Ze klonk zakelijk, als een manager die bevoorradingsproblemen bespreekt. Niet als een jonge vrouw die in een belegerde stad wil blijven om op een groep weeskinderen met oorlogstrauma's te passen.

'En jij?' vroeg ze.

'Ik blijf. Het Cape Sierra lijkt me oké, dat is waar het verhaal zich zal afspelen.'

Hij voelde zich opeens een idioot. Hij had zojuist aan hun situatie – haar persoonlijke risico – gerefereerd als 'een verhaal'. Het leek een bagatellisering. Maar ze scheen er geen aanstoot aan te nemen.

'Ah, het oude vertrouwde Cape Sierra in staat van beleg.' Ze lachte. 'Weet je wat er de laatste keer gebeurd is?'

Danny schudde zijn hoofd.

'Nou, toen het RUF anderhalf jaar geleden Freetown binnenviel trokken ze over de toegangsweg naar het Cape Sierra. Het leek ze wel wat om een paar buitenlanders over de kling te jagen. Maar goed, ze haalden het net niet omdat er zich tussen de pers een paar veiligheidsspecialisten bevonden die in staat waren om er een paar vanaf het dak uit te schakelen. Een journalist van de BBC stond op een gegeven moment op zijn balkon een AK-47 af te vuren.'

'Jezus, dat klinkt als de Alamo,' zei Danny. Zijn woorden klonken grappiger dan hij bedoelde. Was dit echt gebeurd?

Maria lachte.

'Dus hoe zit het met je scherpschutterskunsten, Danny? Leren ze je dat ook op de school van journalistiek in Londen? Ik neem aan dat ze je niet leren hoe je je een weg moet schieten uit een goed verhaal.'

Plotseling klonk er een kreet achter hen. Maria draaide zich om en zag iemand vanaf het helikopterplatform naar haar zwaaien. Het was een lange blanke man, hij droeg een donker pak dat afstak onder de Afrikaanse zon. Hij zag eruit als een soort bodyguard, met zijn afstandelijke houding en strakke gezicht. Maria leek een moment te aarzelen toen ze hem zag. De twee keken elkaar opgelaten aan over het asfalt. Toen zwaaide ze naar hem en hij stak langzaam een hand op als antwoord. Danny wierp haar een vragende blik toe.

'Wie is dat?' vroeg hij. Maar ze haalde haar schouders op en negeerde hem.

'Ik moet weer eens gaan,' zei ze. Toen zag ze de onzekere uitdrukking op Danny's gezicht. Ze legde een hand op zijn arm en hij voelde haar warmte.

'Relax,' zei ze. 'Het komt goed.' Danny keek hoe ze wegliep. En terwijl hij dat deed – en nog steeds het gevoel had dat haar hand zijn arm streelde – geloofde hij haar.

DE STRATEN VAN Freetown waren verlaten toen de avondschemering inviel. Danny had zijn artikel over de evacuatie al opgeslagen, maar er zat iets in wat hem niet beviel. Hij kende de dynamiek van het nieuws, hij wist dat het de buitenlanders – de blanken – waren in wie zijn redacteuren geïnteresseerd waren. Maar het zat hem dwars dat hij alleen maar zou schrijven over hen die vertrokken, en niet over degenen die overbleven om het einde mee te maken. Hij zocht Kam op beneden en zei hem dat hij een ritje door de stad wilde maken. Hij had gedacht dat Kam hem voor een idioot zou verslijten, maar in plaats daarvan startte hij zonder te klagen de auto.

'Dit is de stilte voor de storm,' had Kam schouderophalend gezegd. 'Het zou goed moeten gaan.' Danny negeerde het voorzichtige 'zou'. Ze reden door een verlaten stad, alle winkelluiken waren neergelaten. Er viel geen spoor te bekennen van het regeringsleger. Noch van de VN. Wegversperringen lagen er verlaten en stil bij. Het was straat na straat hetzelfde, alleen maar een paar nauwelijks zichtbare gestaltes die van steeg naar steeg schoten: een spookstad. Toch zaten er achter deuren en gordijnen en onder golfplaten daken honderdduizenden mensen in elkaar gedoken te wachten.

Kam zocht een plaatselijk radiostation op en vertaalde de nieuwsberichten voor Danny.

'Er gebeurt niets. Niemand weet waar Sankoh is. En niemand wil het ook eigenlijk weten. Want als hij uit zijn schuilplaats tevoorschijn komt, dan gaat het beginnen. Dan beginnen de moordpartijen.'

Ze reden door een straat in het centrum waar de diamantindustrie van het land gevestigd was. Normaal heerste er een kleurrijke drukte, Indiase en Libanese handelaren en zwarte diamantzoekers die vanuit het hele land kwamen om hun kostbare waar aan te bieden. Ondanks dat de handel was geslonken sinds de crisis was uitgebroken, waren er altijd wel een paar die het RUF te slim af waren. Maar vandaag niet. De straten waren verlaten, de torenflats donker, de lichten en generators waren uitgeschakeld.

Behalve één. Kam wees omhoog.

'Daar is nog iemand,' zei hij.

Danny liet hem de auto stoppen en samen betraden ze het gebouw. Het was een flat van zes verdiepingen, met veel kaal beton en een defecte lift. Ze sleepten zich de trappen op tot de bovenste etage en zagen een deur waar licht onder vandaan kwam. Danny liep erheen met Kam in zijn kielzog. Hij duwde hem open en stapte in het onverwachte licht. Een donkergekleurde man stond in een hoek papieren door te nemen. Hij draaide zich langzaam om en Danny zag zijn hand achter zijn rug verdwijnen, reikend naar iets. Toen keek de man een moment verward, waarna zijn gezicht oplichtte.

'Danny Kellerman van *The Statesman*!' schreeuwde hij. 'Krijg nou wat. Je leeft nog!'

Het was de Libanese zakenman van zijn eerste dag in het land. De man beende naar voren, drukte hem de hand en zag toen Kam.

'Kam! Ik wist wel dat je goed op hem zou passen,' zei hij. Hij sloeg een arm om Kams schouders en lachte weer. 'Ik had je toch gezegd dat hij de beste chauffeur van Freetown was?'

Hij ging aan zijn bureau zitten en haalde iets uit een la. Het was een fles Johnnie Walker Black Label. Snel schonk hij drie whiskyglazen vol en overhandigde ze.

'Ik ben Ali Alhoun,' zei hij tegen Danny, bij wijze van late introductie. Waar hij aan toevoegde: 'Je weet dat je in Freetown niet zomaar een oude deur moet opendoen.' Hij reikte weer achter zijn rug en haalde een groot zwart pistool tevoorschijn dat hij met een doffe metalige klap op het bureau legde.

'Dit zijn rottijden,' zei hij.

Danny voelde de whisky in zijn keel branden.
'Wat gaat er gebeuren?' vroeg hij.
Ali schonk zich wat whisky bij in een glas dat nog halfvol was. 'Wat gaat er gebeuren?' zei hij hem na. 'Ik zal je vertellen wat ik níét dacht dat er ging gebeuren. En dat is dat een groentje als jij hier nog steeds zou zijn terwijl praktisch alle blanken vertrokken zijn.'
Hij liet een diepe schorre lach horen.
'Er gaat niets boven zwemmen in het diepe, niet?'
Danny hief zijn glas. Door de alcohol voelde hij de neiging om bravoure met bravoure te beantwoorden.
'Ik zou het voor geen goud willen missen,' zei Danny.
Ali lachte nog een keer. Toen stond hij ineens op. Hij stopte het pistool achter zijn broekriem en schoof wat documenten in een zwarte aktetas.
'Weg met dat spul,' zei hij naar de whisky gebarend. 'Laten we naar mijn villa gaan en echte whisky drinken. Kam, ik hoop dat je het niet erg vindt dat ik hem een paar uur van je leen en hem wat Libanese gastvrijheid laat zien.'
Binnen enkele minuten zat Danny in Ali's zwarte SUV en raasde door Freetown. Kam leek alleen maar blij te zijn geweest dat hij een excuus had om terug te rijden naar het veilige Cape Sierra. Het waren nu Danny en Ali die door de stad denderden. Ali bestuurde de auto met één hand, ontweek bedreven de gaten in het wegdek en praatte grijnzend aan één stuk door.
Hij was geobsedeerd door Sankoh. Hij zei dat deze overal was gezien. De geruchtenmachine van Freetown maakte overuren en leverde de wildste verhalen af. Hij was in de bergen boven de stad, hij was in de streek waar het RUF vandaan kwam, hij zou samenwerken met de Nigerianen. Ali gaf toe dat hij er niets van geloofde. 'Waar is die sluwe klootzak?' riep hij uit. 'Er zal niets gebeuren totdat we het weten.'

Terwijl ze door de straten voortraasden zonk de zon eindelijk in de oceaan, waardoor het volledig donker werd. Normaal zou het een schitterende lichtzee opleveren van auto's, van huizen met generators in de dure wijken en van houtvuurtjes in de arme wijken. Maar de schemering werd nu vervangen door een diepe duisternis. Alleen de koplampen van Ali's SUV lieten de weg zien. Zonder te remmen liet Ali de auto op een imposante villa afrijden en Danny zag een paar bewakers haastig een gietijzeren hek openmaken en net op tijd wegduiken voor het voertuig. Toen zette Ali de motor af en liet hem doorrollen tot hij stopte.

'Ben je niet bang dat je een beetje opvalt zo?' vroeg Danny, wijzend op het licht dat vanuit de villa naar buiten kwam.

Ali schudde zijn hoofd.

'Iedereen die iets betekent hier weet dat dit het huis van Ali is. Het doet er niet toe of ze RUF, SLA weet-ik-veel-wie zijn, ze weten dat dit mijn huis is. En als ze het niet weten en toch komen, dan weten wij wel manieren om ze buiten te houden.'

Hij duwde de deur van de villa open en Danny zag wat hij bedoelde.

Binnen was een grote voorkamer die in Arabische stijl was ingericht met tapijten en kussen tegen de muren. Er hing een verscheidenheid aan mannen rond, die allemaal wapens bij zich droegen die een generaal zouden doen blozen. Er waren automatische geweren, pistolen en uzi's. In het midden van de kamer lagen grote dozen munitie, gerangschikt in verschillende kalibers. De meeste dozen waren geopend, de gouden inhoud als snoepjes onthullend.

De mannen waren Ali's familieleden, een deel van de wijdverspreide Alhoun-clan dat bij elkaar was gekomen om te wachten tot de crisis voorbij was. De vrouwen, zussen en dochters hadden een paar dagen geleden allemaal het land verlaten. Ali stelde ze aan Danny voor in een overvloed van namen en handdrukken. Ze waren net als Ali allemaal onverstoorbaar vrolijk, en de helft van de groep was dronken van de dure flessen wijn die, zoals Danny zag, overal in de kamer verspreid lagen.

Ali drukte Danny een glas wijn in zijn handen. Die was rood en donker, en leek even op bloed. Danny sloeg het glas achterover. Hij merkte hoe de alcohol – boven op de whisky – zijn geest een ontspannende massage gaf. Hij glimlachte, en voelde de opgekropte energie vrijkomen. Hij luisterde toe hoe Ali over zijn zaken vertelde: zijn diamantconcessies in het hele land, zijn winkels, de grote Alhoun-familie thuis in Beiroet en in Amerika. Hij bekende dat hij zich zorgen maakte over de vooruitzichten om zaken te doen in een Sierra Leone waar Sankoh de baas was. Deze jongens waren gek en bloeddorstig, zelfs naar West-Afrikaanse standaard gemeten. Er moest ergens een grens zijn. Maar met het RUF... wie zou het zeggen? Ali's stem stierf weg en opeens merkte Danny dat hij over Maria aan het praten was. Hij wist niet precies waarom hij Ali over haar vertelde. Maar daar zat hij, dronken in Freetown, over Maria te praten als over een kalverliefde.

'Je hebt het goed te pakken, mijn vriend,' zei Ali. 'Dat is mooi. Mooi voor jou, bedoel ik. Het is mijn stijl niet. Maar voor jou is het volgens mij goed.'

Hij greep Danny's hand vast.

'Als je gek op haar bent, dan moet je ervoor gaan. Ver - over haar. Misschien lukt het niet. Misschien laat ze je zitten. Maar dan heb je het tenminste geprobeerd.'

Ali vertelde hem over een vriendin die hij had in Abidjan, een meisje van daar voor wie hij een flat huurde en die hij van een maandelijkse 'toelage' voorzag.

'Ik ben gek op haar. Dat is het idiote. Het is een slimme meid. Ze gebruikt het geld dat ik haar geef om te studeren.

Soms laat ik mezelf dromen dat ze ook gek op mij is, maar diep vanbinnen weet ik dat ik voor haar niet meer dan een broodwinner ben...'

Ali stopte.

'Jezus, Danny!' riep hij uit. 'Hoor mij nou met m'n kleinzielige verhalen. Wie neem ik in de maling? Als het zover is, ga ik me settelen met een boerenmeid uit de Beeka-vallei. Met brede heupen. Die kunnen goed kinderen baren.'

Hij legde een hand op Danny's schouder.

'Heb je ooit een geweer afgevuurd, Danny? Weet je hoe je moet schieten?' vroeg hij. Danny zei niets. Het was een vreemde vraag, een echo van Maria's opmerking van vanmiddag.

'Kom mee,' zei Ali, die hem half struikelend mee naar buiten trok. Ze bevonden zich in een donkere, overwoekerde tuin. Danny voelde de vegetatie overal om hem heen, dicht en samengepakt. Ali hield met een hand een zaklantaarn omhoog en overhandigde hem met de andere het wapen. Het was een AK-47, dezelfde die de regeringssoldaten bij zich hadden gehad, alleen deze was niet oud of afgetakeld. Hij was gloednieuw en rook naar verse olie. Danny voelde het gewicht in zijn armen rusten. Hij wilde protesteren, maar Ali stond al achter hem en drukte de kolf van het geweer in zijn schouder terwijl hij zich ervan vergewiste dat de loop omhoog was gericht.

'Je hoeft alleen maar de trekker naar je toe te knijpen. Niet trekken, knijpen, en houd hem omhoog gericht. We willen niet de buren afschieten.'

Ali liep langzaam achteruit. Danny stond in de tuin en hield het geweer vast alsof het een levend iets was. Zijn vinger kromde zich om de trekker en hij keek langs de zwarte loop. Aan het eind ervan kon hij de sterren in de nacht zien flonkeren. Langzaam kneep hij de trekker naar zich toe.

Het geluid van de oranje vuurmond die kogels in de duisternis spuwde verdoofde hem. Een waas van vonken trok omhoog en Danny merkte dat hij op de grond was geworpen.

Hij lachte, hoog en hysterisch. Hij was dronken en lag in een krimp met de AK-47 naast hem, terwijl hij onder zich de zachte, klamme grond voelde. Ali stond aan de kant en lachte ook terwijl hij nog een slok uit een fles wijn nam, waarna hij deze achter de kogels aangooide.

'Kom op nou, Sankoh, klootzak,' schreeuwde Ali. 'Waar ben je verdomme?'

De nacht gaf geen antwoord. Alleen stilte.

TOEN ALI DANNY weer bij het Cape Sierra afzette, was zijn schouder blauw en pijnlijk van de terugslag van de AK-47 en zijn hoofd tolde van de whisky en wijn. Maar hij voelde zich springlevend, het was verbazingwekkend. Hij wist dat hij niet naar zijn kamer kon gaan.

Hij volgde het geroezemoes dat uit de bar kwam en liep de inmiddels vertrouwde ruimte in om hem nagenoeg leeg aan te treffen. In de hoek stond CNN aan, hij stond een aantal minuten knipperend scherp te stellen op de gonzende tv tot hij merkte dat iemand aan de bar naar hem keek. Maria.

Ze gebaarde hem te komen.

'Hé, hallo,' zei ze. 'Ik dacht dat je toch maar vertrokken was en mij hier alleen had gelaten.'

Danny deed wanhopige pogingen weer nuchter te worden. Hij vermoedde echter dat zijn kegel weinig aan de fantasie overliet. Maar Maria liet in ieder geval niets blijken, niet of ze het merkte, en niet of ze het een probleem vond. Danny zag dat er een halflege tumbler whisky voor haar stond.

'Niets aan de hand,' zei hij. 'Ik ben er nog steeds. Na wat je zei vanmiddag heb ik wat schietlessen genomen.'

'Ik vertelde de waarheid, weet je,' zei ze. 'Dat vuurgevecht met de journalisten is legendarisch geworden hier. Dat was nog eens praktische oorlogsverslaggeving.'

'Ik vertelde ook de waarheid,' zei hij. Ze keek hem aan, niet zeker of hij nu een grap maakte of niet.

Ze bestelden nog wat te drinken. Er waren verder slechts zes mensen in de bar, wat journalisten, onder wie Hoyes, die naar Danny zwaaide maar geen moeite deed om naar hem toe te komen. Dit tot Danny's opluchting, hij wilde Maria voor zichzelf hebben. Hij keek naar haar en zijn blik werd weer helder. Ze had het over de Britse oorlogsschepen waarvan ze dacht dat ze voor de kust lagen. Ze leek ervan overtuigd dat de wereld niet zou toestaan dat het RUF Freetown nog een keer zou brandschatten. Hij boog zich naar haar toe – ze deinsde niet achteruit – en merkte dat hun knieën elkaar raakten. Ze was enthousiast over het idee dat het Engelse leger zou komen. Danny dacht dat hij een spoor van angst in haar ogen zag. Iedereen die al zo lang in Sierra Leone was als zij moest geleerd hebben om niet te veel op een reddingsactie te vertrouwen. Geloven in de goedheid van de toekomst was een geheide manier om teleurgesteld te raken. Of het leven erbij te laten.

'Wat als ze niet komen?' vroeg Danny.

'Zo wil ik niet denken, Danny,' zei ze. En herhaalde toen: 'Zo kan ik niet denken.'

Hij voelde haar adem op zijn gezicht, haar ogen vingen zijn blik en bleven terugkijken. Hij had geen idee wat er achter deze donkere poelen lag. Hij legde een hand op haar gezicht en trok haar naar zich toe. Heel eventjes voelde hij een gering spoor van weerstand, maar het was meteen weer verdwenen en hun lippen raakten elkaar en hun monden versmolten in elkaar. Na een paar seconden trok ze zich terug.

'Zie je nu wel,' zei ze, terwijl ze zijn haar bleef vasthouden en haar voorhoofd tegen dat van hem aandrukte, 'je kunt altijd vertrouwen op de Engelsen.'

Ze lachten allebei en keken om zich heen als ondeugende kinderen. Danny zag een verraste blik op het gezicht van Hoyes.

'Kom op,' zei hij. 'Laten we hier weggaan.'

Ze gingen naar boven en Danny nam haar mee naar zijn kamer. Hij deed de deur open en zonder iets te zeggen gingen ze tekeer voordat hij hem zelfs maar achter zich had dichtgedaan. Het was uitzinnig en dierlijk, een bevrijding van de spanning en het vergeten van het moment. Sierra Leone en Freetown waren verdwenen. Het RUF en Sankoh waren verdwenen. De nachtmerries die zich aan de rand van de stad verzamelden waren vergeten. Morgen was vergeten. De duisternis was verbannen in het gevoel en de geur van seks, waar woorden door andere geluiden werden vervangen, waar het enige wat telde het hier en nu was. Er was niets buiten dit moment en het gevoel dat ze deelden. Danny voelde hoe hij zichzelf liet gaan, hoe hij één werd met haar, een gevoel dat in haar lichaam werd beantwoord en dat eindigde in een explosie van licht en geluid – zoals het afvuren van alle geweren in Ali's huis –, vreugdevol en manisch, en dat kort oplichtte in de duisternis rondom.

7

[2004]

DANNY DWONG ZICHZELF weg te kijken van Ali's drankkast. Het was halverwege de middag en hij verlangde naar de zachte beneveling die alcohol hem zou brengen. De zenuwen gierden nog door zijn lijf van de achtervolging van Gbamanja's mannen, alsof iemand een gigantische kerkklok in zijn lichaam had geluid. Een achtervolging op de weg? Het leek krankzinnig.

Hij had opeens de behoefte de villa uit te gaan en op straat een beetje realiteitsgevoel terug te krijgen. Weg van de verleiding zichzelf te kalmeren met een borrel. Hij dacht eraan Hennessey te bellen en hem te laten weten dat hij van plan was morgen bij Gbamanja's kantoor langs te gaan. Hoe meer mensen het wisten, hoe beter. Zo zou het veiliger zijn. Maar om redenen die hij niet helemaal kon bevatten wilde hij geen Brits accent horen; geen stem vanuit een wereld die zich buiten Sierra Leone bevond. In plaats daarvan besloot hij een e-mail te sturen. Een paar straten van Ali's villa bevond zich een rij bouwvallige schuurtjes die als buurtmarkt fungeerden. Een van de meer bemiddelde eigenaars had een antieke computer weten te verbinden met een van de weinige betrouwbare telefoonlijnen in Freetown. Er stond meestal een rij, maar als hij voor westerlingen tien keer zoveel rekende als voor autochtonen dan zou het voor Danny niet moeilijk zijn om vooraan te komen.

Het was slechts een paar minuten lopen, en het voelde

goed om van alles weg te zijn. Uiteraard was het warm, maar voor deze keer vond Danny dat niet erg. Het was prettig om over straat te lopen zonder zorgen en bijgedachten. Om te zien dat het leven gewoon doorging. Want dat ging het. Voetgangers liepen tussen de bewoonde villa's door, bewakers hingen rond op hun post. Op de straathoeken stonden verkopers met fruit en kranten. Vier jaar geleden regeerde de angst in deze straten. De mensen zouden hem hebben aangekeken met nieuwsgierigheid of nervositeit; een blanke betekende gewoonlijk een crisissituatie of dat er hulp geboden moest worden. Maar nu niet meer. Hij was het onderwerp van lichte interesse of zelfs dat niet. Sterker nog, toen hij een volgende paniekaanval onderdrukte, leek hij de enige op straat te zijn die een reden had om bang te zijn. En zelfs daarvan was hij niet eens zeker. In gedachten liet hij het achtervolgingsincident nog eens de revue passeren. Hij was per slot van rekening degene die erop had aangedrongen dat Kam zou proberen te ontsnappen. Het ongeluk had niet plaatsgevonden vanwege de SUV's, maar omdat Kam een ezel moest ontwijken. Hij dacht even dat de hele toestand een misverstand was dat uit de hand was gelopen. Maar toen dacht hij aan de lege blik van de man en de verschrikkelijke duisternis in de SUV waar Danny in diende te stappen. Hij werd weer door twijfel bevangen. Het was het beste om die e-mail te versturen.

Tot zijn verrassing bleek het geïmproviseerde internetcafé leeg te zijn. Hij ging achter de computer zitten en typte een bericht. Hij hield de toon luchtig, maar liet Hennessey weten wie hij zou gaan ontmoeten en waarom. Het is alleen maar een voorzorgsmaatregel, niets om je zorgen over te maken, schreef hij. Toen hij uitlogde trok een jongetje hem aan zijn shirt. Hij droeg een pakket kranten uit Freetown bij zich en duwde ze in Danny's handen. De geur van de straatjongen vulde zijn neusgaten en de armoede die in zijn ogen stond staarde hem droevig aan. Danny groef in zijn broekzak en haalde een paar biljetten Sierra Leoons geld tevoorschijn. Hij haalde de bovenste kranten eraf en overhandigde de jongen het geld. Hij was niet van plan geweest het wisselgeld aan te nemen, maar de jongen bood het ook niet aan. In plaats daarvan slenterde hij het café uit. Hij had ongetwijfeld de klapper van de dag gemaakt.

Danny liep terug naar de villa en zette koffie voor zichzelf. Hij vouwde de kranten op tafel open en begon ze te lezen. Sommige zagen er redelijk professioneel uit, maar de meeste waren slechts een handvol slecht gekopieerde vellen die aan elkaar waren geniet. Zelfs tijdens de zwaarste periodes in de oorlog verschenen er in Freetown wekelijks tientallen van dit soort kranten. Vele hadden slechts één editie gekend. Ze liepen uiteen van pogingen tot serieus nieuws tot roddelblaadjes die de onwaarschijnlijke deugden van de ene politicus boven die van de andere verhieven. Ze waren altijd zeer vermakelijk. Het was zo'n soort blaadje dat Danny aan het lezen was. Hij had geen zin in droog regeringsnieuws of hypocriete aankondigen vanuit de burelen van de president. Hij wilde roddels van de straat.

Zijn aandacht werd getrokken door een column. Hij besefte met verbazing dat hij zich deze nog kon herinneren. Hij was neergepend door een anonieme schrijver die De Hond heette. Hij was een beruchte columnist op de achterpagina van *The Freetown Views*, een van de weinige kranten die het jaren had volgehouden. Hij bestond grotendeels uit roddel en achterklap, waar, in een halfslachtige poging de redactie te beschermen, geen naam onder stond. Het meeste was duidelijk verzonnen of overdreven. Danny bekeek de chaotische pagina met typewerk en opzichtige cartoons vluchtig tot zijn ogen haar naam zagen staan. Maria.

Hij stopte abrupt.

Midden in de column van De Hond stond een kort verhaaltje, het was niet meer dan één alinea.

De Hond gromt. Hij kan zijn oren niet geloven. Het nieuws heeft de Kennel bereikt dat een tragedie soms niet zomaar een tragedie is. Heeft iemand onze Engel Maria neergehaald? Iemand die bang was voor te veel Informatie? Maar wees niet bang, medeburgers, De Hond ziet het allemaal.

Hij legde de krant neer en riep Kam. Hij was niet alleen. Iemand anders in Freetown wist dat Maria's dood wel eens geen gewoon ongeluk geweest zou kunnen zijn. Kam kwam naar binnen gelopen en Danny schoof de krant naar hem toe. Kam las het twee keer en schoof toen de krant naar hem terug. De twee mannen keken elkaar aan, geen van beiden zei iets. Kam verbrak uiteindelijk de stilte.

'Mijnheer Danny, het wordt te veel,' zei hij. 'Kunnen we dit niet laten rusten? Misschien dat Maria vermoord is, misschien ook niet. Hoe dan ook, ze blijft dood.'

Danny keek naar zijn oude vriend en Kam leek plotseling laf en klein. Hij dacht aan die zin die De Hond had geschreven: te veel Informatie, met die hoofdletter 'I'. Was dat een hint naar Gbamanja?

'Ben je bang dat je je baan zult verliezen? Je goedbetaalde werk voor Gbamanja,' siste hij.

Kam was een moment stil. Toen keek hij Danny recht in de ogen.

'Nee, mijnheer Danny. Ik ben niet bang. Ik ben al vijftien jaar in dit land en ik heb meer slechte dingen gezien dan jullie bezoekers je kunt voorstellen. Ik heb de oorlog zien komen en ik heb hem zien eindigen en Kam is er nog steeds.'

Kam sprak weloverwogen en resoluut. Het waren geen uitlatingen van een verslagen man, of een bange man. Het was een bescheiden onthulling over hoe Kam zo lang had overleefd en uiteindelijk slaagde in dit kleine stukje West-Afrikaanse hel op aarde.

'Maar ik denk dat jij nu niet meer zoveel om de levenden geeft. Kijk om je heen. De mensen hier zijn de overlevers. Er zijn genoeg doden. We hebben niets aan een buitenstaander die hier komt om alles in de war te schoppen.'

Kam zweeg.

'Ze komt niet terug,' zei hij.

Danny was nu stil. Maar hij hield Kams blik vast en – hoewel hij bang was dat hij niet in staat was te spreken – toen de woorden uiteindelijk kwamen klonken ze helder en krachtig.

'Maar ik hield van haar, Kam,' zei hij. 'Ik hield van haar.'

Hij schoof de krant weer naar Kam toe.

'We moeten die man spreken. Weet je wie De Hond is?'

Kam keek hem een moment aan en stootte vervolgens een kort lachje uit. Het was een vreugdeklank die de spanning uit de kamer wegnam als frisse lucht nadat er een raam open is gegooid. Hij pakte de kranten en stopte ze onder zijn arm.

'Natuurlijk. Kam kent iedereen,' verklaarde hij.

BANKELO CONTEH ZAT in de duisternis te midden van een dikke wolk tabaksrook. Hij keek naar Danny met bloeddoorlopen ogen die hem eruit deden zien als iemand die in dagen niet heeft geslapen. Ze bevonden zich in de achterkamer van een kleine golfplatenhut in de sloppenwijk naast de kustweg. Hij was in elkaar gezet met planken en golfplaten en zag eruit als wrakhout dat er door een krachtige vloedgolf was achtergelaten; een verzameling vuilnis die aan de geringste menselijk aanraking voldoende had gehad om in een huis te veranderen. Het enige wat uit de toon viel in de kale binnenruimte waren een stapel kranten op een wrakkige tafel en een antieke typemachine. Hierachter zat Conteh.

'Jezus, Kam. Waarom heb je hem hier gebracht?' zei hij.

Conteh's stem klonk niet boos. Er zat een lichtheid in, iets speels. Hij inhaleerde zijn longen vol rook, en als een aan nicotine verslaafde draak blies hij de zwellende wolk door zijn neusgaten uit.

'We hebben je column vandaag gelezen. Die ene over Maria Tirado. Het lijkt erop dat jij ons met iets kunt helpen,' zei Kam.

Conteh schudde zijn hoofd.

'Ik weet niets,' zei hij.

'Mijnheer Danny was een vriend van Maria Tirado. Hij ging met haar om tijdens de oorlog. Hij is vanuit Londen hierheen gekomen om erachter te komen wat er met haar gebeurd is,' zei Kam.

Conteh schudde zijn hoofd.

'Ik weet niets,' herhaalde hij.

Danny greep in.

'Je weet iets,' zei hij. 'Waarom heb je het anders geschreven?'

Danny leunde naar voren en opende zijn mond om nog iets te zeggen. Kam legde een hand op zijn arm.

'Bankelo, mijn vriend,' zei Kam. 'We zijn hier om je om hulp te vragen. Als je zelf niets weet kun je ons misschien iets vertellen over iemand die dat wel doet. Iemand moet je iets verteld hebben, zodat je erover kon schrijven.'

Conteh keek ze allebei lang aan. Zijn sigaret was opgebrand tot een gloeiend rood kooltje dat hij gebruikte om de volgende mee aan te steken.

'Waarom zou ik jullie helpen, Kam? Ik ken deze man niet.' Hij gebaarde naar Danny.

'Maar je kende Maria wel. Dit gaat niet over Danny, het gaat over haar.'

Conteh zuchtte diep.

'Ik weet echt niets, Kam,' zei hij. 'Wat heb ik in dat stuk gezegd? Ik zei dat iemand haar had neergehaald. Dat hebben ze gedaan. Een paar klootzakken hebben haar doodgeschoten. Dat is alles wat ik heb gezegd.'

'Maar waarom nu, Bankelo? Waarom heb je het gepubliceerd?' zei Danny. 'Je was aan het stoken. Je leek iets over Gbamanja te willen zeggen. Als je niets weet dan ken je iemand die je een reden gaf dit te zeggen.'

Conteh keek weer naar Danny en leek hem in te schatten. 'Kam, waarom heb je hem hierheen gebracht?' zei hij nogmaals, maar deze keer stond hij op uit zijn stoel.

'Luister,' zei hij resoluut. 'Er kwam iemand naar me toe. Een vrouw die met Maria Tirado gewerkt heeft en die heel bang is. Ze vertelde me bepaalde dingen en ik besloot er iets mee te doen. Ik weet niet of het waar is. Het is mijn baan om de roddels van de straat door te geven. Ik weet niet eens precies waarom ze zo bang is. Nadat ik haar had gesproken schreef ik dat kleine stukje. Ik was boos vanwege haar. Maar nu het is gepubliceerd, is ze nog banger geworden. Ik heb spijt van wat ik heb gedaan.'

'Kunnen we haar ontmoeten?' vroeg Danny.

'Dat kan ik niet zeggen. Dat moet zij zeggen.'

Een paar minuten later manoeuvreerde Kams Mercedes tussen de hutten door dieper de sloppenwijk in. Hij reed langzaam over een modderige weg die omgeven was door houten hutten, bij elkaar gehouden door lijnen en spijkers, zoals alles hier. Overal waren mensen, meestal gekleed in lompen, maar hier en daar verscheen er even iets kleurigs: een keurig geklede verpleegster in een wit uniform, schoolkinderen die een boek vasthielden alsof het hun enige bezit op aarde was. Vrouwen die emmers en zakken op hun hoofd droegen; kaarsrecht en trots, hoog verheven boven de vuiligheid, hun ruggen recht en onbuigzaam als een Victoriaanse soldaat.

Een stel kinderen dat op een erf speelde keek naar de passerende Mercedes, die net met slippende koppeling een open riool midden op de weg probeerde te omzeilen. De kinderen hielden het voertuig makkelijk bij.

'Mijnheer! Mijnheer! Geef me iets!' schreeuwden ze, hun handen geopend in een verkrampt smeekgebaar. Ze volgden de auto als loodsmannetjes, hangend aan de zijkanten, wegschietend om weer aan de andere kant te verschijnen. Ze staken hun handen uit, raakten hen aan, testten hen uit en verdwenen weer. De ouderen – gebogen voor hutten zittend of lusteloos over de weg lopend – keken kwaad naar de auto. Een oude man, met stompjes in plaats van benen, spoog in het stof toen de wagen langzaam naderde, zijn mond opende en sloot zich in machteloze woede.

Conteh gaf Kam zo nu en dan instructies vanaf de achterbank. Danny was al snel volkomen verdwaald. Er zat geen systeem in de sloppenwijk. De straten kronkelden en waren stuk voor stuk omgeven door dezelfde warboel van huizen. Maar Conteh kende ze als het lichaam van een geliefde, elke bocht en draai was hem vertrouwd. Uiteindelijk tikte hij Kam op de schouder en de auto stopte voor een hut als alle andere.

'Wacht hier,' zei hij en stapte uit. Een groepje kinderen verzamelde zich om hem heen en trok aan zijn shirt. Hij zei iets wat Danny niet verstond en ze nokten af, om weer in de sloppen te verdwijnen. Conteh trok een stuk plastic in de deuropening van de hut opzij en verdween naar binnen.

Ze wachtten.

Opeens voelde Danny de behoefte te vertrekken. Hij wilde weg uit deze sloppenwijk, weg uit de hitte, weg uit dit land met al zijn armoede en ellende, terug naar Londen. Hij wilde Maria vergeten, hij wilde vergeten dat hij hier ooit was geweest. Hij voelde hoe de sloppen hem insloten, hoe de sjofele houten schotten steeds dichter bij de auto kwamen. Er klonk een scherpe tik op de zijruit. Conteh's donkere gezicht knikte in de richting van de hut.

'Ga maar naar binnen,' zei hij.

In de hut hing een scherpe en bedompte lucht. Danny zag niets in de plotselinge duisternis en hij voelde Kam tegen zijn rug opbotsen terwijl hij met zijn ogen knipperde om gewend te raken aan het donker. Eerst dacht hij dat het er leeg was, op een stapel kleren op een matras in de hoek na. Toen realiseerde hij zich dat de stapel een vrouw was.

'Zuster,' zei Conteh. 'Dit is de vriend van Maria.' Hij wees naar Danny.

De vrouw kwam omhoog en ging op de matras zitten. Haar pijnlijk dunne armen zagen eruit als puntige twijgen waar haar spieren niet meer dan een toevoeging op waren. Ze keek Danny niet aan en toen ze sprak leek haar stem in een keer van overal te komen; hoewel haar lippen nauwelijks bewogen vulde hij de ruimte met een droog gefluister.

'Ik heb wat dingen van Mama Maria. Ik ben blij dat u gekomen bent,' zei ze.

Ze strekte haar hand uit en Danny zag dat ze een kleine kartonnen doos vasthield. Danny nam hem aan. Hij was zwaar.

'Dit zijn alle dingen die ik van haar heb,' zei ze. 'De ander wilde ze, maar ik heb hem gezegd dat er niets meer was.'

Ze scheen moeite te hebben met praten, maar nadat ze de doos had vrijgegeven leek het alsof er een gewicht van haar was afgevallen. Haar schouders, die tijdens het praten strak hadden gestaan, ontspanden zich.

Ze zei niets meer en Conteh tikte hem op zijn arm, ten teken dat ze beter konden vertrekken. Danny was in de war.

'Nee, wacht. Hoe kende je Maria?' zei hij.

Conteh wilde Danny wegtrekken, maar de vrouw hief haar hand op.

'Ik ben Rose. Maria was mijn engel. Ze bood me onderdak tijdens de oorlog. Ik werkte met haar in het weeshuis,' zei ze. Terwijl ze sprak begon ze langzaam heen en weer te wiegen op de matras.

'Ze gaf me het leven terug. Nu geef ik deze dingen aan u. Ze sprak met liefde over u, mijnheer Danny. Meer dan over de ander. Toen ze samen reisden voelde ik niets tussen hen.'

'Welke ander? Wie dan? Wie wilde verder deze dingen hebben?' vroeg hij.

'Mijnheer Harvey,' antwoordde ze.

Danny voelde een golf bloed door zijn hoofd trekken. Harvey? Hij schoot naar voren. Maar Rose schrok op als een angstig dier en kromp ineen op de matras. Conteh greep hem bij zijn elleboog.

'Zo is het wel genoeg, denk ik,' zei hij.

'Wacht, Rose, wat is hier aan de hand? Weet je iets over Maria's dood? Wat kan je me vertellen?'

Rose was als een dier in het nauw. Maar ze begon langzaam te praten. Danny boog voorover om haar stem te kunnen horen.

'Het RUF heeft mijn familie vermoord. Ze hebben ze allemaal gedood, zelfs degenen die in leven bleven hebben ze vanbinnen gedood. Maar Maria gaf me mijn leven terug. Ze heeft me opnieuw geboren laten worden nadat ik haar mijn verhaal had verteld. Maar ik had het haar nooit moeten vertellen. Het was een vloek die ik alleen had moeten dragen. Nu heeft het haar ook gedood… Het is allemaal mijn schuld.' Haar stem werd zachter en Danny voelde dat er aan zijn mouw werd getrokken. Conteh wilde dat ze gingen.

'Maar hoe zit het met Gbamanja?' vroeg Danny.

Rose verstijfde met een kracht die haar tere botten bijna deed knappen.

'Ik wou dat hij ons allemaal had vermoord in de jungle,' zei ze. 'Neem haar spullen, mijnheer Danny. Ik ben blij dat u ze heeft, maar meer kan ik niet voor u doen. Ik heb genoeg gedaan.'

Bij het woord 'genoeg' draaide ze zich om naar de muur

en keerde het bezoek de rug toe. Haar schouderbladen staken als bergtoppen uit haar versleten jurk.

Deze keer nam Conteh geen genoegen met een weigering en Danny had niet langer de kracht hem tegen te spreken. Zijn hoofd liep over van gedachten. Ze keerden terug in het zonlicht. Danny leunde tegen de auto en keek omhoog naar de helder blauwe lucht. Conteh probeerde het uit te leggen.

'Rose heeft haar familie in de oorlog verloren,' zei hij. 'Het RUF heeft ze gedood. Maria was alles wat ze had en nu is ze haar ook kwijt. Ze is gek van verdriet. Ze zei me dat Maria in iets verwikkeld was geraakt, ze had problemen met slechte mensen. Maar dat is alles wat ze weet.'

Maar Danny luisterde niet. Hij luisterde niet meer naar nieuws over Sierra Leone. 'Harvey' was de naam die in zijn hoofd weerklonk, en er was een ziekmakend gevoel dat hij als jaloezie herkende. Waren ze na hem geliefden geweest? Was Maria gevallen voor zijn Midwest-charmes: twee Amerikaanse vreemdelingen in een onbekend land?

Hij keek naar de doos die Rose hem had gegeven en haalde het deksel eraf. De inhoud bestond uit een armzalige verzameling van alles wat hij nu nog van Maria had: een haveloos rijbewijs, de verbleekte foto, aangetast door de tijd, een gouden medaillon dat ze in zijn herinnering om haar pols had gedragen, een gebarsten horloge en wat dollars en kleingeld. Het moest alles zijn geweest wat Rose had weten te verzamelen.

Hij pakte het horloge en hield het bij zijn gezicht, hij hoopte tegen beter weten in dat hij een zweem van parfum, of zweet, of wat dan ook zou opvangen; een suggestie dat ze er nog was, al was het maar voor een vluchtig moment. Maar er was niets. Hij zag dat de wijzers onder het gebroken en gebarsten glas stil waren blijven staan om 15.48. Opeens had hij het gruwelijk heldere inzicht dat ze gestopt waren op het moment – het exacte moment – waarop Maria was overleden. Hij voelde zijn borst hevig tekeergaan, alsof een aardbeving zijn ribben verbrijzelde, en realiseerde zich ontzet dat dit de eerste keer was dat hij om haar dood huilde. Snikken trokken als golven door hem heen en hij was er zich slechts vaag van bewust dat Kam hem vasthield, hem stevig tegen zich aan drukte, zoals een vader zijn zoon.

8

MARIA'S HORLOGE LAG op zijn nachtkastje, gestrand tussen de spullen van het dagelijkse leven: een wekker, een doosje slaappillen, een halfleeg glas water. Danny pakte het en ging op de rand van zijn bed zitten. Hij hield het in zijn handen. Misschien dat Harvey het voor haar had gekocht als cadeau van een minnaar. Nee. Dat was belachelijk. Hij kon zich Maria en Harvey niet als geliefden voorstellen, en zou dat nooit kunnen. De diplomaat was te enthousiast en direct voor Maria. Nog voor hij een toenaderingspoging zou hebben gedaan zou ze hem de pas al hebben afgesneden.

Het was een onopvallend uurwerk, dik en robuust. Niet goedkoop, maar ook niet duur. Hij staarde ernaar. Hij kon het zich niet herinneren en daardoor had hij het gevoel dat hij op een bepaalde manier tekort was geschoten. Al zijn geliefden hadden de klacht gehad dat hij de kleine dingen niet opmerkte: de verandering van kapsel, de nieuwe schoenen, de extra zorg door middel van make-up. Hij zei altijd dat het niet belangrijk was. Het ging om andere dingen. Grote dingen. Maar het waren de kleine dingen die nu belangrijk waren. Maria's horloge was het enige wat hij nog had. Er waren geen grote dingen om rekening mee te houden.

Danny staarde naar het met modder bedekte glas van het horloge, naar het moment waarop het was gestopt. Hij probeerde zich te herinneren wat hij aan het doen was op de dag dat ze stierf, toen hij zich realiseerde dat er behalve hem nog iemand in de kamer was. Hij keek op.

Daar stond Ali Alhoun, met een wolfachtige grijns op zijn gebruinde gezicht. Danny sprong op en sloeg zijn armen om de man heen. Ali beantwoordde zijn omhelzing en sloeg hem op zijn rug.

'Het is goed je te zien, man,' zei Ali. 'Sorry dat ik er niet was, maar ik had het druk. Veel te druk voor zo'n kloteland.'

Danny deed een stap naar achteren. Ali was niet veranderd. Zijn korte maar soepele gestalte was als altijd goed in de kleren gestoken. Zijn vertrouwde Italiaanse zonnebril stond nog steeds ver op zijn voorhoofd geschoven, hoewel de zon allang onder was gegaan. Hij was geen dag ouder geworden sinds Danny hem voor het laatst had gezien. Zijn huid was ongerimpeld en zijn bekende glimlach haalde honderden herinneringen naar boven. Danny voelde de warmte van zijn omhelzing, en was opgelucht dat iemand in vier jaar zo weinig leek te zijn veranderd.

'Hoe gaan de zaken?' vroeg Danny.

Ali haalde zijn schouders op.

'Je kent het wel, soms goed en soms slecht. Niet zo winstgevend als je zou wensen,' zei hij, en gebaarde toen om zich heen. 'Maar we redden het wel, Danny. We redden het zeker wel.'

Ali merkte het horloge in Danny's hand op en er verscheen een sombere uitdrukking op zijn gezicht. Hij nam het uit zijn geopende hand. Kam moest hem verteld hebben over de gebeurtenissen van vandaag en waarom Danny hier was. Hij bestudeerde het horloge alsof het een diamant was, draaide het rond vanuit elke hoek en gaf het toen voorzichtig terug aan Danny.

'Die is compleet aan gruzelementen,' zei Ali. 'Ze was een fantastische vrouw, Danny. Ik kan me niet voorstellen hoe je je voelt, maar ik begrijp waarom je bent teruggekomen.'

De twee mannen keken elkaar zwijgend aan. Maria's dood was opeens aanwezig in de kamer, vulde de ruimte tussen hen in en stelde de onbeantwoorde vragen. Ali verbrak de stilte zoals mannen dat doen: door voor te stellen een borrel te gaan drinken. Ze gingen de woonkamer in en Ali wierp een snelle blik op zijn whiskycollectie, hij negeerde het feit dat een paar flessen van goedkope merken bijna leeg waren. De slachtoffers van Danny's eenzame avonden in de villa. Hij koos een Glenfiddich uit en schonk twee grote glazen in, waarna hij voorzichtig in elk een ijsblokje deed. Hij reikte Danny een glas aan en ze klonken. Ali nam een flinke teug.

'Kam vertelde dat jullie door Gbamanja's mannen achtervolgd zijn.'

Danny knikte.

'Ik heb geen idee wat er aan de hand is. Maar ik weet dat het laten vallen van Maria's naam zijn interesse heeft gewekt. En ik weet dat ik niet de enige ben die dit verband legt. De Hond heeft het ook vermeld.'

Ali wreef over zijn kin.

'Ach man, De Hond zal alles zeggen om het maar aan een krant te kunnen verkopen. Maar ik daarentegen, ik weet iets. De naam Gbamanja valt geregeld in het noorden en in de buurt van Bo. Het gerucht gaat dat hij de nieuwe minister van Mijnbouw wordt. Als dat zo is, dan verkrijgt hij daarmee toegang tot de diamantindustrie. En dan is hij een officiële Grote Man.'

Ali snoof vol verachting.

'Ik wed dat die eikel denkt dat hij een bonus verdient om hem uit de jungle te houden. Om ervoor te zorgen dat hij geen oorlog meer zal voeren. Om van hem een respectabele klote-Mosquito te maken.'

'Ik ga morgen naar hem toe op het ministerie,' zei Danny.

Ali zette zijn glas neer. Hij stond op en ijsbeerde door de

kamer. Hij begon te praten, sloeg met zijn vuist in de palm van zijn hand en beschreef de situatie in Bo. Daar bevonden zich al tientallen jaren de diamantbelangen van de familie Alhoun. Ze leaseten de mijnrechten aan de autochtonen, schepten de room eraf en beschermden hun cliënten tegen invloeden van buitenaf. Ali had nooit gepretendeerd dat het iets anders was dan protectie. Maar de dingen veranderden nu. Een paar andere handelaren – een Libanees en een paar Indiase families – hadden hun zaken voor een lage prijs aan Sierra Leoonse belangen verkocht. In de wandelgangen werd gefluisterd dat Bo niet meer veilig was voor buitenlanders. Dat volgens de nieuwe regels van Sierra Leone de Afrikanen eerst kwamen, en niet zij die hun geld naar Beiroet of Bombay zonden.

'Als je morgen Gbamanja ziet, kun je dan misschien een beetje vissen voor me?' vroeg Ali. 'Check hem uit. Noem de geruchten over het ministerie van Mijnbouw.'

Danny schudde zijn hoofd.

'Dat kan ik niet doen, Ali. Dit gaat over Maria. Niet over diamanten. Niet over geld. Ik wil er alleen maar achter komen wat er met haar gebeurd is.'

Ali zweeg. Hij liep naar de drankkast en schonk zich nog een forse borrel in.

'Je kunt me er echt mee helpen,' zei hij. Danny schudde zijn hoofd.

'Het spijt me.'

'Goed dan. Ieder dopt zijn eigen boontjes,' zei Ali en lachte. 'Maar ik zal je wat vertellen, Danny, ik heb al eens eerder een paar gemene klootzakken uit Bo getrapt. En ik doe het zo weer als het moet. Je bent nog niet jarig als je de Alhouns dwars gaat zitten.'

Danny geloofde het meteen. Geen enkele familie werd in Sierra Leone rijk met dit soort zaken zonder zelf ook vuile handen te maken. Maar het gesprek leek Ali te hebben uitgeput. Hij zette zijn halflege glas neer.

‘Morgen drinken we weer iets, man. Net als vroeger. Maar nu ben ik doodop. Het is een zware week geweest en ik heb slaap nodig.’

‘Het is goed je te zien, Ali,’ zei Danny toen de Libanees de deur achter zich dichtdeed. Danny was terug in zijn kamer en lag op zijn bed terwijl hij het horloge in zijn hand ronddraaide.

Hij had geen idee hoelang zijn mobiel al afging voordat hij hem uiteindelijk hoorde. Seconden, minuten misschien. Hij viste hem op uit zijn broek en keek naar het scherm. Het was Rachel. Het thuisfront belde.

Haar stem klonk verrast toen hij opnam. Hij mompelde hallo.

‘Je hebt mijn telefoontjes genegeerd, Danny,’ snauwde ze. Hij had haar nog nooit zo woedend gehoord en hij kromp ineen, het trof hem als een zweepslag. In de eerste twee jaar van hun relatie hadden ze nagenoeg nooit ruzie gehad, maar vanaf het moment dat hun leven steeds verder van hem af begon te staan, staken de twisten de kop op. Maar het waren altijd koude oorlogsvoeringen geweest die eindigden met een afname van de spanningen. Dit waren directe oorlogshandelingen – plotseling en hard – en Danny wist niet hoe hij moest reageren. Hij voelde zich ziek.

‘Botte lul,’ zei ze. Ze was op de rand van tranen.

‘Ik heb je niet genegeerd. Ik ben veel weg geweest. De helft van de tijd heb ik niet eens ontvangst op die verdomde telefoon,’ wierp hij tegen. Toen realiseerde hij zich dat hij verstrikt raakte in een leugen.

‘En waarom gaat de telefoon dan altijd over als ik je probeer te bellen?’ zei ze. ‘Als je geen ontvangst had gehad dan zou ik meteen je voicemail gekregen hebben. Je hebt me genegeerd.’

Danny zweeg.

‘Lieg niet tegen me, Danny. Ik kan veel hebben, maar dat

niet,' zei ze, en hij merkte dat ze nu aan het huilen was. Hij voelde een lege gespletenheid in zijn borst opkomen, en wenste dat hij haar kon bereiken aan de overkant.

'Sorry,' fluisterde hij. Toen luider: 'Sorry. Het is... het is deze plek...'

Hij zocht naar woorden. Hij was wanhopig op zoek naar de magische spreuk die het gesnik aan de andere kant van de lijn zou kunnen beëindigen.

'De helft van de tijd heb ik het gevoel dat ik niet weet wat ik hier aan het doen ben, dat ik terug wil en jou zien...'

Hij had geen idee wat hij wilde zeggen. In zijn hoofd voelde het als de lucht buiten; verstikt, bedompt en opgesloten, schreeuwend om te ontsnappen aan de hitte, maar gevangen en niet in staat te bewegen. Als een insect dat ingesloten is door barnsteen.

'Kom dan naar huis. Nu meteen. Je komt toch wel terug?'

'Natuurlijk.'

'Waarom niet nu?'

Hij zweeg. Hij had nog geen moment serieus gedacht dat hij snel zou vertrekken. Niet nu. Nog niet.

'Het kan niet. Ik moet nog veel doen. Vergeet niet dat ik hier voor een artikel ben.'

Hij hoorde het niet maar wist dat deze woorden iets in Rachel hadden gebroken. Er barstte iets open daar in Londen en er kwam een stortvloed van emoties vrij.

'We hebben een leven hier in Londen, Danny. We hebben samen een leven opgebouwd,' fluisterde ze woedend. Er viel een grimmige stilte. Danny had geen idee wat ze hierna zou zeggen. Toen kwam het.

'Ze is dood, Danny.'

De woorden sneden als een mes door hem heen.

'Je bent verliefd op een dode vrouw.' Ze wachtte op antwoord, maar er viel alleen maar een volgende stilte. 'Ze is dood,' herhaalde ze.

Ze zei het nog eens, met enige stemverheffing. 'Dood.' Het knalde tegen de binnenkant van zijn schedel, beukte achter zijn ogen en vulde de leegte die in zijn hoofd was gekomen. Een derde keer. 'Dood.' Hij moest ervoor zorgen dat ze het niet meer zei.

'Hou ermee op, Rachel,' zei hij met verstikte stem. 'Hou er godverdomme mee op.'

Maar hij hoorde haar weer. Dood, dood, dood. Of dat dacht hij tenminste. Maar hij wist niet of het uit de telefoon kwam of een echo in zijn eigen hoofd was. Hij hoorde hoe Rachels stem het woord declameerde. Nog eens en nog eens, tot hij het uitschreeuwde en de telefoon, schijnbaar uit eigen kracht, door de lucht vloog en tegen de muur uiteenspatte in wat wel duizend stukjes leken.

DE RECEPTIONIST OP het ministerie van Informatie bekeek Danny met een halfslapende blik. De minister was er niet vandaag, zei hij, en krabbelde toen een adres op een stukje papier. Het was van Gbamanja's huis boven in Hill Station en hij had instructies achtergelaten dat Danny daarheen gestuurd moest worden. Kam kende de weg natuurlijk al.

'Is het gevaarlijk? Om naar zijn huis te gaan?' vroeg Danny. 'Ik zei dat ik naar zijn kantoor zou komen. Hij is er niet. Dus ik denk: bekijk het maar.'

Kam fronste.

'Dat lijkt me geen goed idee, mijnheer Danny. Als je niet komt, dan zullen ze naar je op zoek gaan. Ik ga je erheen brengen, anders komen er nog meer problemen.'

Hij gebaarde naar de voorkant van zijn auto die – ondanks de beste pogingen van Freetowns drukbezette uitdeukers – nog steeds de littekens droeg van de achtervolging van gisteren.

'Dit hebben ze met mijn auto gedaan. Bedenk wat ze met jou zouden doen.'

Danny voelde zich nerveus. Een gesprek op het ministerie was één ding, maar een huis boven in Hill Station, ver van de drukke straten in de stad, was iets heel anders. Maar Kam was halsstarrig. Toen kreeg Danny een idee. Hij leende Kams mobiel en toetste het nummer van Harvey in. De Amerikaan scheen verheugd om Danny's stem te horen.

'Danny!' zei hij. 'Hoe is het ermee?'

'Ik heb een probleem. Misschien dat je me kunt helpen,' zei Danny.

'Natuurlijk, zeg het maar.'

'We kwamen gisteren in botsing met Gbamanja's lijfwachten. Ze wilden dat ik met hen meeging. Dat heb ik geweigerd, maar ik ga vanmiddag naar zijn huis voor een gesprek. Het is waarschijnlijk niets, maar ik wilde alleen dat een paar mensen weten waar ik ben.

Er viel een korte stilte aan de andere kant van de lijn terwijl Harvey de informatie in zich opnam.

'Gbamanja? Wat wil hij?'

'Ik zou het niet weten.'

Weer een stilte.

'Reageer je nu niet iets te melodramatisch?' zei Harvey. 'Ik weet dat Maria's brief je van je stuk heeft gebracht, maar dit is geen land in oorlog meer.'

'Het is gewoon een voorzorgsmaatregel. We weten allemaal wat voor een soort man het is.'

'Wás, Danny. Wás. Ze zitten nu met zijn allen in dezelfde regering. Maar ik ben blij dat je het me vertelt. Laat me weten hoe het gegaan is.'

Danny beëindigde het gesprek. Ze waren uit Freetown omhooggeklommen tot aan de hoogste buitenwijken van Hill Station. De villa van Gbamanja stond op een heuveltop. Het was een huis met twee verdiepingen dat oorspronkelijk voor een koloniale officier was gebouwd. De stijl was Victoriaans, en het was opgetrokken uit solide baksteen dat het eruit deed zien als een misplaatst visioen van een Engels landhuis. Gbamanja had het van zijn ondergang gered door de stukgeschoten ramen te vervangen en het houtwerk te repareren, maar de tuinen waren aan hun lot overgelaten. Dus in plaats van omgeven te zijn door keurig onderhouden lanen, alsof het in Surrey stond, werd het huis nu belegerd door een woeste overvloed aan palmen en tropische struiken.

De poort was open en onbewaakt, maar er hingen drie jongemannen rond op de overdekte veranda die over de hele breedte van de begane grond liep. Ze keken op toen de auto naderde en renden naar de weg om hem met driftige gebaren te laten stoppen. Ze droegen alledrie een automatisch geweer. Kam stopte. De mannen bekeken de auto met een koele nieuwsgierigheid, ze waren de situatie volkomen meester. Danny moest even denken aan het huis van Sankoh, vier jaar geleden, en aan het bloedbad dat identieke jongemannen hadden aangericht. Hij vroeg zich af of deze mannen op die dag oog in oog met de ongewapende menigte hadden gestaan. Of waren ze toen in de jungle geweest om vrouwen en kinderen af te slachten? Dat was waar Gbamanja toen was. Generaal Mosquito was in 2000 een van de architecten van de RUF-opmars naar Freetown geweest, met een niet te onderschatten aandeel in het bloedvergieten. Nu zat hij in de regering. Danny voelde een knoop in zijn buik komen.

Kam draaide het raam omlaag en glimlachte beleefd.

'Danny Kellerman, hij heeft een afspraak met de baas.'

Een van de jongemannen gluurde in de auto. Hij maakte met zijn hoofd een achterwaartse beweging om aan te geven dat Kam de auto voor het huis moest parkeren. Dat deed hij en Danny stapte uit. Kam bleef zitten.

'Ik wacht hier,' zei hij, zijn handen omklemden nog steeds het stuur.

Dezelfde jongeman wenkte Danny hem te volgen. Binnen was een doolhof van gangen, sommige pas geschilderd en anderen nog steeds kaal, met oud behang dat er los bij hing zodat het houten geraamte van het huis werd onthuld. Danny volgde de bewaker een gang in. Ze passeerden andere jongemannen, allemaal in dezelfde gewone T-shirts en spijkerbroeken en allemaal gewapend. Hij ving een glimp op van vrouwen die gehurkt voor een kookpot zaten of kleren aan het wassen waren. Uiteindelijk kwamen ze in een ruime woonkamer achter in het huis. Hier was alles anders. Het was er comfortabel ingericht. Over de houten vloerdelen lagen tapijten en de achterwand bestond bijna volledig uit glas, en keek uit op wat eens een tuin was maar nu een oerwoud. In het midden van de kamer stond een pluchen bank, ertegenover een enorme breedbeeldtelevisie, de grootste die Danny ooit had gezien. Hij had vrienden in Londen die kwijlden bij het vooruitzicht zo'n monster te bezitten. De bewaker bleef bij de entree van de kamer staan en gebaarde Danny naar binnen te gaan.

Sierra Leone's minister van Informatie stond op hem te wachten.

Gbamanja was een gedrongen man met een dikke buik die hij zich in de vier jaar na de oorlog snel had toegeëigend. Hij droeg een wit overhemd dat bijna tot aan zijn middel openstond, waardoor een gekarteld litteken zichtbaar was dat kriskras over zijn onbehaarde borst liep. Hij stond bij de tv met de afstandsbediening te hannesen terwijl er een gemene ruis uit het toestel kwam. Hij zag Danny en zette met een gefrustreerd gegrom de tv uit, waarop hij zich op de bank liet vallen. Hij lag daar en bekeek Danny van top tot teen, alsof hij handelswaar was.

Hier zouden geen sociale beleefdheden plaatsvinden. Danny kon in het midden van de kamer blijven staan. Gbamanja leek op iets te kauwen, hij trok zijn neus op en spuugde op de vloer.

'Danny Kellerman, ik ben beledigd. Je komt voor je krant naar dit land en je stelt iedereen vragen en toch kom je niet naar mij toe. Je weet dat ik minister van Informatie ben en toch kom je niet. Daar spreekt geen respect uit.'

Gbamanja's stem was diep, maar hij sprak traag en met een zwaar accent, Danny moest veel moeite doen hem te verstaan. Hij begon zich te verontschuldigen, maar Gbamanja snoof en hief zijn hand op.

'Jij wilt informatie. Ik ben de minister van Informatie. Als ik naar Engeland kwam en een artikel wilde schrijven, dan zou ik dat aan je regering moeten vragen. Waarom denk je dat het hier anders is, alleen maar omdat dit Freetown is?'

Danny dacht er niet eens aan om tegen te werpen dat dit niet waar was.

'Je hebt gesprekken gehad met mensen. Ze dingen gevraagd. Dingen over een verschrikkelijk ongeluk. Je vraagt ze altijd maar over dingen en toch kom je niet naar mij. Waarom niet?'

'Het spijt me, minister,' zei Danny. 'Het was niet mijn bedoeling u te beledigen.' Gbamanja onderbrak hem door boos met zijn vuist te schudden.

'Je bent alleen maar geïnteresseerd in een dode blanke vrouw. Dat is waar je om geeft. Je geeft niets om dit land.'

De woede schoot uit zijn ogen. Danny zag dat er een pistool met een delicaat afgewerkt ivoren handvat achter zijn riem gestoken zat. Gbamanja trok het er bijna afwezig uit en woog het in zijn hand terwijl hij zijn ogen strak op Danny gericht hield, het wapen geen blik waardig keurend.

'Je hebt hier rondgeslopen in de stad, hier een vraag, daar een vraag. Maar het zijn allemaal leugens en achterklap. Ik zeg het nog eens, jij geeft niets om dit land. Je geeft niets om de vrede die we hebben.'

Gbamanja drukte het magazijn uit zijn pistool.

Danny voelde het koude zweet in zijn handpalmen uitbreken. Het was alsof hij op een sissende slang was gestuit waarvan de nijdige ratel hem luidruchtig waarschuwde. Hij wilde hier weg. Toen hij slikte voelde zijn keel als schuurpapier.

'Ik verzeker u, minister, ik schrijf ook over het nieuwe Sierra Leone. De goede dingen die hier gebeuren,' zei hij. Hij moest de woorden eruit persen. Hij wilde weg uit deze kamer, weg van deze beestachtige man.

Gbamanja ging zitten. Hij zocht in zijn zak en haalde een handvol zilveren patronen tevoorschijn. Zonder ook maar een moment naar het wapen te kijken, laadde hij langzaam een patroon in het magazijn. Toen nog een. En nog een.

De voornemens die Danny had gehad om de minister te confronteren waren compleet verdwenen. Hij voelde zich opeens in de steek gelaten, zelfs door Kam: de man die hem hierheen had gebracht, die erop aan had gedrongen dat ze naar dit huis zouden gaan. Gbamanja stond op, drukte het volle magazijn in zijn pistool en stopte deze terug achter zijn riem. Hij rekte zich uit en zuchtte. Misschien had hij gemerkt dat zijn boodschap was overgekomen. 'We zouden je zoveel kunnen vertellen. De oorlog is voorbij. Mijn mannen en ik hebben een lange tijd gevochten en nu hebben we onze beloning. We zijn nu mannen van vrede. We gaan geen Amerikaanse vrouwen vermoorden. Maar de mensen geven ons meteen de schuld. We krijgen de schuld vanwege ons verleden,' zei Gbamanja.

Hij liep naar het raam en keek uit over het dichte struikgewas dat er nu groeide en al bijna de pas gezette ramen bereikte.

'Ik zal je eens wat vertellen, mijnheer Kellerman. We zijn hier niet de enige die voor problemen zorgen. Jullie Europeanen denken altijd dat de VN ons heeft gered. Maar jullie hebben nog nooit met de VN geleefd. Niet zoals in dit land. Hier zijn alle blauwe helmen Nigerianen. Dit is hun land niet, maar ze behandelen het als een van hun hoeren. Ze pakken wat ze pakken kunnen, en brengen ons drugs en slechte vrouwen. Zij hebben zaken op hun geweten waar wij vaak de schuld van krijgen. Je vriendin reisde door een gedeelte van het land waar niet de Sierra Leoners, maar deze indringers het voor het zeggen hebben. Deze Nigerianen die beweren ons te helpen, terwijl ze roven en stelen.'

Hij draaide zich om naar Danny. Hij had het woord 'Nigerianen' met de grootste minachting uitgesproken.

'Misschien dat je ergens anders moet kijken voor de reden van de moord op je vriendin, mijnheer Kellerman. Want voor mij is deze oorlog voorbij,' zei hij, en herhaalde toen: 'Het is voorbij.'

Hij keek Danny aan en er verscheen een brede glimlach op zijn gezicht, die een mond onthulde waarin de helft van de tanden ontbrak en waaruit een hete adem kwam die naar verrotting stonk.

'Geen oorlog meer,' zei hij en lachte.

Hij gebaarde Danny te vertrekken, en toen deze zich omdraaide zag hij dat de jongeman nog steeds in de deuropening stond en zijn wapen vasthield.

'Schrijf je artikel over onze problemen, mijnheer Kellerman,' zei Gbamanja. 'Schrijf over ons land, maar wat die kwestie van je vriendin betreft, laat die met rust. Het is erg triest wat er gebeurd is. Ik heb ook met die arme vrouw te doen. Maar dit land heeft veel doden gezien. We zouden ons niet druk moeten maken over een enkel geval.'

Danny mompelde een woord van dank en liep met onvaste tred naar buiten. Hij hoorde hoe de jonge soldaat zachtjes als een kat achter hem aan trippelde. Hij draaide zich niet om en hield zijn ogen op de deuropening aan het eind van de gang gericht. De deur stond open en hij zag het daglicht buiten. Zijn hart bonsde zo hard dat de man achter hem het wel moest horen, zijn angst wel moest opmerken.

Eindelijk was hij er en liep het licht in. Kam zat in zijn auto en startte de motor. Danny liep aarzelend naar voren, enigszins wankelend. Het zonlicht op zijn huid gaf hem het gevoel herboren te zijn.

PAS TIJDENS DE lunch in een eenvoudig wegrestaurant was Danny in staat iets te vertellen over zijn gesprek met Gbamanja. Kam was een stoofschotel aan het verslinden en Danny dronk een cola. Zijn ingewanden waren van slag en hij zou geen vast voedsel kunnen binnenhouden. Kam stopte met kauwen zodra Danny hem vertelde dat Gbamanja bang was voor vragen over Maria en dat hij de schuld op de Nigerianen probeerde te schuiven.

'Misschien is het tijd eens te stoppen met het oprakelen van slecht nieuws,' zei Kam.

Danny ging achterover zitten in zijn stoel en sloot zijn ogen om het licht buiten te sluiten. Hij was er nog. Hij had de verschrikking alleen te zijn met Gbamanja doorstaan en was teruggekeerd in de wereld. Hij had een beest in de ogen gekeken en was er heelhuids vanaf gekomen. Misschien had Kam gelijk. Accepteer dit geschenk. Leef verder.

Op dat moment hoorden ze allebei commotie buiten op straat. Een claxon toeterde te midden van een groeiende kakofonie van geschreeuw en gegil. Danny stond op, liep naar buiten en zag een groep mensen die zich midden op de weg had verzameld. Ze schreeuwden en verdrongen zich voor iets. Danny kon niet verstaan wat ze zeiden, maar één woord viel op.

'*Ayampi! Ayampi!*'

Danny zag nu tussen het woud van benen door iets op de grond liggen. Het was een jongen van tien of elf jaar, hij lag op zijn rug en keek omhoog naar de woedende mensen om hem heen. Hij probeerde weg te komen en kroop als een krab op zijn ellebogen achteruit, maar de menigte zorgde dat hij niet kon ontsnappen. Hij was gekleed in een gescheurd shirt, te smerig om zelfs maar te zien welke kleur het van origine had gehad, en een broek die meer gaten dan stof had.

'Ayampi! Ayampi!' klonken de kreten. Met een gemene schop plantte een van de volwassenen zijn voet recht in het gezicht van de jongen. Zijn hoofd sloeg achterover en raakte met een ziekmakende klap het wegdek. Danny huiverde en liep naar voren.

'Nee!' klonk Kams stem van achteren. 'Hij is ayampi. Een dief. Ze hebben hem op diefstal betrapt. Laat ze. We hebben hier niets mee te maken.'

Danny hield zijn pas in. De jongen kroop weer. Langs zijn opengesperde ogen liepen tranen. Hij had de blik van een gewonde hond, dierlijk en oeroud, een blik die een simpele boodschap uitschreeuwde: heb medelijden. Stop alsjeblieft. De man die hem had geschopt was immuun voor de smeekbede. Hij rukte het shirt van de jongen kapot en gooide het de straat in. Toen sloeg hij hem in zijn gezicht. Bloed gutste uit zijn neus op de weg. De menigte bereikte nu zijn kookpunt. Een andere man stapte naar voren en verkocht hem een schop. Hij miste, maar een vrouw, een meisje dat eigenlijk nauwelijks ouder was dan de jongen, liet een reeks klappen op zijn gezicht neerkomen. De jongen viel voorover en ging in de foetushouding liggen, met opgetrokken knieën en zijn armen om zijn hoofd. Danny wist – ze wisten het allemaal, zowel de menigte als de jongen – dat dit maar één afloop kon hebben.

'Godverdomme, Kam. Niet terwijl ik toekijk,' zei Danny,

Hij rende naar voren en schreeuwde zo hard hij kon. Het was genoeg om sommigen in de menigte op te laten kijken. Ze zagen een woedende blanke man op ze afrennen die schreeuwde en met zijn armen zwaaide. Het slaan stopte en Danny baande zich een weg naar voren, mensen opzij duwend. Opeens was het alsof hij uit één en al energie bestond. De verstikkende hitte was weg en niets deed er meer toe, behalve dat hij deze ene jongen zou redden.

Hij boog zich over de jongen, die met een verwarde en angstige blik opkeek. Zijn gezicht was besmeurd met bloed en slijm van zijn verbrijzelde neus. Een zure strontlucht steeg op van waar hij zichzelf had bevuild. Danny verbleekte en pakte hem vast. Toen hij hem optilde zag hij een opengebarsten zak gedroogde bonen aan de kant van de weg liggen. Dit was wat de jongen had gestolen. Hiervoor had hij moeten sterven.

'Vandaag niet!' schreeuwde Danny tegen de rijen gezichten om hem heen. Ze keken kwaad en verward, maar de vechtlust was eruit verdwenen. Een paar lachten, hun stemming was in een oogwenk van moordlust overgegaan in vermaak. De hysterie die de bende bij elkaar had gebracht was verdwenen. Een paar achterblijvers begonnen zich mompelend te verwijderen. Eén spuugde in zijn richting, maar hij merkte het nauwelijks. Hij had de jongen van hen weggenomen. Hem terugveroverd.

Hij zag dat Kam hem ongelovig aanstaarde.

'Dit is niet het juiste ding om te doen,' zei Kam kwaad. 'Hij is een crimineel. Hij heeft van deze mensen gestolen.'

Hij kon zien dat Kam het eens was met degenen in de menigte die lachten en wezen. Hij kon het op zijn gezicht lezen. Hij zag Danny als de zoveelste blanke man die gek was geworden in de hitte en het stof.

'We brengen hem naar een VN-ziekenhuis, Kam.'

Danny trok zijn shirt uit en wikkelde het om de jongen, zodat het bloed kon worden opgenomen. Kam keek hoofdschuddend toe, maar Danny voelde zich bevrijd. Hij dacht aan Gbamanja daarboven in zijn villa, bezig met het instellen van zijn breedbeeld-tv en het laden van zijn pistool. In Freetown kwamen de moordenaars in de regering terwijl een hongerige jongen werd doodgeslagen. Zo was het gisteren, en zo zou het morgen ook zijn. Maar voor deze keer had hij het gestopt. Vandaag niet. Vandaag zou deze jongen blijven leven.

9

DANNY ZAT ERGENS diep in het complex van de Amerikaanse ambassade tegenover Harvey Benson, en vroeg zich af wat voor een soort man hij nu precies was. Hij had een kant die nogal misplaatst leek hier: de 'Amerikaan in het buitenland'-hartelijkheid, de overenthousiaste, hondjesachtige houding die altijd naar boven kwam als hij over de toekomst van Sierra Leone begon. Als Danny goedgehumeurd was maakte die dat hij zich schaamde voor zijn eigen cynisme. Als hij slechtgehumeurd was verwenste hij de naïviteit ervan.

Vandaag was Danny in een slecht humeur. Harvey was aanvankelijk niet meer dan een onschuldige diplomaat geweest. Misschien wel een potentieel nuttige bron. Nu kon hij een gewezen minnaar van Maria zijn. Zijn hartelijkheid was ziekmakend. Harvey had hem met een haastig telefoontje uitgenodigd. In zijn gebruikelijke onverstoorbare stemgeluid klonk een zweem door van... wat? Hij kon zich nauwelijks voorstellen dat het paniek was. Maar het was absoluut iets zenuwachtigs.

'Kom hierheen. Ik heb iets voor je. Ik zou dit eigenlijk niet moeten doen,' had hij gezegd.

En nu zat Danny in een kleine tuin achter in de ambassade. Iemand van het personeel – een blanke man – had hun koffie gebracht. Ze zaten er ongemakkelijk bij. Hij had geen idee wat Harvey dacht, maar zelf wist hij één ding duidelijk. Harvey had nog steeds Maria's brief. En hij wilde hem meer dan ooit terug. Hij vermoedde dat het meenemen van de brief niet zomaar de beroepsmatige handeling van een diplomaat was geweest; het was ook de daad van een ex-minnaar geweest die een totem van een rivaal stal. Hij keek naar Harvey's zachtaardige gezicht en er verschenen duistere gedachten in zijn hoofd.

Heb je haar geneukt, Harvey?

Harvey leek zijn gedachten op een rijtje te zetten. Of hij wachtte tot Danny zou spreken. Maar Danny liet hem bungelen en dronk zwijgend zijn koffie. Uiteindelijk haalde Harvey diep adem.

'Luister, Danny,' zei hij. 'Dit gaat tegen veel dingen in die hier van mij worden verwacht. Men verwacht van mij dat ik help dit land op te bouwen, niet dat ik in zaken wroet die beter met rust kunnen worden gelaten. Maar ik weet wat Maria voor je betekende, Danny.'

Danny zei niets. Harvey keek hem aan met zijn bleke, waterig blauwe ogen. Toen ging hij verder.

'Ik kende Maria zelf een beetje. Om die reden, en om wat zij voor je voelde, zal ik iets over haar dood vertellen wat nog niet naar buiten is gekomen. En hopelijk zal dat ook nooit gebeuren.'

Harvey leunde voorover.

'Het was niet zomaar een beroving. Het was een aanslag,' zei Harvey.

Danny voelde zich alsof iemand hem knock-out had geslagen. Zijn huid sloeg rood uit en hij hapte naar adem. Harvey zweeg een moment, alsof hij zich sterk moest maken voor iets. Hij zag er oprecht aangedaan uit.

'Luister,' zei hij. 'Maria verkeerde in zeer slecht gezelschap. Dat had met haar werk bij War Child te maken. Ik neem aan dat je die plek tijdens de oorlog zelf hebt gezien. Sommige van die weeskinderen zijn beschadigd, ernstig beschadigd. Niemand hier wil ze. Om je de waarheid te zeggen, veel mensen zagen ze liever dood.'

'Wat wil je zeggen, Harvey?' zei Danny beduusd. Waarom zou iemand vanwege het weeshuis Maria iets aan willen doen, dacht hij. Had een van de kinderen haar aangevallen? Dat leek niet waarschijnlijk.

Harvey dronk zijn laatste restje koffie op en keek omhoog naar de lucht.

'Wat ik wil zeggen is dat niemand hier in Sierra Leone deze kinderen wil hebben, Danny. Maar dat geldt niet voor de rest van de wereld. Er zijn veel mensen – goedbedoelende mensen natuurlijk – die kinderen willen en ze niet kunnen krijgen. Dat creëert...' Harvey zocht naar het juiste woord, '...een markt.'

Danny staarde hem met open mond aan. Harvey ging verder.

'God mag weten dat ze wist waar ze mee bezig was. Ik denk dat ze haar kinderen het beste wilde geven wat het leven te bieden had. Maar ze kende mensen die dit soort dingen regelden, die de kinderen meenamen naar het buitenland – de jongere kinderen, degenen die volgens haar nog een kans hadden – om ze aan de andere kant van de oceaan onder te brengen. Mensen betalen veel voor een Afrikaans kind.'

Toen voegde hij eraan toe: 'Maar het is een gevaarlijke wereld. Er zijn foute figuren bij betrokken. Dat is altijd zo als het om veel geld gaat. We denken dat ze zich in te diep water waagde en enkele vijanden maakte. Dat is niet zo moeilijk in een land als dit als er veel dollars mee gemoeid zijn. We denken dat ze dat met de dood heeft moeten bekopen...'

Harvey liet zijn woorden wegsterven. Danny stond op. Hij wachtte tot de wereld ophield met slingeren en liep in een boogje om achter Harvey te eindigen. Hij zag hoe er zweet verscheen in de nek van de diplomaat, en hoe het zijn overhemd introk.

'Wil je serieus beweren dat Maria bij kindersmokkel was betrokken?' zei hij. 'Want dan zou ik willen beweren dat je de kolere kunt krijgen.'

Toen hield hij zich opeens in. De herinnering aan een lange rit in de duisternis, in een andere tijd en op een andere plaats drong zich aan hem op. Maria, hij wist het maar al te goed, had eerder zoiets gedaan. Ze had altijd geheimen voor hem gehad, haar donkere kant verborgen gehouden. Hij kon niet geloven dat ze nog eens zo stom was geweest. Maar hij wilde niet meer aan de nacht denken. Het was een eenmalige gebeurtenis die ertoe geleid had dat hij zijn kostbare beroepsethiek had verraden, en die van hem een geheimhouder had gemaakt.

'Ga zitten, Danny,' zei Harvey koel. 'Ik denk dat ze probeerde goed te doen. Waarschijnlijk dacht ze haar kinderen te kennen en wilde ze hun een kans geven. Ze vond dat het leven onrechtvaardig voor ze was geweest. Dus ze probeerde het evenwicht te herstellen.'

Danny keek naar Harvey. Onrechtvaardig? Dat zou Maria zelf gezegd kunnen hebben. Het was alsof hij iets herhaalde wat Maria hem misschien een keer had verteld.

'Je zei dat het een ongeluk was. Waarom loog je?'

Harvey hief zijn handen en trok een gezicht.

'Jezus, Danny. Mensen liegen de hele tijd. Dat weet je toch. Zoals ik je steeds probeer te vertellen, ik ben hier aan het werk. Dat werk bestaat eruit te zorgen dat dit land niet nog eens instort. Dat betekent dus goede pers en internationale goodwill. Geen kindersmokkelschandalen.'

Hij had zijn stem verheven terwijl hij sprak. Maar hij wist hem weer onder controle te krijgen.

'Het gaat erom dat er gebieden in dit land zijn waar we een probleem hebben. Criminele bendes zijn vanuit andere landen hier binnengekomen. Guinee, Liberia, Nigeria. Maria kreeg haar kinderen hier weg met behulp van een Nigeriaanse bende, een die sterke banden had met het Nigeriaanse VN-contingent hier. Het zijn gevaarlijke lui, Danny. Het zou ze geen enkele moeite kosten haar uit de weg te ruimen.'

'Heb je het over de mannen van majoor Oluwasegun?' vroeg Danny.

Harvey zuchtte.

'We hebben geen idee of Oluwasegun erbij betrokken was. We weten zeker dat zijn mannen banden hadden met het smokkelsyndicaat. We weten ook dat zij als eerste ter plekke waren. Maar de majoor zelf? Hij lijkt onschuldig...'

Het leek bijna of Harvey klaar was met het gesprek. Maar hij begon weer te praten, vastberadener dan tevoren.

'Als dit zou uitkomen, dan zitten wij met de negatieve publiciteit. Mijn god, dit land is al genoeg negatief in het nieuws geweest. Denk daar eens aan, Danny. En denk aan Maria. Wil je dat haar naam door het slijk wordt gehaald? Het is beter om de herinnering aan haar intact te houden.'

Harvey greep onder zijn stoel en haalde een bruine manilla-enveloppe tevoorschijn. Hij bood hem Danny aan.

'Ik zou zwaar in de problemen komen als Washington wist dat ik dit deed. Maar ik wil dat je dit leest. Ik wil je laten zien dat het waar is wat ik je vertel. Dit is ons interne rapport over Maria's dood. Het is geen leuk verhaal. Maar het is het bewijs van mijn woorden.'

Danny nam de enveloppe aan. Hij voelde dat er een soort van dossier in zat. 'Waarom geef je dit aan mij?' vroeg hij. 'Waarom laat je me dit zien, als je niet wilt dat ik er een artikel over schrijf?'

'Je hebt al een artikel,' zei Harvey. 'Schrijf over Sierra Leone, schrijf over de toekomst van het land, niet over het verleden. Zet Maria erin, als je dat wilt, maar niet op deze manier. Zet haar goede daden erin, niet haar vergissingen. Ik laat je dit zien omdat ik vind dat jij het zelf moet weten. Dan zal ik erop vertrouwen dat je het niet gebruikt. Ik vertrouw erop dat je het juiste zult doen.'

Danny stond op. Vertrouwen. Hij wist niet meer wat hij met dat woord aanmoest. Hij wierp een blik op de blanco enveloppe. Probeerde Harvey hem te manipuleren? Of wilde hij zo graag een pr-calamiteit vermijden dat dit zijn laatste kans was om het deksel erop te houden?

'Je mag het twee dagen houden, daarna wil ik het terug,' zei Harvey.

'Je hebt mijn brief nog steeds. De brief die Maria me stuurde.'

Harvey greep in zijn zak en haalde hem tevoorschijn. Danny dacht een zweem van spijt op zijn gezicht te zien.

'Natuurlijk. We hebben hem wel gekopieerd. Het onderbouwt onze bevindingen. Ze zat in de problemen. Ze was betrokken geraakt bij zaken waarvan ze de gevolgen niet kon overzien.'

Danny gaf geen antwoord. Hij onderdrukte de behoefte de brief tegen zijn gezicht aan te drukken, hem te ruiken en te voelen. Hij stopte hem in zijn zak.

Danny draaide zich om en wilde vertrekken. Hij had het gevoel alsof de fundamenten onder zijn wereld waren weggeslagen. Wat Harvey had gezegd klonk zo bizar en toch tegelijkertijd waarschijnlijk. Het klopte aan alle kanten. Maria had nooit een bal gegeven om de correcte codes in het leven, ze was altijd iemand geweest die de meest directe route nam naar een doel dat zij goed vond, en ze had geen ander doel dan haar werk bij War Child. Ze moest zijn hulp nodig hebben gehad om de kinderen weg te krijgen, of om haar vrij te krijgen nadat het fout was gelopen. Hij keek naar Harvey, naar zijn bleke gezicht en dacht aan de klamme hand die hij gaf. Hij probeerde zich ertegen te verzetten, maar toch rees dezelfde oude vraag bij hem op.

Heb je haar geneukt, Harvey?

Hij stopte.

'Hoe goed kende je haar, Harvey?'

Zijn toon was niet subtiel. Maar Harvey's gezichtsuitdrukking verzachtte in sympathie. 'Ik heb haar een paar keer ontmoet. Maar iedereen zegt dat ze een geweldig persoon was.'

Danny probeerde nog iets anders in zijn gezicht te lezen. Maar hij vond niets. Hij draaide zich om en liep weg met de enveloppe in zijn hand geklemd, en voelde het gewicht van de brief in zijn zak. Terwijl hij wegging hoorde hij hoe Harvey hem nog één keer riep.

'Er staan dingen in dat rapport die je beter niet kunt lezen. Wees voorzichtig.'

Maar de woorden van de diplomaat waren aan dovemansoren gericht.

ALI WAS WOEDEND. Toen Danny terugkeerde naar de villa, stonden hij en Kam op zijn nieuws te wachten. Terwijl Kam de onthulling van Harvey gelaten in zich opnam, weigerde Ali het te geloven.

'Dit is bullshit, man. Bullshit,' tierde hij. 'Maria zou zich nooit hebben ingelaten met dit soort rotzooi. Kindersmokkel met Nigeriaanse bendes? Totale waanzin. Niet waar zij bij was. Je kunt veel van Maria zeggen, maar niet dat ze zo stom was.'

Kam zei echter niets. Hij liet de stilte voor zich spreken. De manilla-enveloppe lag tussen hen in op Ali's keukentafel. Hij lag er als een staaf goud, terwijl er een stel schatgravers over zaten te ruziën.

'Luister, man. Ik wil alleen maar zeggen dat Harvey iets in zijn schild voert. Dit klopt van geen kanten. Ik wed dat hij Maria naaide. Ik durf er gewoon om te wedden.'

'Krijg de kolere, jij,' zei Danny koel. Hij griste de enveloppe van tafel en liep de keuken uit. Ali en Kam keken hem na en wisselden daarna blikken.

'Sorry dat ik het zeg, mijnheer Ali,' zei de Senegalees. 'Maar je kunt soms stomme dingen zeggen.'

Ali gaf geen antwoord.

Danny zat op zijn bed en keek naar de enveloppe. In zijn hoofd klonk Harvey's waarschuwing, dat hij voorzichtig moest zijn met lezen. Dat hij niet alle details hoefde te zien. Hij pakte hem op, stak een vinger onder de verkreukelde bovenkant en scheurde hem netjes open.

Er zat een dun, in plastic gebonden rapport in. Er zat een zegel van het US State Department op en er was met rode inkt 'vertrouwelijk' op gestempeld. Hij begon langzaam te lezen. Het eerste gedeelte bestond uit een intern rapport van de Sierra Leoonse politie. In erbarmelijk Engels beschreef het de eerste meldingen van majoor Oluwaseguns VN-unit dat er een ongeluk was gebeurd, de reactie van de politie en de ontdekking van de lichamen van Maria en haar medewerkers in de jungle. Toen volgde er een tweede rapport. Dit was ook van de politie afkomstig, maar van een andere afdeling, een paramilitaire unit. Het beschreef de verslagen van dorpelingen over bandieten die in de buurt zaten, hoe de politie het hele gebied doorzocht om op zo'n acht kilometer afstand van de plek waar Maria de dood vond op een kamp te stuiten. De bandieten waren aangevallen. Zes werden gedood en twee gevangengenomen. De twee overlevenden – Emmanuel Sesay en Winston Fofanah – werden door de politie verhoord. Sesay was later overleden aan een kogelwond die hij bij het vuurgevecht had opgelopen en Fofanah werd naar een gevangenis in Bo vervoerd. Via deze twee mannen was het verhaal van de kindersmokkel naar buiten gekomen. Ze hadden de politie verteld dat ze voor een groep Nigerianen in Bo werkten, voornamelijk diamanthandelaren die als extra bron van inkomsten de contacten hadden om weeskinderen aan de westerse markt te leveren. De VN-units die in het gebied gelegerd waren stonden deze activiteiten toe tegen een aandeel in de winst. Zij hadden ook spier- en vuurkracht tegen rivalen geleverd. Het was niet duidelijk hoe Maria ze had gedwarsboomd, maar op de een of andere manier had ze de woede van de Nigeriaanse bende opgewekt. Een groep lokale ex-RUF-soldaten die ergens in een vluchtelingenkamp lagen te verkommeren, waren gerekruteerd om een actie uit te voeren. Het waren Nigeriaanse VN-soldaten die geholpen hadden het te regelen en de jongens uit het kamp hadden weten te krijgen. Vervolgens werd hun simpelweg verteld een overval op een auto vol westerlingen op weg naar Bo voor te bereiden. Ze hadden niet geweten wie ze aanvielen of waarom. Ze waren verrast dat er zich maar één blanke vrouw in de auto bevond, maar hadden voor de zekerheid iedereen vermoord.

Danny sloeg de bladzijden om. Na het politierapport volgde een officieel document van de ambassade. Er stond 'uiterst geheim' op en was geschreven door Harvey. Blijkbaar had hij zijn ronde door Freetown gemaakt toen de beweringen van Sesay en Fofanah bekend werden. Hij had lokale bewindslieden het vuur na aan de schenen gelegd om erachter te komen of de beweringen waar waren. Hij werd voornamelijk tegengewerkt. Maar niet door iedereen. Anonieme bronnen op het ministerie van Binnenlandse Zaken, schreef Harvey, hadden hem gewaarschuwd niet verder te gaan, hadden hem gewaarschuwd op een manier die aangaf dat de beweringen klopten. Toen zagen Danny's ogen een bekende naam. Het was Gbamanja die uiteindelijk een onderhoud met Harvey had gehad, en hem had verzekerd dat de reden van Maria's dood geen kwestie meer was. Het was een schandaal, jazeker, maar het was allemaal geregeld. De Nigeriaanse bende was het land uit gevlucht. De VN-soldaten vielen moeilijker aan te pakken. Uiteindelijk was de reden van Maria's dood een ordinaire geldkwestie geweest. Er was ruzie over de prijs en de Nigerianen waren te ver gegaan. Maria had gedreigd het in de openbaarheid te brengen als ze zich niet redelijker opstelden. De Nigerianen hadden gereageerd op de bedreiging.

Danny keek naar de conclusie die Harvey had geschreven.

'Het heeft weinig zin dit incident een vervolg te geven. In haar pogingen ouderloze Sierra Leoonse burgers bij families in de Verenigde Staten en Europa onder te brengen, overtrad Tirado de Sierra Leoonse en Noord-Amerikaanse wet. Het is moeilijk om ons hard te maken voor deze zaak in deze cruciale tijd wat betreft de ontwikkeling van dit land, dat we een solide plek in onze invloedssfeer willen geven. Ik heb van Gbamanja garanties gekregen dat de kinderhandel is gestopt. Het lijkt me de beste politiek om dit te accepteren en verder te gaan.'

Danny sloeg de bladzijde om en belandde bij het laatste gedeelte van het rapport. Maria's autopsie. Hij begon het al te lezen, zonder erbij na te denken, voordat het te laat was.

'Monsters die van het slachtoffer zijn genomen geven aan dat ze verkracht is, mogelijk door verschillende individuen, voordat ze overleed. De dood is ingetreden door twee schoten in het hoofd en een in de buik. Elk van deze wonden zou fataal zijn geweest.'

Ze hadden haar verkracht.

Danny sloeg voorover en strompelde de kamer uit. Hij duwde Ali opzij en wankelde de badkamer in. Hij stortte in elkaar bij het toilet en braakte in de pot. Zijn ingewanden zaten in zijn keel en wilden eruit. Hij voelde hete tranen vanuit zijn gesloten ogen over zijn wangen stromen. Hij was doodsbang het beeld van Maria's laatste moment op te roepen en zijn gedachten konden zich alleen maar op Harvey richten. Harvey die in de tuin zat en hem zei dat hij het document in goed vertrouwen kreeg. Die hem verzocht het rapport niet te lezen. Jij vuile klootzak, dacht hij. Maar hij wist dat deze beschuldiging eigenlijk aan zichzelf gericht was.

KAM EN ALI zaten aan de tafel. Het rapport lag tussen hen in, op de plek waar Kam het had neergelegd nadat hij het uit Danny's slaapkamer had gehaald. Ze staarden ernaar.

'Hij had dit niet moeten lezen, mijnheer Ali,' zei Kam. Hij dronk van een groot glas whisky en Ali schonk hem nog eens bij.

'De arme stakker,' zei Ali.

'De doden zijn dood. Laat ze met rust,' zei Kam. 'Dat zei ik tegen mijnheer Danny toen hij hier arriveerde. Het heeft geen zin om hiermee door te gaan. Wat goeds is ervan gekomen? Helemaal niets.'

Ali werkte zijn glas gedestilleerd weg.

'Zeg me eens, Kam. Die kindersmokkelonzin, denk je dat het waar is?'

Kam haalde zijn schouders op.

'Het zou kunnen. Ik heb majoor Oluwasegun nooit kunnen doorgronden. Maar zijn mannen ken ik wel. Ze gaan om met slecht volk uit hun eigen land. Waarom zouden ze een blanke vrouw die hen bedreigt niet vermoorden?'

'Dat het zou kunnen betekent nog niet dat het waar is,' zei Ali.

Ze staarden beiden naar het rapport. Het was de stilzwijgende derde gast aan tafel.

'Oké dan maar,' zei Ali en pakte het op. Kam maakte aanstalten om hem ervan te weerhouden, maar toen Ali hem een blik toewierp liet hij zijn hand op de tafel rusten.

Ali las een lange tijd in stilte. Toen keek hij met een bedachtzame blik.

'Hier klopt iets niet, Kam,' zei hij met zachte stem.

Hij schoof Kam het rapport toe, die ernaar keek. Hij was

bang dat Ali hem de autopsie van Maria zou tonen. Hij voelde geen behoefte om die in te kijken. Absoluut geen behoefte. Je kunt de doden maar beter laten waar ze zijn. Dood. Maar in plaats daarvan wees Ali hem op een lijst namen. Het waren de jongens die de auto hadden overvallen. Op Winston Fofanah na waren ze nu allemaal dood. Het waren de jongens die uit het vluchtelingenkamp waren gerekruteerd voor een laatste daad van geweld. Kam las de lijst. Sesay, Fofanah, Sorie, Amara, Kragh... het waren gewoon namen. Maar toch waren het niet gewoon namen. Want namen vertellen een verhaal en hij zag wat Ali bedoelde.

'Dit zijn allemaal namen uit Kakumbia. Allemaal. Gbamanja is van Kakumbia, is het niet?' zei Ali.

Kam zei niets.

Ali ging verder. 'Er zijn op het moment dingen aan de hand in Bo. Dingen die slecht voor de zaken zijn. Maar ik kon me niet voorstellen dat die hier ook iets mee te maken zouden hebben.' Hij keek naar de lijst en zweeg weer.

'Dingen die slecht voor de zaken zijn,' herhaalde hij.

10

MAJOOR OLUWASEGUN was geen gelukkig man. Hij stond aan de kant van de weg en was een en al verbolgenheid. Het had ze drie uur gekost om deze vervloekte plek te bereiken. Deze plek des doods.

'Hier hebben we de auto gevonden,' zei hij, wijzend op een strook gras en een boom waarvan de stam nog steeds de littekens droeg van een crashende auto die erlangs was geschampt.

Danny stond naar de plek te kijken. De rit van Freetown naar hier was gespannen en stil geweest. Hij had achter in Kams Mercedes gezeten, de passagiersstoel had hij aan de majoor afgestaan, starend naar diens dikke, gespierde bruine nek. De inhoud van het rapport had hem de hele reis lang achtervolgd, evenals Kams vermoedens over het ware karakter van de majoor. De man had weer een gouden kruis om zijn nek hangen en had erop gestaan dat ze zouden bidden voordat ze vertrokken. Danny had gehoorzaam zijn hoofd gebogen na het verzoek maar het had hem misselijk gemaakt. Zelfs als de majoor niet wist waar zijn mannen bij betrokken waren, dan was hij in ieder geval medeschuldig. Vanwege onwetendheid.

Maar tegelijkertijd wilde hij zien waar Maria was gestorven en de majoor wist waar het was. God mocht weten hoe Kam de majoor zover had gekregen om hen te vergezellen, maar hij waardeerde het gebaar. Er was geen graf voor Maria in Sierra Leone. Haar lichaam was teruggevlogen naar Ohio, maar deze plek was het laatste bewijs van haar in Afrika. Misschien dat hij hier afscheid van haar kon nemen.

Hij moest de majoor ook over het rapport vragen. Ali had hem die ochtend verteld over zijn vermoedens wat betreft het waarheidsgehalte van de Nigeriaanse connectie. De Sierra Leoonse maatschappij bestond voornamelijk uit clans, zei Ali. Als je Krio-namen ziet dan kom je Krio tegen. Als je namen uit Kakumbia ziet dan kom je mannen uit Kakumbia tegen, en geen Nigerianen. En Gbamanja komt ook uit Kakumbia. Wat je dus niet tegenkomt zijn Nigeriaanse smokkelaars die op het moment dat ze arriveren alweer verdwenen zijn. Danny zou vragen voor de majoor hebben. Maar nu nog niet. Hij zou eerst afscheid nemen.

Dus daar waren ze. 'Dit is de plek,' zei Oluwasegun.

Ze stonden in de lome middaghitte op een stuk weg waar niets bijzonders aan te zien viel. Behalve dan dat het natuurlijk wél bijzonder was. Het was waar Maria was gestorven. Haar leven, dat enorme en glorieuze stuk tijd en plaats van Puerto Rico naar Ohio naar Freetown, was hier geëindigd.

Danny keek naar de sporen op de boom en toen weer naar de weg. Hij kon bijna zien hoe haar auto naderde in de onveranderlijke hitte. Het zou eerst een stip aan de horizon zijn geweest, langzaam in het landschap bewegend, onscherp in de heiigheid van de middaghitte. Hij herinnerde zich de tijd op het horloge. Het was na drie uur 's middags dat ze eraan kwamen. De aanvallers, wachtend, misschien nerveus, misschien zó onder de drugs dat ze gevoelloos waren, stonden klaar om te vuren. Toen de auto voorbijkwam werd er een signaal gegeven. Het eerste salvo had de motor van de auto onklaar gemaakt, waardoor hij van de weg af raakte en de boom trof. Toen waren ze over het voertuig uitgezwermd en hadden de inzittenden eruit getrokken.

'Breng me naar de plek waar de lichamen zijn gevonden,'

zei Danny zacht, en hij volgde Oluwasegun tussen de bomen door. Hij keek om naar Kam maar de Senegalees bleef bij zijn auto staan. Moslim, christen, wat dan ook. Zo'n plek was vervloekt. Kam had geen behoefte het te zien. Danny draaide zich weer om en trok een sprint van enkele meters om weer bij de verdwijnende brede rug van de majoor te komen.

Als er een pad was, dan kon Danny het niet zien. Na tien meter kon hij de weg niet meer zien. Na twintig had hij het gevoel dat hij door een groene muil was opgeslokt, omgeven door een ondoordringbaar en gonzend leven, zo warm en dichtbij als in een lichaam. Toen stuitten ze op een klein grasveld met een totale omvang van nog geen twintig meter. Als Maria en haar collega's gehoopt hadden dat dit slechts een beroving zou zijn, dan was hun hoop hier geëindigd. Haar drie metgezellen, zo scheen het, waren het eerst vermoord met salvo's uit AK-47's. Maria was de enige die verkracht was, misschien omdat ze buitenlands was. Toen hadden drie snelle schoten er een einde aan gemaakt.

Danny ging zitten en voelde de vaste grond onder zich. Dit verschrikkelijke, onvoorstelbare feit had hier plaatsgevonden, dacht hij ongelovig. Op deze plek. Het duizelde hem. Terwijl hij in Londen achter een bureau had zitten werken en telefoontjes had gepleegd, werd duizenden kilometers verderop, op precies hetzelfde tijdstip, deze geweldige vrouw verkracht en vermoord. Hij sloot zijn ogen. De jungle van Sierra Leone was altijd vol geluiden, het gezoem van insecten, het geruis van de wind of het gegil van vogels, maar hier hoorde hij niets. Het was als een crypte.

Hij opende zijn ogen en zag Oluwasegun, die naar hem keek.

'Majoor, ik heb enkele vragen voor u,' zei hij. 'Ik heb een rapport over Maria's dood ingezien. Er staat dat ze betrokken was bij kindersmokkel, om weeskinderen een beter leven in het Westen te bezorgen. Het rapport zegt dat een groep Nigerianen uit Bo hier verantwoordelijk voor was. Zij en Maria kregen onenigheid. Ze hebben haar laten vermoorden. Het rapport zei dat mannen van uw eenheid betrokken waren bij deze bende. Ze hielpen bij het regelen van de mannen die deze misdaad uitvoerden. Wat weet u hiervan?'

De majoor nam zijn pet af en hield hem tegen zijn borst terwijl hij zijn voorhoofd afveegde.

'Ik ben in veel landen geweest,' zei hij uiteindelijk met een vermoeide stem. 'En het is altijd hetzelfde: geef de Nigerianen maar de schuld. Je zou denken dat er geen misdaad in Afrika is die niet door de Nigerianen is gepleegd.'

De majoor schudde zijn hoofd en wilde weer gaan spreken. Maar op dat moment sneed er een vreemd geluid door de jungle. Het was een groot voertuig dat tot stilstand kwam, de krachtige motor gromde na als een leeuw. De majoor en Danny keken elkaar aan en begonnen terug naar de weg te lopen. Toen klonken er stemverheffingen en geschreeuw. Opeens hoorden ze Kam het uitschreeuwen van pijn. De majoor liep op het geluid af met een krachtige tred die bijna zo snel was als een sprint. Danny volgde hem, gerustgesteld door de gespierde bouw van de majoor, maar bang voor wat ze zouden aantreffen. Ze hoorden Kam wederom schreeuwen. Toen stonden ze in de open ruimte.

Een witgeschilderde pantserwagen stond midden op de weg, de achterste koepel geopend. Een zestal blauwgehelmde soldaten stond op de weg. Twee van hen hielden Kams armen op zijn rug en beletten zijn spartelende pogingen om aan hun greep te ontsnappen. Er liep een stroompje bloed uit zijn mond. Ze draaiden zich om toen ze de ritselende geluiden uit de jungle hoorden, en keken verstoord. Wat in verwarring omsloeg toen ze de majoor zagen. Op dat moment zag Danny de insignes op hun uniformen. De groen-witte vlag van Nigeria.

'Wat is dit? Wat is dit?' schreeuwde de majoor. Hij had zijn vaart totaal niet verminderd en denderde recht op de twee mannen af die Kam vasthielden.

'Laat deze man vrij,' schreeuwde hij.

De twee aarzelden. Ze keken naar een ander in hun gezelschap. Een slank gebouwde man met een dun snorretje. De mannen lieten Kam niet los, maar hun greep verslapte.

'Wat doet u hier, majoor?' vroeg de besnorde man.

De majoor blies zichzelf op tot zijn volle lengte.

'Kolonel Suleiman. Zorg dat uw mannen deze man vrijlaten. Hij is met mij.'

De man knikte, Kam schudde zich woest los van zijn overmeesteraars en veegde het bloed van zijn lip. Hij spuugde voor hun voeten toen hij naar Danny liep.

'Wat heeft dit te betekenen?' siste de majoor.

Suleiman negeerde de vraag. Hij maakte een rukkende beweging met zijn hoofd in Danny's richting.

'Dit is de plek van een misdrijf. We letten erop dat hier niemand komt om nog meer problemen te veroorzaken,' zei hij.

'Is dat zo, kolonel,' zei de majoor.

Zijn stem klonk rustig en schappelijk. Toen hief hij zijn arm op en sloeg Suleiman met de vlakke hand keihard in het gezicht. Danny hoorde zo'n harde klap dat hij bijna de schokgolf voelde. Suleiman wankelde onder de slag en zijn helm schoot van zijn hoofd als een champagnekurk. Hij knielde op de grond terwijl hij een kant van zijn gezicht vasthield, de majoor boog zich voorover. In een taal die Danny niet verstond siste hij iets in zijn oor. Suleiman gebaarde naar de rest van de mannen. Stuurs klommen ze weer in hun pantserwagen. Met een zwarte rookpluim reden ze weg, richting Bo. De majoor keek ze na, zijn handen in zijn zij. Toen draaide hij zich om.

'Ik bied jullie mijn nederige excuses aan. Vooral aan jou,

Kam. Deze mannen zijn soms beesten. Dat was onvergeeflijk,' zei hij.

Danny staarde hem aan.

'Majoor. Ik zou het u nog eens willen vragen. Ik heb een rapport waarin staat dat uw mannen hierbij betrokken waren. Wat weet u hiervan?'

De majoor schudde zijn hoofd.

'Mijnheer Kellerman. Het zijn geen heiligen. Ik weet wat mijn mannen achter mijn rug om doen. Ik weet dat ze ontucht plegen met vrouwen. Ik weet dat ze liegen en bedriegen en soms stelen. Ik weet al deze dingen en als ik ze betrap dan straf ik ze. Maar het zijn ook niet allemaal zondaars. Als ze zoiets als dit hadden georganiseerd dan had ik het geweten. En die mannen zouden dood zijn of in de gevangenis zitten. Maar ik heb niets gehoord.'

'U denkt dat het rapport ernaast zou kunnen zitten,' zei Danny.

'Ik heb niets gehoord,' herhaalde hij. Toen keek hij om zich heen. 'Ik heb er genoeg van hier te zijn, mijnheer Kellerman. Uw vriendin is dood. Ze is bij God en dat is het enige wat telt. Als hier gerechtigheid moet komen, laat het dan aan God over.'

Toen draaide hij zich om en beende terug naar de auto.

DANNY WAS TERUG in Ali's villa en zat in zijn slaapkamer. Hij haalde Maria's brief tevoorschijn. Wat zou ze hem gevraagd hebben als de brief op tijd was gekomen? Zou ze geprobeerd hebben hem zover te krijgen dat hij zou helpen met haar plannen om de kinderen naar een nieuw huis te krijgen? Zou ze hem hebben gevraagd om hun benarde toestand naar buiten te brengen in een goed getimed krantenartikel? Of was het allemaal onzin? Dat was wat Ali en de majoor dachten. Hij had het gevoel dat hij vastzat in een zaal vol spiegels. Hij kon de waarheid niet zien. Hij vouwde de brief weer op en hoorde in de woonkamer de telefoon rinkelen. Hij liep erheen.

Hij wist dat het Rachel zou zijn en voelde een intense zwaarheid over zich heen vallen. Ze zou willen dat hij dingen zei die hij niet voelde, en ze zou niet begrijpen waarom. Op dit moment voelde het alsof hij degene was die troost nodig had, die uitleg zou krijgen. Hij nam de telefoon op. Hij verwachtte dat ze geërgerd of boos zou zijn. Maar ze scheen alleen maar vermoeid en dat was nog erger.

'Ik voel dat we elkaar aan het kwijtraken zijn, Danny,' zei ze triest. 'En er is niets wat ik eraan kan doen.'

'Praat niet zo,' zei hij met meer overtuiging dan hij voelde. Hij was nog steeds bezig de emoties van Maria's sterfplek te verwerken. Dit kon hij er niet nog eens bij krijgen, hoe oneerlijk het ook leek. Maar Rachel gaf hem niet de kans nog iets te zeggen.

'Luister, vergeet dat van ons maar even. Daarvoor bel ik je niet,' zei ze. 'Ik wilde het over je vader hebben. Het ging gisteren helemaal mis met hem en hij is naar het ziekenhuis gebracht. Ze hebben hem daar vannacht gehouden, nu denken de dokters dat het wel weer gaat. Maar het gaat niet goed met hem, Danny. Ik denk dat hij behoorlijk ziek is.'

Danny stelde zich zijn vader voor. Hijgend en puffend op een gedwongen reisje naar het ziekenhuis. Hij wist dat Harry daar alles net zo zeer zou haten als de dokters hem zouden haten, flirtend met de verpleegsters en schreeuwend naar het overige personeel.

'Is het ernstig?' vroeg hij.

'Hij is oud en heeft nooit goed voor zichzelf gezorgd. Dat maakt een ziekenhuis altijd ernstig, Danny,' zei Rachel. Er klonk een zweem van paniek in haar stem door die hij niet kon negeren. Danny wist dat ze aan haar eigen vader moest denken. Hij voelde even iets van vijandigheid, maar hij wist dat hij alleen maar boos was omdat ze zich meer zorgen leek te maken dan hij, en hij wist ook dat ze er een geschikter persoon voor was. Hij opende zijn mond in een poging haar te troosten, maar op dat moment zag hij Harvey de kamer in lopen. Met een opgewonden en druk gebarende Kam in zijn kielzog. De plotselinge verschijning van de Amerikaan verraste Danny.

'Bel je vader nou. Alsjeblieft, Danny. Hij zou het heerlijk vinden om van je te horen. Dat weet ik zeker,' klonk Rachels stem weer.

'Ja, ja, natuurlijk. Luister, er komt net iemand binnen die ik moet spreken. Ik bel je zo terug,' zei hij en legde de hoorn erop.

Harvey kwam op hem af en legde een hand op zijn schouder.

'Ik neem aan dat je het rapport hebt gelezen, Danny,' zei hij. 'Het spijt me dat je weet wat er met haar is gebeurd, maar ik moet het rapport terug hebben.'

Danny dacht iets van een verwijt in Harvey's stem te horen, iets van spijt dat hij te veel had moeten onthullen. Wat zijn relatie met Maria ook was geweest, misschien dat hij gewoon zijn werk als diplomaat had gedaan.

Hij liep naar zijn kamer, viste het onder zijn bed vandaan en gaf het hem. Hij had het gefotokopieerd en was eigenlijk blij dat hij van het origineel af was. Het richtte een soort muur op tussen hem en de beschreven gebeurtenissen.

'Dank je wel, Danny,' zei Harvey. Ze schudden handen, Harvey's greep was stevig en vriendelijk. Danny keek hoe de Amerikaan vertrok en hoorde de telefoon rinkelen. Waarschijnlijk was het Rachel weer.

Hij nam de hoorn op, maar het was Rachel niet. Het was een man die allerlei krachttermen op hem losliet. Hennessey. Danny had ook zijn telefoontjes genegeerd. 'Wat is hier godverdomme aan de hand?' schreeuwde Hennessey. 'Jezus Christus, man, je bent al dagen onvindbaar. Op mijn kosten. Waar ben je in godsnaam mee bezig?'

Hij had Hennessey nog nooit zo razend gehoord. Hij had de telefoontjes willen beantwoorden, maar hij moest achter het verhaal van Maria aan en had nergens anders tijd voor gehad. Maar hij was nog net zo ver van de waarheid verwijderd als in het begin. Danny wist diep van binnen dat het nu allemaal voorbij was. Maria, Freetown, Sierra Leone... het was allemaal afgelopen. En de waarheid was niet dichterbij gekomen.

'Ik wil dat je de eerstvolgende vlucht naar huis neemt.'

Danny mompelde instemmend en legde de hoorn erop. Het was voorbij. Hij keek op naar Kams ogen die donker glansden in het gedempte keukenlicht. Ze waren vol bezorgdheid. Maar Danny voelde een onverwachte opluchting over zich heen vallen, als het moment waarop een langverwachte dreun je treft. Het was een genadeslag. Accepteer dit, dacht hij bij zichzelf.

'Ik moet vertrekken, Kam,' zei hij. 'Ik moet terug naar Londen.'

II

[2000]

TOEN DANNY WAKKER werd kwam de dageraad door de open gordijnen naar binnen. Hij strekte zijn arm over het bed uit, op zoek naar Maria. Maar ze was weg. Hij was op slag wakker. Het was alsof het daglicht haar had meegenomen, plotseling en mysterieus, en niets anders had achtergelaten dan de vorm in de matras waarop ze even had geslapen en de geur van haar zweet. Hij fronste en voelde zich een moment triest. Ze had hem niet eens gedag gezegd. Hij duwde de dekens van zich af en strompelde de badkamer in. Hij ving een glimp van zichzelf op in de spiegel en schrok. Zijn ogen waren rood en bloeddoorlopen maar dat was niet wat werkelijk zijn aandacht trok. Het was de gevlekte blauwe plek op zijn bovenarm, het merkteken van het soldaatje spelen in de tuin van Ali; de kogels die blind de nacht in werden geschoten. Hij huiverde bij de herinnering. Nu hij nuchter was leek het idioot en kinderachtig. Maar het leed geen twijfel dat het een krachtig wapen was en dat het afvuren een vreemd plezier bezorgde. Toen hij zich omdraaide om de douche in te stappen zag hij een stuk van zijn naakte rug en een lang spoor van schrammen over zijn schouder lopen, vers en rood. Ze was dan wel zonder iets te zeggen vertrokken, maar ze had haar merkteken achtergelaten. Hij moest Maria weer zien. Binnenkort.

Toen hij zich waste werd hij zich vaag bewust van een zacht gerommel en gebrom. Eerst dacht hij dat het de mechanische klaagzang van de airconditioning was. Maar het werd luider en complexer. Het klonk als het gebrul van machinerieën die de lucht vulden.

'Wat is dit in godsnaam?' fluisterde hij in zichzelf terwijl hij naar het raam liep.

Hij trok het gordijn open en daar was plotseling het geklapwiek van roterende bladen, een enorme helikopter dook over het gebouw. Het was dichtbij genoeg om de blanke piloot te zien die omlaag keek, zijn gezicht verborgen achter een vliegbril terwijl hij het toestel liet wegduiken in de richting van de kustlijn. Dit was geen gewone chopper. Hij was niet VN-wit geschilderd. Hij was legergroen. Danny zag ook andere in de verte, hangend in een lange rij als roofzuchtige wespen.

'Jezus!' fluisterde Danny. Toen maakte hij stompbewegingen in de lucht en begon te lachen terwijl er een golf van opluchting en opwinding door hem heenging en hij zich realiseerde wat er gebeurd was.

Het Britse leger was gekomen. Het RUF zou niet nog eens Freetown innemen.

Hij schoot zijn kleren aan, pakte zijn satelliettelefoon en belde Londen. Ze waren manisch op de nieuwsredactie. De telefoonverbindingen naar Sierra Leone waren bezet en ze probeerden hem al een uur lang te bellen.

'Ga naar buiten, man!' had Hennessey geschreeuwd. 'Het is verdomme de grootste Britse militaire actie sinds de Falklands!'

Danny rende naar beneden. Het hotel was al praktisch leeg. Hoewel het pas acht uur 's morgens was waren de meeste journalisten al de straat op. Hij zag Kam op een bank in de hotellobby hangen. Bij het zien van Danny trok de Senegalees een wenkbrauw op en samen spoedden ze zich naar de auto.

'Laten we de stad in gaan, mijnheer Danny,' zei Kam. 'Laten we kijken of ze heel Freetown gaan bezetten. En ik wil trouwens mijn flat even checken.'

Ze reden in de richting van de verhoogde toegangsweg naar Freetown door een stuk stad dat een transformatie had ondergaan. Overal waren Britse troepen. Een van de lege hotels bij het Cape Sierra was als tijdelijke basis gevorderd en soldaten trokken met hun zware oorlogsuitrustingen in vervallen kamers die sinds de jaren tachtig geen gasten meer hadden gezien. Ze bemanden ook nieuwe wegversperringen. Maar de Britse wegversperringen kenden noch de dreigende blikken van het Sierra Leoonse leger, noch de ineffectiviteit van de VN. Elke auto werd tegengehouden en de chauffeur werd beleefd ondervraagd.

Toen Danny aan de beurt was glimlachte hij.

'Het is goed je te zien,' zei hij tegen de jonge soldaat die de auto in keek. Deze maakte een hoofdbeweging richting Kam.

'Is hij in uw gezelschap?' zei hij met een zwaar Schots accent.

'Hij is mijn chauffeur,' zei Danny. De soldaat – die nog in zijn tienerjaren moest zijn – scheen hier even over na te moeten denken. Toen fluisterde hij iets in een radio.

'U kunt verder rijden.'

Toen ze wegreden straalde de Senegalees.

'Dit zijn echte soldaten,' zei hij, met een vreugde die van zijn gezicht viel af te lezen. Kam was niet gewend dat er goede dingen in Freetown plaatsvonden. Na elke vijfhonderd meter verscheen er een wegversperring, bemand door dezelfde harde, professionele jongemannen. Wat er nu ook zou gebeuren, hier waren ze veilig. Toen ze de toegangsweg op reden vertelde de soldaat hun dat dit de laatste wegversperring was.

'U moet weten dat we dit gebied hebben afgegrendeld, in de rest van Freetown zijn het slechts patrouilles,' zei hij.

‘Als u verder rijdt komt u in een gebied dat niet gecontroleerd wordt door het Britse leger.’

Terwijl Danny en Kam de stad in reden wisselden ze blikken. Kam leek enigszins teleurgesteld.

‘Waarom stoppen ze hier bij de toegangsweg? Het is belachelijk. Ze kunnen alles wat beweegt in dit land doden. Waarom stoppen?’

Danny had hier geen antwoord op. Maar ook al zagen ze geen Britse troepen in de rest van de stad, het effect was nog steeds duidelijk. Een paar mensen stonden schroomvallig op straathoeken te praten en zwaaiden naar de enkele chopper die overvloog. Danny besloot om bij de Engelse ambassade langs te gaan. Ze reden door het stadscentrum naar de hoogte vanwaar het Britse complex over de stad uitkeek. Een stel Land Rovers stond voor het gesloten stalen hek geparkeerd. Ze waren uitgerust met een zwaar machinegeweer en er stonden stevige paratroepers omheen die sigaretten rookten. Danny zei Kam in de auto te wachten en liep erop af.

‘Hé, mannen,’ zei hij.

Een van de soldaten reageerde. Hij leek nogal geschokt dat er een Engelsman in zijn eentje in – wat zij te horen zouden hebben gekregen – een vijandig gebied rondwandelde.

Danny haalde een aantekenboekje tevoorschijn.

‘Ik ben van *The Statesman*. Ik moet zeggen dat ik nog nooit zo blij ben geweest jullie te zien. Ik dacht dat we diep in de problemen zaten, maar nu zijn jullie er.’

Het was waar, maar het was ook vleierij en het werkte.

‘Hier zijn we voor getraind,’ zei hij. ‘We hebben getekend voor actie en dat hebben we nu gekregen. En het werd verdomme tijd.’

‘Hoe is je eerste dag in oorlogsgebied?’

De soldaat fronste.

‘Ik heb nog niets gezien,’ zei hij. Er klonk duidelijk teleurstelling in zijn stem door. Hij sprak over briefings die ze voor de landing hadden gekregen, over de risico's van vechten in West-Afrika, over hun missie en over de wildheid en de wreedheden van het RUF. Toen waren ze geland, hadden door de lege stad gereden, waren door hordes journalisten lastiggevallen en uiteindelijk hier gestationeerd om op diplomaten te passen.

'Maar we zitten tenminste in de stad, en niet op Lumley Beach zonder een kant op te kunnen,' zei hij. Deze opmerking werd met instemmend gegrom ontvangen door de andere soldaten die om de Land Rovers heen stonden. Danny wilde net doorvragen toen er krakende geluiden uit de radio kwamen. Een van de andere mannen schreeuwde naar hem.

'Sergeant. Er is melding van contact op vier kilometer van hier. Verzoek om het te gaan checken.'

De man bij het machinegeweer grijnsde.

'Oké. Eropaf,' commandeerde hij. De twee voertuigen kwamen brullend tot leven. De man wierp een blik op Danny en knipoogde.

'Misschien dat we toch nog oorlog krijgen.'

Het was de stoerheid ten top. De jongenssoldaten van het RUF zouden het geen drie tellen volhouden als ze bij deze soldaten in de buurt kwamen. De jonge Britten, maar een paar jaar ouder dan hun vijand, hadden minder ervaring met het doden van mensen. Maar op hun eigen manier waren ze meer klaar voor het gevecht.

'WAT HAD JE dan van ze verwacht? Dankbaarheid?' zei Maria, terwijl ze in Alex's haar vork over de tafel in zijn richting stak. Door de komst van het Britse leger was het restaurant niet alleen geopend, maar ook bijna vol. 'Ik bedoel, Danny, wat hebben ze nu om dankbaar voor te zijn?'

Danny was die middag voor interviews naar het vluchtelingenkamp van de geamputeerden in het centrum van Freetown geweest. Hij verwachtte dat de mensen daar opgelucht en blij zouden zijn om de Britse troepen te zien, maar hij kwam er alleen maar ellende tegen. Hun starende blikken en vormelijke antwoorden op zijn vragen deden zijn hoop in rook opgaan. 'Waarom ben je hier gekomen?' had hun leider gevraagd, zijn ontbrekende handen beschuldigend geheven. 'Wat heb je ons gebracht?' Danny had geen antwoord.

Nu kreeg hij dat van Maria. Ze zaten aan een tafel met uitzicht op zee en aten een Libanees gerecht. Het leek gek genoeg op een eerste afspraakje. Maar het gesprek ging niet bepaald over bloemen en favoriete films.

'Hun armen zijn er afgehakt. Ze hebben hun allemaal gevraagd of ze lange of korte mouwen wilden,' zei Maria. 'Ze zullen nooit meer dankbaar zijn.'

'Ik dacht dat ze iets zouden voelen. Opluchting misschien.'

Maria schudde het hoofd.

'Door een beetje aandacht en medelijden van een buitenlander krijgen ze hun armen niet terug.'

'En waarom help jij ze dan? Waarom ben jij hier?'

Ze legde haar vork neer. Haar blik was opeens gefocust, gedreven bijna. Hij had een gevoelige plek geraakt.

'Mijn ouders hebben hard voor me gewerkt, om ervoor te zorgen dat ik de dingen kreeg die zij niet hadden gekregen. Ik weet dat het een cliché is, maar ik ben deze wereld iets verschuldigd. Ik had bij de regering kunnen werken, bij ontwikkelingspolitiek of zoiets. Maar ik wil mijn schuld vereffenen. Ik wil het voelen. Dat betekent dat ik op de plekken moet zijn waar het erop aankomt. Ik weet dat ik de wereld niet verander. Maar ik verander het leven van sommige mensen. Dat doe ik echt.'

Ze zweeg een moment. Ze keek over het licht van de gloeilampen in het restaurant heen in de duisternis van de rest van de stad.

'Er zijn mensen. Kinderen, eigenlijk. En ik kan ze aankijken en zeggen: ik heb het leven van deze persoon veranderd. Ik heb het beter gemaakt. Het is misschien een druppel op een gloeiende plaat, maar voor hen is het hun hele wereld.'

Danny keek naar haar en was verloren; hij verdween in deze donkere ogen, in de hitte van haar passie en de zuiverheid van haar moraal. Ze stond als een marmeren standbeeld te midden van alle chaos. Hij was bang dat hij haar niet kende, en dat misschien ook wel nooit echt zou doen. Maar ongeacht het risico voelde hij zich tot haar aangetrokken. Ze keken elkaar aan. Danny hield haar blik vast.

'Waarom zitten we hier eigenlijk, terwijl we in mijn hotelkamer kunnen zijn?' vroeg hij.

Ze lachte.

'Ik heb geen idee,' zei ze en stond op om te vertrekken. Danny gooide een bundel bankbiljetten op de tafel en volgde haar naar buiten.

De volgende ochtend maakte Maria hem wakker voordat ze wegging. Ze plantte een zachte kus op zijn voorhoofd, haar adem was warm en vochtig als de tropische lucht. Hij draaide zich om en glimlachte. Haar hand verdween onder de lakens en zijn spieren spanden zich terwijl ze hem nog eens kuste.

'Pas er goed op. Ik heb hem nog nodig,' zei ze. Toen was ze weg. Danny deed geen moeite weer in slaap te vallen.

HIJ WIST DAT het dom was. Maar hij kon er niets aan doen. De seks met Maria gaf hem het gevoel onkwetsbaar te zijn. Toen hij van zijn kamer in het bekende ritueel van de ontbijtzaal terechtkwam wist hij dat hij vandaag zou proberen Freetown uit te gaan. Het was tijd om op pad te gaan, de jungle in. Om te zien hoe ver hij en Kam zouden komen. Hij had nieuwe kopij nodig voor Hennessey in Londen en hij wist dat andere journalisten al uitstapjes buiten de stad hadden ondernomen. Het was geen idee dat hem angst bezorgde. Hij voelde zich opgewonden. Dapper.

Toen hij Kam in de lobby bij de andere chauffeurs zag staan vertelde hij hem dat hij zich buiten Freetown wilde wagen. Hij was opgelucht toen Kam instemde, Kam was de barometer van zijn acties. Hij was niet vergeten dat het Kam was die hem uit de menigte bij Sankoh's huis had getrokken toen het schieten begon.

Danny zag hoe Kam tien minuten later bij de auto terugkwam met zijn armen vol brood, sloffen sigaretten en kleine flesjes gin, wodka en whisky.

'Daar komen we de meeste controleposten wel mee door,' zei Kam en lachte. 'Ik hoop niet dat ze straks op de terugweg alle drank hebben opgedronken. Dan zitten we namelijk in de problemen.'

Ze reden de stad uit, de sloppenwijken als een dikke lijn op de horizon achter hen. De eerste controleposten waren makkelijk, het waren posten van het Sierra Leoonse leger en zei eindigden steevast met het overhandigen van sloffen sigaretten en brood terwijl het touw over de weg werd neergelaten. Ten slotte bereikten ze de verwilderde ruïnes van Waterloo en de weg erachter. Danny bevond zich eindelijk op onverkende grond.

Het was ongeveer vijf kilometer verderop dat ze bij de eerste controlepost van de milities aankwamen. Het was een onbenullig stukje touw dat tussen twee olievaten was gespannen. Maar toen Kam vaart minderde kwamen er haveloos uitziende figuren uit de jungle tevoorschijn. Ze droegen AK-47's en maakten stopgebaren. Er ging een golf van paniek door Danny heen. RUF?

Kam zat er ontspannen bij.

'Civiele Verdediging,' zei hij. 'Regeringsmilities.'

Kam draaide zijn raam omlaag. Een van de mannen, hij was eigenlijk nog een tiener, stak zijn hoofd naar binnen. Hij rook naar kampvuur en zweet. Zijn ongewassen haar hing in pluizige vlechten. De loop van zijn geweer botste tegen het portier.

'We horen bij de Engelsen. Pers. Op weg naar het front,' zei Kam.

'Heb je iets voor me?'

De jongen zei het smekend. Kam greep onder zijn stoel en haalde een flesje gin tevoorschijn. De jongen strekte zijn nek uit om te zien waar Kam de tas hield. Maar Kam schoof met zijn voeten om hem te bedekken. De jongen pakte het flesje en zwaaide agressief naar de andere soldaten bij het touw.

'Rij verder!' zei hij.

Het werd een makkelijke routine. Om de paar kilometer verscheen er eenzelfde controlepost. Ze gaven de soldaat iets en ze konden erdoor. Tot ze de allerlaatste wegversperring bereikten. Er stonden al enkele andere auto's geparkeerd en Danny zag onder de brede takken van een bananenboom verscheidene journalisten zitten, waaronder Hoyes.

'Hé, Caroline. Hoe gaat het hier?'

Hoyes praatte hem bij. Verder dan hier konden ze niet komen. Hierachter lag bandietenland. Het leger liet niemand door, niet voor brood en drank. Hoyes had zelfs geld geprobeerd maar ze gingen er niet op in.

Nu waren ze aan het wachten. De officier hier dacht dat er zich op twee kilometer afstand een RUF-positie bevond. Ze hadden contact opgenomen voor hulp. Was deze gearriveerd, dan konden ze proberen verder te gaan.

Danny voegde zich bij hen in de schaduw. Hij vroeg zich af wat deze hulp zou zijn. Nog meer haveloze soldaten of Britse troepen. Maar het bleek geen van beide. Een gebrom in de verte, dat eerst nauwelijks hoorbaar was, transformeerde zich in een gevechtshelikopter die boven de bomen zweefde. Danny keek omhoog. Die was niet Brits. Hij was van de regering. Hij dacht aan Fiji Freddie uit de hotelbar. Voerde hij het commando? De man die door Maria een kindermoordenaar werd genoemd. De helikopter cirkelde twee keer boven de controlepost voordat hij doorvloog. Hij verdween en het werd weer stil in de jungle. Niemand zei iets. Toen hoorden ze in de verte het geratel van langdurige geweersalvo's klinken. Danny wierp een blik op Hoyes. Ze glimlachte gelukzalig, alsof het Kerstmis was.

'Briljant,' zei ze. 'Dit is briljant.'

De salvo's namen na een kwartier af tot de gebruikelijke korte uitbarstingen en toen verscheen de chopper weer om terug te keren richting Freetown. De journalisten waren er net zo snel bij als de regeringssoldaten en klauterden in hun auto's. Er kwam een oude vrachtwagen uit de jungle tevoorschijn en een twaalftal soldaten klom aan boord, ze zwaaiden met hun geweren en schreeuwden. Hij denderde langs de controlepost, gevolgd door een colonne auto's.

Danny rende terug naar de auto, Kam had hem al gestart. Ze reden langzaam door de jungle tot het konvooi stopte. Danny zag hoe Hoyes zo'n honderd meter verderop uit haar eigen auto klom. Hij gooide de deur open en sprintte naar voren, langs de rij auto's. Toen zag hij waarvoor ze gekomen waren.

Rond een laag betonnen gebouw aan de kant van de weg stond een verzameling hutten van lompen en hout. Ze waren aan stukken geschoten en series verse witte kogelgaten markeerden de muren en verspreidden zich over het asfalt in lange gestippelde zigzaglijnen. Overal lagen gouden patroonhulzen die uit de chopper waren gevallen, glinsterend in het zonlicht als hagel. Het was een eenzijdig gevecht geweest en de verliezers lagen verspreid over de grond. Bij de weg lagen twee vrouwen. Bij een was de bovenkant van haar hoofd keurig verwijderd, daar waar de kogel haar schedel had doorkliefd.

Danny liep voorzichtig tussen de doden, hij durfde niet te dichtbij te komen. Het waren voor het merendeel kinderen, tieners op zijn hoogst. Ze droegen geen uniformen, tenzij het terugkerende thema van lompen, gescheurde shirts en vreemde kleine juwelen een uniform genoemd kon worden. Dit was het gevreesde RUF. De wapens die naast hen lagen, de opvallende ornamenten om hun nek, hun gruwelijke reputatie, niets ervan kon het simpele feit van hun leeftijd verhullen. Het waren kinderen.

De regeringssoldaten schreeuwden en gilden tussen de doden. Een soldaat kwam terug uit de jungle met een lange stok die hij had afgesneden. Hij danste om een van de dode RUF-jongens heen, hij schreeuwde hard en liet de stok in lange slagen neerkomen om het dode lichaam af te ranselen. Danny keek in de richting van Hoyes. Ze stak haar duim op.

Het is goede kopij, dacht hij. Hij wist dat zij hetzelfde dacht.

DE HELIKOPTER SCHEERDE op nauwelijks zes meter langs de boomtoppen van de jungle. Het deed Danny denken aan alle Vietnamfilms die hij ooit had gezien. De gedachte wond hem op. Geen enkel verhaal dat hij ooit had gedaan haalde het bij het scheuren over een Afrikaanse oorlogszone terwijl je achter in een helikopter zat.

Maria schreeuwde in zijn oor.

'We moeten wel laag blijven. Als we deze hoogte houden zijn we te laag voor elke raket die op ons wordt afgevuurd, en te snel voor iemand met een geweer om te weten waar we vandaan komen.'

Hij draaide zich naar haar toe.

'En het is ook nog eens leuk,' zei hij. Ze lachte.

Hij had haar dagen niet gezien. Uitstapjes buiten de stad waren een plotselinge routine voor elke journalist in Freetown geworden. Nu het regeringsleger uit Freetown optrok, reden Kam en de anderen elke keer een paar kilometer verder door. Het was nu mogelijk om veertig kilometer buiten de stad te zijn voordat de onvermijdelijke controlepost werd bereikt die niet aan omkoperij deed. De eerste keren was het leuk geweest, maar nu werd het frustrerend. Hij wist dat er achter elke laatste controlepost een verhaal lag, maar het werd hem onthouden. Intussen had hij ook geprobeerd Maria te zien, maar ze werkte 's nachts.

Toen had ze hem gebeld met een aanbod dat hij niet kon afslaan. Ze was bezig een trip te organiseren naar een van de weinige steden in het oosten die in regeringshanden was. Het was naar Bo, aan de rand van het diamantgebied, en ze zouden de voedseldistributie bij een opvangcentrum voor kinderen te zien krijgen. Het was bedoeld als excursie voor de Amerikaanse pers, maar Maria had een extra plek weten te regelen. Danny had niet geaarzeld. Ook Maria leek in haar element te zijn. Ze flirtte met de andere journalisten en wond ze om haar pink. Hij zag hoe ze één voor één voor haar vielen en dacht de hele tijd: ze is van mij.

Na een paar uur vlogen ze over een laatste heuvelrug en daar lag Bo. Verspreid over lage heuvels in een bocht van een traag stromende rivier die door borstelig struikgewas sneed. De chopper koerste af op een uitgedroogd voetbalveld, waar hij enorme stofwolken opwierp toen hij landde. Er stond een rij SUV's te wachten. Danny was verbaasd hoe normaal de stad eruitzag. Er zaten geen gaten in het wegdek en het was druk op de markt. Rijen Indiase en Libanese winkels flankeerden de straten. Gezien het feit dat al het land eromheen door het RUF werd gecontroleerd, was het een oase van rust.

'Diamanten,' zei een Amerikaanse journalist die Danny

met een sceptische blik aankeek. 'Deze stad is omgeven door diamantvelden. Wat inhoudt dat het RUF een werkrelatie heeft met de mensen die hier leven. Het handhaven van rust en vrede betekent meer geld. De rest van het land heeft minder geluk.'

Maar de stad was niet verstoken van de armen, daklozen en hongerigen. Net buiten de stad lag een kamp dat gevuld was met duizenden vluchtelingen. Als op een middeleeuws toernooiveld wapperde een bonte verzameling vlaggen van hulporganisaties op rijen witte tenten. Hier en daar zochten de bekende witte SUV's van hulpverleners hun weg door de hordes Sierra Leoners, die doelloos rondliepen of met de hele familie rond een vuurtje zaten. Van de diamanteconomie die de stad voortstuwde viel hier niets te merken. Een drukke marktplaats en een kamp vol uitgehongerde vluchtelingen: het waren twee verschillende werelden in dezelfde stad.

Het konvooi stopte voor een grote tent die een vlag van War Child International droeg. Rondom de tent zat een menigte mensen op de grond, zonder uitzondering jonge vrouwen of oude mannen. Ze hurkten in het stof, immuun voor de hitte of dorst; zwijgend en wachtend. Maria stapte uit en verzamelde de journalisten om zich heen. Het betrof een voedseluitdeling voor families die jonge wezen hadden opgenomen. Maria vertelde het twaalftal journalisten nauwgezet over het werk van de hulporganisatie en dat elke familie zijn registratiestrookje moest tonen voordat ze een rantsoen voedsel kregen. Er waren al twee weken geen leveringen geweest, voegde ze eraan toe. Deze mensen – ze wees achter zich – begonnen uitgehongerd te raken.

Ze werd onderbroken door de loeiende motor van een witte vrachtwagen met een dekzeil. Hij klonk oud en vermoeid, met een vettig gesputter kwam hij schokkend over het rotsachtige pad op de menigte af. Schuddend kwam hij tot stilstand. Hij was tot de nok toe gevuld met dozen maismeel. Een zacht gemompel rees op vanuit de menigte.

Danny zag paniek in Maria's blik verschijnen.

'Nee, niet zo. Stomme idioten,' fluisterde ze.

Maar het was te laat. Een van de mannen van de vrachtwagen sneed een doos open en tilde er een zak uit. Hij gooide hem op de grond. Een oude man in de menigte stond traag op en liep naar voren. Met enige moeite laadde hij de zak op zijn schouder en liep weg. De menigte leek te wachten om te zien wat er zou gebeuren. Niemand hield hem tegen. Maria rende naar voren en begon wild naar de mannen in de vrachtwagen te gebaren. Tevergeefs. De menigte stond in één beweging op en stormde op het voertuig af. De mannen achterin keken verrast, maar begonnen zo snel als ze konden de andere dozen open te maken. Bij iedere zak die eraf werd gegooid rees een woud van uitgestrekte handen op. Er klonk geschreeuw en gegil en er braken gevechten uit. Vrouwen en bejaarden raakten de kostbare handreiking kwijt aan anderen die sterker waren. Er was geen volgorde, alleen maar strijd en geweld. Het was alsof mieren hun prooi aanvielen en de vrachtwagen geleidelijk aan leegvraten.

Danny zag Maria. Ze keek ontzet toe en ging toen langzaam op de grond zitten. Hij liep op haar af en legde zijn hand op haar schouder. Ze keek op. Haar wangen zaten onder het stof, maar er waren geen tranen. Alleen woede. Woede vermengd met wanhoop.

'Zoals het nu gaat worden de sterken alleen maar sterker. Het is zinloos. Ze hebben het voedsel niet nodig. Ze verkopen het gewoon in de stad,' zei ze. Haar stem stierf weg in de middaghitte. Danny kon niets bedenken wat haar zou kunnen troosten. Hij keek op. De vrachtwagen was nu in ieder geval leeg.

DANNY LIEP IN opperste verbazing door de straten van Bo. Hij had net gezien hoe een uitgehongerde menigte een vrachtwagen van een hulporganisatie plunderde terwijl hier restaurants waren die stews en curry's serveerden. Hier waren elektronicawinkels en een reisbureau dat vluchten naar Bombay in de aanbieding had. Het was een functionerende stad. Dit was het normale leven, voor iedereen herkenbaar.

Langzaam werd hij zich ervan bewust dat iemand zijn naam riep.

'Kellerman! Danny Kellerman!'

Hij draaide zich om en zag een Arabisch uitziende man de weg oversteken, hij droeg een zonnebril en een zwart T-shirt. Ali.

'Wat doe jij hier, man?' zei hij terwijl hij Danny bij zijn schouder greep. 'Ik laat je zien hoe je met een geweer moet schieten en nu ben je al een handelsman geworden? Jezus, ik heb nog nooit iemand zo snel zien inburgeren hier.'

Danny was blij hem te zien. Hij vertelde hem over de excursie, over Maria en de voedselopstand van die ochtend.

'Hé, ik ben blij dat het klikt tussen jou en die Amerikaanse dame, Danny. Ze is het soort vrouw dat me een geweten zou geven. Daarom blijf ik ook ver weg van die hulpverleners. Geef mij maar de Libanese meisjes. Ze maken je thuis het leven zuur, maar het kan ze niets schelen wat voor soort werk je doet.'

'Wat ben je hier aan het doen, Ali?' vroeg Danny.

Ali zweeg even.

'Kom op, Danny. Dat weet je toch.'

Toen, na een korte aarzeling, zei Ali: 'Luister ik moet iemand buiten de stad zien. Heb je een uur? Dan laat ik je een diamantveld zien.'

Danny wierp een blik op zijn horloge. De kans was te mooi om te laten liggen. Het grootste gedeelte van het land was verboden gebied. En nu kon hij een tour door het diamantgebied krijgen, recht achter de RUF-linies. Hij wist dat Maria woedend zou zijn als ze erachter kwam. Dankzij haar kon hij hier zijn. Maar Ali leek zo zelfverzekerd... en de redacteuren thuis zouden dit zeker waarderen.

'Natuurlijk,' zei hij.

Ali leidde hem de straat over naar een geblindeerde SUV. Danny zat voorin en keek achterom. Er zaten twee Sierra Leoners op de achterbank. Ze droegen zonnebrillen en hielden AK-47's vast. Ze zaten onbewegelijk en vertrokken geen spier. Ali negeerde ze en trok op vanaf de stoep. Binnen tien minuten waren ze de stad uit en reden over een weg waar zo veel gaten in zaten dat ze praktisch met een slakkengang reden. Binnen tien minuten moesten ze stoppen bij een wegversperring. Kindsoldaten leken uit het niets op te doemen. Het waren er zes, variërend in lengte van een jongen die niet ouder dan tien kon zijn tot een slungelige tiener. Danny voelde het zweet in zijn handpalmen komen. Ze keken verward toen Ali zijn raam omlaag liet gaan en naar buiten leunde. Zonder een woord te zeggen lieten ze hem door.

'Was dat het RUF?' vroeg Danny meteen.

Ali haalde nonchalant zijn schouders op. 'Wie zal het zeggen en wie kan het wat schelen? Dit is Bo. Het is belangrijker dat zij weten wie Ali Alhoun is dan dat ik weet wie zij zijn.'

Ze reden verder tot ze bij een brede rivier kwamen. Hier sloeg Ali een nauwelijks zichtbaar landweggetje in dat door het struikgewas liep. Uiteindelijk stopten ze bij de oever van de rivier. Over een afstand van meer dan een kilometer was alle vegetatie verdwenen, wat er overbleef was niets meer dan wit zand. Het was bezaaid met kuilen, sommige een paar emmers diep en andere waar een hele familie in kon verdwijnen. In elke kuil was een man aan het werk die er met ontbloot bovenlijf water en aarde uit schraapte.

'Vreemd, is het niet?' zei Ali. 'Al die diamanten die om de halzen van prachtige vrouwen hangen, terwijl het hier begint. Wat boeren die hun rug verpesten op een armzalige kloteplek als dit.'

Ali stapte uit en zei hem dat hij een kwartier weg zou zijn. Eén bewaker zou bij de auto blijven, de andere ging met hem mee.

'Praat met wie je wilt, maar verlies de auto niet uit het oog.' Met deze woorden was hij weg en zocht zijn weg langs de kuilen, de bewaker in zijn kielzog als een hondje. Danny keek hoe hij vertrok en werd zich ervan bewust dat hijzelf ook werd bekeken. Een van de diamantzoekers was gestopt met werken en nam hem van top tot teen op. Danny liep op hem af en begon hem aarzelend vragen te stellen.

Zijn naam was Edugu Tanana. Hij werkte al twintig jaar als diamantzoeker, en de gerimpelde spieren op zijn rug waren daar het ondubbelzinnige bewijs van. Hij zwaaide trots met een registratiebewijs waarop zijn foto en een stempel van het Sierra Leoonse ministerie van de Mijnbouw stonden. Het viel moeilijk uit te maken of dat werkelijk iets zei op een plek als deze. Maar voor Tanana was het zijn kostbaarste bezit. Hij bewaarde het in een plastic zakje dat hij in zijn broek stopte. Welke legitimiteit hij ook uit het leven haalde, het was samengevat in dit kaartje. Hij werkte van zonsopgang tot zonsondergang. Zeven dagen per week. Dat was het ritme van zijn leven. Als hij geluk had zou hij een kleine ruwe diamant vinden. Mensen als Ali kochten die van hem. Daarna gingen ze weer verder met graven.

Ali kwam weer terug.

Zijn gezicht was rood.

'Danny, we moeten gaan.' Toen zag hij de diamantzoeker.

'Hé, Tanana. Nog iets gevonden?'

De man schudde zijn hoofd.

'Je zit niet tegen me te liegen, hè?' zei Ali. Als hier sprake was van bedreiging, dan lag het niet aan de toon van zijn stem. Misschien dat alleen de woorden genoeg waren.

Tanana schudde alleen maar zijn hoofd met een brede grijns.

'Kom op, Danny. We moeten je terugbrengen.'

Danny wierp een blik op zijn horloge. Hij was al langer dan een uur weg. Shit, dacht hij, maar toen hij door de deur van het War Child-complex terug naar binnen sloop had niemand gemerkt dat hij te laat was. Er waren andere problemen aan de hand. Maria zat druk te praten in een radioverbinding en de andere journalisten hingen rond in de kamer. De meeste waren de slaap aan het inhalen die ze door de vroege start vanochtend gemist hadden. Maria keek op en groette hem door alleen haar lippen te bewegen. Toen ze klaar was met de radio liep ze naar hem toe.

'Nu is die ellendige chopper weer te laat. Het schijnt dat iemand hem probeerde neer te schieten nadat hij hier vertrok, dus het leek de piloten niet zo'n goed idee om weer terug te komen. Ik heb ze over weten te halen. Ze zijn er binnen een paar uur.'

Ze zag er gekweld uit. Hij wilde over haar hoofd strijken, maar ze duwde zijn hand weg.

'Niet hier,' zei ze. Toen keek ze de kamer rond, de aanwezigen waren of druk bezig of in slaap. Er brak een glimlach door op haar gezicht, ze draaide zich om en liep de achterkamer in.

Hij volgde een moment later.

Het was donker en ze besprong hem als een wild dier, ze trok hem tegen een muur aan en duwde hem op de stoffige vloer. Met haar voet schoof ze een stoel tegen de deur en haar nagels schoten onder zijn shirt en over zijn borst. Haar tong vulde zijn mond en hij kon het vuil op haar lippen proeven. Zijn handen grepen haar borsten terwijl haar vingers in zijn broek zochten.

'Maak geen geluid,' fluisterde ze.

DIE AVOND GING het gesprek in het Cape Sierra – zoals gewoonlijk – over Sankoh. Nu de tripjes buiten Freetown routine begonnen te worden en het RUF werd teruggedrongen, leek Sankoh het ontbrekende stukje van de puzzel te zijn. Het RUF was in veel opzichten Sankoh. Zonder hem zou het in elkaar storten. Met hem erbij zouden ze nooit verdwijnen. Het was Kams theorie dat hij zich in buurland Liberia bevond, waar hij de bescherming genoot van Charles Taylor, de krijgsheer die president was geworden. Toen Hoyes hem naar zijn mening vroeg, besloot Danny dat hij die theorie zou vertellen. Hoyes knikte. Alsof ze een soort expert was.

'Interessant,' zei ze. 'Ik denk dat dat best wel eens zou kunnen kloppen.'

Precies op dat moment schoot ze omhoog toen een lange man zijn handen voor haar ogen hield.

'Hallo, schat,' bromde hij. Ze draaide zich om en omhelsde de man.

'Lenny,' zei ze. 'Ik vroeg me al af wanneer je zou komen.'

Lenny Ferenc. Hij was een legende onder de oorlogscorrespondenten en zag er, hoewel hij achter in de vijftig was, nog steeds goed uit. Hij was lang en had een donkere bos haar met een getekend gezicht eronder. Zijn blauwe ogen zagen er echter veel jonger uit. Ze waren helder en fel en twinkelden als hij een grap maakte. Danny had hem nooit eerder gezien, maar hij had de verhalen gehoord. Van Saigon tot Bagdad, Ferenc was ofwel de eerste ofwel de laatste die vertrok. Hij schreef nu alleen nog maar voor grote Amerikaanse maandbladen. Hij was een oude studievriend van zijn vader. Ze hadden samen in Oxford gezeten en Harry had de eeuwige gewoonte om de laatste avonturen van Ferenc uitvoerig uit de doeken te doen.

Hij stak zijn hand uit en Danny stelde zich voor.

'Ah, Danny Kellerman. Je bent Harry's jongen!' zei hij

met een stem die de klank van de Engelse gentleman perfect beheerste. 'Ik hoorde dat je vandaag in Bo was en de concurrentie het nakijken hebt gegeven. Goed werk, kerel. Zo houd je de familietraditie in ere.'

Danny voelde zich gevleid door het onverwachte compliment. Ferenc nam een biertje aan van de barman en begon een verhaal over zijn reis, die om redenen die onduidelijk bleven via Liberia was gelopen. Hij had al snel hun volle aandacht, en die van Hoyes in het bijzonder. Het was een voorstelling met veel bravoure. Hoyes bood hem een volgend drankje aan, maar Ferenc schudde zijn hoofd.

'Dank je, maar nee, schat,' zei hij terwijl hij opstond. 'Het was een verschrikkelijke dag. Ik ben blij dat ik hier ben. Ik heb nog geen oorlog gemist en ik dacht dat ik buiten deze zou worden gehouden. Me dunkt dat ik een achterstand heb weg te werken.'

Danny zag hoe Hoyes hem met haar blik volgde. Hij kreeg het vermoeden dat er ooit iets tussen hen geweest moest zijn. Maar als alle verhalen klopten dan was ze wat dat betrof zeker niet de enige geweest. Toen Ferenc weg was zag hij de glimlach op haar gezicht verdwijnen.

'Wat is er?' zei hij. Hoyes keek hem aan.

'Nu Lenny hier is ligt de lat voor ons allemaal hoger,' zei ze. 'Dat hij hier "nog maar net is" is een act. Hij heeft al iets in de planning zitten. Als ik Lenny goed ken, en reken maar dat dat zo is, dan zal het iets zijn wat gelijk staat aan zelfmoord.'

Nu Ferenc weg was viel het groepje journalisten stil. Het was niet omdat Ferenc uit de bar verdwenen was, het was om wat hij had achtergelaten. Elke dag was simpelweg een nieuw waagstuk. Risico's werden afgewogen tegen het belang van de jacht op een verhaal. Hoe ver zou Ferenc gaan? Het was de onuitgesproken vraag die in de lucht hing.

Hoyes sloeg haar drankje achterover en stond op.

'Sorry, lui. Ik ben niet meer in de stemming,' zei ze. 'Van nu af aan kunnen we onze slaap maar beter goed gebruiken.'

DANNY KEEK OMLAAG naar de sleutels in zijn hand en toen naar de deur van de villa waar hij voor stond. Het was perfect.

'Dank je, Ali,' fluisterde hij.

De Libanees was gisteravond in de bar van het Cape Sierra verschenen en had hem over Maria gevraagd. Danny kon er niet over ophouden en stortte zijn hart uit.

'Zij is de ware. Zij zou echt de ware kunnen zijn,' hoorde hij zichzelf zeggen.

Ali lachte en sloeg op zijn dij.

'Echt? Hoe weet je dat zo snel, mijn vriend? Je bent hier pas een paar weken en je hebt nu al de vrouw van je dromen gevonden. Je moet een gelukkig man zijn. Of misschien een die niet precies weet wie hij voor zich heeft.'

'Wat weet je van Maria?' vroeg Danny bruusk. Hij was beledigd dat Ali zijn gevoelens met een korreltje zout nam. Maar Ali glimlachte nog steeds breeduit.

'Niets, Danny. Helemaal niets. Ik wil alleen maar zeggen dat op een plek als deze niet iedereen is wie hij lijkt. Misschien is het beter om voorzichtig te zijn.' Ali zweeg en zocht toen in zijn zak. 'Maar vooralsnog, wie ben ik om de enige gelukkige man in Freetown te dwarsbomen.'

Toen gooide hij Danny een sleutelbos toe.

'Mijn familie heeft een villa bij het strand,' zei hij. 'Het is er nu veilig. Hij staat op het einde van het schiereiland. Neem haar een weekend mee.'

Nog geen minuut later belde hij Maria en nodigde haar onhandig uit. Ze klaagde over haar werk, maar het duurde niet lang voordat ze zich liet vermurwen. Ze zou later in de middag komen. Kam zou haar ophalen.

En nu was Danny hier. De villa stond direct op een rots die uit het witte zand oprees. Het zag eruit als een stukje hemel op aarde, ver van de oorlog, ver van Londen. Hij maakte de toegangspoort open en liep naar binnen. Het rook er muf en verschaald, de plek was duidelijk al maanden niet meer gebruikt. De koelkast stond aan en zoemde vriendelijk. Hij deed hem open en trof tot zijn verbazing zorgvuldig bereidde hummusschotels, brood en andere Libanese etenswaren aan. Er waren wijn en bier. Hij greep een blik bier, opende het en liep de stenen trappen naar het strand af.

Naar Sierra Leoonse maatstaven was het koel weer en de kleine baai leek alle zeewind die er was op te vangen. Hij liep over het strand en ging op in het geluid van de golven. Hij trok zijn shirt uit en sprong erin, lachend in zichzelf. Hij zag vlak voor de kust een groep kano's met vissers erin die hun netten in het water gooiden. Je zou niet denken dat er een oorlog aan de gang was. Hij dacht aan de laatste paar weken en kon het nauwelijks geloven. Hij dacht aan de dode RUF-kinderen die hij langs de weg had zien liggen en aan het vluchtelingenkamp van de geamputeerden. Hij schrobde zijn schouders in de zee, en voelde iets jeuken onder zijn voeten waar hij niet bij kon. Het leek in alles op een exotisch land.

Hij keerde terug naar de villa, uitgeput en doorweekt. Achter het huis hing een hangmat waar hij in ging liggen. Het was bijna middag en de hitte begon aan kracht te winnen. Binnen een paar minuten viel hij in slaap en gleed van de ene droom in de andere, niet wetend waar hij was, maar voor de eerste keer dat hij Engeland had verlaten voelde hij zich volkomen veilig.

Hij werd wakker door een kus op zijn voorhoofd en keek in haar ogen.

'Hallo,' zei Maria.

Ze klom in de hangmat die hevig begon te schommelen en

hen er bijna uit kieperde. Uiteindelijk kroop ze erin, ze legde haar hoofd op zijn borst en samen wachtten ze tot de hangmat weer in evenwicht was.

'O, nou,' zei ze. 'Ik geloof dat mijn vraag hiermee wel beantwoord is.'

'Wat?'

'Ik was van plan om te kijken of het mogelijk was seks in een hangmat te hebben. Nu weet ik zeker dat we onze nek zullen breken.'

Ze praatten de hele middag lang. Hij vroeg over haar familie en waar ze vandaan kwam. Ze beschreef haar kindertijd als enige Puerto Ricaanse tussen de uit de klei getrokken blondines in een dorp, mijlenver van alles verwijderd. Niet dat ze het gehaat had. Ze was dankbaar voor de kansen die Amerika haar had gegeven.

'Ik weet dat het als een cliché klinkt,' zei ze en porde hem in zijn borst om er zeker van te zijn dat hij haar niet tegen zou spreken. 'Maar het is waar, ik hou van mijn land, Danny. Dat doe ik echt. Het heeft mijn familie alles gegeven. Kinderen als ik hebben andere schulden dan de financiële wanneer we afgestudeerd zijn.'

Danny begon ook te praten. Hij vertelde dat hij sinds zijn jongenstijd al journalist had willen worden. Dat het zoeken naar een verhaal als het scoren van drugs voelde, hoe je in een roes raakte en op zoek ging naar het volgende. Dat de oorlogsverslaggeving hem altijd het ultieme doel had geleken.

'En hoe denk je er nu over?' vroeg ze. 'Is het wat je verwacht had?'

Danny schudde zijn hoofd.

'Ik begrijp dit land niet,' zei hij. 'Ik begrijp niet hoe mensen de dingen kunnen doen die ze elkaar hebben aangedaan. Ik heb het gevoel dat je het niet kunt veranderen. Ik geloof niet dat we dat verhaal vertellen. De andere journalisten hier doen het voor hun ego. Ze doen het voor hun carrières. Ze zien het als een spel.'

Ze steunde op een elleboog en keek hem recht aan, haar handen streelden zijn borst.

'Dat vind ik zo goed aan je, Danny Kellerman. Jij denkt na over het land waar je over schrijft. Het verandert jou, terwijl je het land niet verandert om de voorpagina te vullen.'

Danny's blik dwaalde af naar de rollende golven van de zee. Het was naast hun stemmen het enige geluid in de wereld en toch had hij het gevoel dat ze moesten fluisteren.

'Er is één weg die Freetown uitgaat,' zei hij. 'Elke dag zijn er een paar van ons die over die weg rijden. En elke dag gaan we een stukje verder, tot aan de volgende wegversperring, tot aan het volgende dorp. Alleen maar om weer een artikel voor de krant te hebben, om te zeggen dat we ergens anders zijn geweest. Het is de gevaarlijkste plek om achter een verhaal aan te gaan, maar ook de makkelijkste.'

Hij keek haar aan.

'Wat gebeurt er hierna?' zei hij opeens. Hij voelde haar ietwat terugdeinzen.

'Na wat?' zei ze om tijd te winnen.

'Dit,' zei hij. 'Dit zal niet voor altijd zo doorgaan.'

'Nee, Danny. Je werk hier zal niet voor altijd doorgaan. Dat van mij wel. Oorlogen leiden alleen maar af. Ze staan de zorg voor mijn kinderen in de weg. Maar het zijn tijdelijke bezoekers, ze blijven niet voor altijd. Net als journalisten.'

Danny schudde zijn hoofd.

'Ga met me mee als de oorlog voorbij is. We krijgen het samen wel voor elkaar.'

Ze staarde hem aan en hij probeerde koortsachtig haar gezichtsuitdrukking te lezen. Wat hem niet lukte. Hij zonk alleen maar weg in deze ogen en kende niet de gedachten die erachter lagen. Hij kende haar niet. Er trok een spoor van boosheid door zijn liefde heen.

'Ik kan niet weg,' zei ze. 'Om redenen die ik je niet kan vertellen. Je moet erop vertrouwen dat ik niet zomaar weg kan hier.'

Hij wilde iets zeggen, haar vragen wat het was dat haar hier hield, waarom ze hen geen kans kon geven. Ze trok zich aan hem omhoog en bracht hem met een kus tot zwijgen.

'Ssst,' zei ze, en kuste hem weer. 'Vanavond hebben we het hier goed. Laten we nergens aan denken. Alleen aan het hier en nu.'

KAM TRAPTE HET gaspedaal in en de kleine Renault snelde over de weg. Hij was in een uitgelaten stemming. Lenny Ferenc zat achterin. Zelfs Kam had van de grote man gehoord en Kam was dol op beroemdheden. Het had de andere chauffeurs jaloers gemaakt vanochtend, en niet alleen omdat Ferenc twee keer het bedrag bood dat de andere journalisten betaalden. Niet dat Kam Danny ooit in de steek zou laten, maar hij had Ferenc beloofd dat hij die ochtend mee kon rijden op de weg die Freetown uit liep. En Danny vond het een prima idee. Hij had ook iets met beroemdheden.

Het werd een late start. Ferenc zag er beroerd uit toen hij van zijn kamer in het Cape Sierra naar beneden kwam. Danny stelde geamuseerd vast dat ook Hoyes afwezig was. Hij vermoedde dat deze twee gebeurtenissen wel eens iets met elkaar te maken konden hebben. Ferenc deinsde er niet voor terug met behulp van drank en verleiding een concurrent uit te schakelen. Hij wierp Danny een schuldige glimlach toe.

'Sorry dat ik te laat ben, Danny. Ik voel me nog beroerder dan na een avondje drinken met je vader.' Danny had erom gelachen, maar nu ze langs de bekende wegversperringen schoten leek het minder grappig. De flesjes drank waren al uitgedeeld. Na een uur rijden kwamen ze de eerste dronken soldaat tegen. Het was een jonge militieman met een verwilderde blik die op halfzeven stond. Kam stopte hem een pakje sigaretten toe. De soldaat liet het vallen, hij haastte zich om het op te pakken terwijl ze doorreden. Danny wisselde een blik met Kam die alles zei: Kam was niet blij met dit begin van de dag. Dat was genoeg om Danny's eigen zenuwen op scherp te zetten.

Maar als Ferenc het gevaar al bemerkte, dan gaf hij geen krimp. Hij zat op de achterbank en observeerde het passerende landschap terwijl hij uit een fles cola dronk.

'Dit land is niets veranderd,' zei hij. 'Ik was hier twee jaar geleden en tien jaar geleden, en een paar keer ertussenin. Het zijn nog steeds dezelfde wegversperringen en dezelfde volslagen idioten die ze bemannen.'

Ze reden verder. De afstanden tussen de wegversperringen werden groter. Al snel waren ze dertig kilometer verder dan de plek waar Danny had gezien hoe Freddie's chopper een RUF-kamp beschoot. Ze bereikten een lange ijzeren brug die over een brede, kronkelige rivier ging. Er stond een groep pantserwagens van de VN aan hun kant.

'Jezus,' zei Danny. 'De VN wordt nog eens dapper tegenwoordig. Deze jongens bevinden zich ver landinwaarts.'

Ferenc stapte uit en kuierde op ze af. Danny volgde. Het waren Jordaniërs en ze zagen eruit als harde mannen, gespierd en argwanend. Een van hen, boven op een jeep, draaide een machinegeweer in hun richting. Danny hield zijn pas in, maar Ferenc bleef doorlopen.

Hij schreeuwde iets in het Arabisch. De man achter het machinegeweer keek verrast en lachte toen. Hij was duidelijk de leidinggevende officier, Ferenc liep recht op hem af en stak zijn hand uit. De man had geen andere keuze dan deze te schudden. Al snel waren ze grappen aan het maken, er werd gelachen en Ferenc gebaarde Danny te komen.

'Deze man zegt dat hij niet weet of het veilig is om de rivier over te steken,' zei hij. 'Hij zegt dat ze hier vanaf gisteravond zijn en dat ze vlak voordat het licht werd geweersalvo's hebben gehoord, en sindsdien niets meer. Hij zegt dat we een stel idioten zijn als we verder zouden gaan.'

De Jordaniër knikte plechtig.

'Welnu. Wij zijn een stel idioten en we gaan verder,' zei Ferenc en sloeg de man op zijn rug. Niet veel later reden ze verder.

'Wat heb je tegen ze gezegd, Lenny? Je vertelde een grap. In het Arabisch?'

Lenny lachte.

'Het was iets wat ik op de West Bank heb geleerd. Ik zei: "Op naar Jeruzalem, vernietig de zionistische entiteit." Waar je ook Arabieren tegenkomt, het werkt altijd. Tsja, als ik ze zou vertellen dat mijn vader een jood uit Boedapest was die in Tel Aviv woonde, dan zouden ze zich minder vrolijk maken.'

Danny lachte er hartelijk om. Hij had zijn 'Lenny-verhaal' te pakken, en op de een of andere manier was dat belangrijker dan wat hij die dag ook voor de krant zou schrijven.

De reis kwam uiteindelijk abrupt tot stilstand bij een controlepost van het regeringsleger. Andere journalisten stonden al enkele uren tevergeefs te wachten. Sommige waren alweer teruggereden naar Freetown. Niemand zou vandaag verder dan hier komen. Ferenc verdween in de richting van de leidinggevende officier, maar het werd duidelijk dat zelfs zijn charmes geen effect hadden.

Al snel waren ze de enige journalisten die over waren. Ze gingen onder een schaduwrijke boom zitten en de minuten kropen voorbij. Danny begon zich zorgen te maken. Hij realiseerde zich hoe dronken sommige militieleden zouden worden nadat ze nog meer drank van de terugkerende journalisten hadden gekregen. Danny keek naar Ferenc, die een dutje deed in de schaduw. Hij leek zich nergens druk over te maken.

Opeens naderde er een vrachtwagen over de weg. Hij zwalkte van de ene naar de andere kant, als een dronkaard bij sluitingstijd. Toen hij dichterbij kwam zag Danny dat het dekzeil aan de achterkant uiteen was gescheurd door kogelgaten en in de wind wapperde. Ferenc was al opgestaan en liep erheen terwijl de wagen de wegversperring naderde. Danny dwong zichzelf te volgen. De vrachtwagen stopte. Hij kon de angst en paniek op het gezicht van de chauffeur zien, en zag dat de voorruit gebarsten was door enkele treffers. Hij hoorde ook geschreeuw en gekreun vanaf de achterkant komen. Danny liep voorzichtig om de wagen heen.

Het was een verschrikkelijk gezicht. De vrachtwagen was gevuld met doden en gewonden. Er lagen ongeveer twaalf jongemannen, sommigen onbewegelijk, anderen kreunend en kronkelend. Een paar hadden slordige bandages om hun bloedende ledematen zitten. Een man staarde wezenloos voor zich uit, hij hield zijn schouder vast terwijl er donker bloed tussen zijn vingers door liep.

Ferenc was koortsachtig aantekeningen aan het maken en ondervroeg de chauffeur. Toen klonk er vanuit de jungle een knal, gevolgd door een harde dreun ergens achter hen. Ferenc keek op en zag Danny.

'Dat was een mortiergranaat, ouwe jongen,' zei hij.

Hoewel er een paar soldaten pogingen deden om de gewonden uit te laden kwam de vrachtwagen brullend tot leven. Hij schoot naar voren, waardoor sommigen eruit vielen en op het asfalt terechtkwamen. Een man, zijn benen door kogels verbrijzeld, raakte de grond met een ziekmakend knappend geluid. Hij draaide en kronkelde als een vis op het droge. Danny voelde een donkere paniekwolk over zich heen vallen. Overal om hem heen zetten de regeringstroepen het op een lopen en vluchtten weg. De leidinggevende officier was uit zijn tent gekomen en schreeuwde ze bevelen toe, maar die schenen weinig effect te hebben.

'Lenny! Kom op!' schreeuwde Danny, en hij begon terug naar de auto te rennen. Toen hij erin zat zag hij dat Ferenc hem niet gevolgd was. Als een standbeeld stond hij roerloos tussen de zee van paniekerige soldaten, van wie sommigen wild vanaf de weg begonnen terug te vuren, blind in de richting van de jungle schietend.

'Lenny!' gilde Danny terwijl hij uit de auto leunde.

Ferenc negeerde hem en liep toen langzaam naar de auto terug.

'Het begon net interessant te worden,' zei hij met spijt in zijn stem, alsof ze vroegtijdig een café hadden verlaten. Hij stapte met tegenzin in. Kam draaide de auto terwijl Ferenc rustig achterin zat, zijn aantekeningen doornam en af en toe een blik over zijn schouder wierp. Danny's hart begon eindelijk weer normaal te kloppen. Hij keek Kam aan. Kam keek terug. Ze hoefden het niet tegen elkaar te zeggen.

Lenny Ferenc was stapelgek.

12

[2004]

LONDEN BEGROETTE HEM zoals het altijd leek te doen wanneer hij uit het buitenland terugkwam: met een koude, grijze omhelzing. De trein van Heathrow was halfleeg terwijl hij door de buitenwijken sneed en Danny zag dezelfde groezelige gemeenteflats en mensen die door de regen sjokten.

Hij voegde zich al snel bij hen en liep naar zijn flat in Highgate met zijn koffer achter zich aan. Het wrong in hem om terug in Londen te zijn. Gisteren was hij nog in Freetown. Nu was hij hier terug in een andere wereld en in een ander leven, en hij had het gevoel van geen van beide deel uit te maken. Hij zocht zijn sleutels en maakte de deur van zijn flat open. Hij nam niet de moeite Rachels naam te roepen. Toen hij naar binnen liep had het huis leeg aangevoeld en wist hij dat ze niet thuis was. Ze was nog op haar werk. Of, wat waarschijnlijker was, ze stelde haar thuiskomst uit en probeerde erachter te komen wat ze zou moeten zeggen en voelen. Dat kon hij wel begrijpen. Hij liep langzaam de flat door, het had het huis van iemand anders kunnen zijn. Hij zag hun vakantiefoto's van afgelopen zomer op de ijskast hangen. Ze leken gelukkig, dat jonge en glimlachende stel ergens in Frankrijk. Hij herinnerde zich het vakantiehuisje dat ze hadden gehuurd, verstopt achter een lommerrijke weg in de Loirevallei. Het was een korte wandeling naar het dichtstbijzijnde dorp, met zijn hechte netwerk van gekasseide straatjes en een enkel café. Ze dronken er elke avond wijn terwijl ze het staren van de dorpelingen negeerden en giechelden om hun onbeholpen pogingen Frans te spreken. Rachel vond het een heerlijke vakantie, maar zelfs toen, bedacht hij zich nu, had hij zich leeg gevoeld vanbinnen. Een vakantiehuisje in Frankrijk leek een cliché voor een stel uit Londen. Het leek te makkelijk. Te alledaags.

Zijn blik ging van de foto naar de stapel gebruikte mokken in de gootsteen. Op elk ervan zag hij de vage afdruk van haar lipstick, ochtendbegroetingen die hij had gemist. Toen liep hij naar de slaapkamer boven. Haar kleren lagen netjes gevouwen op een stoel. Hij snoof haar lucht in de kamer op. Het rook zoet en prettig. Maar net als bij Maria was er iets mee, hij kon het niet meer thuisbrengen. Opeens voelde hij zich uitgeput. Hij ging op bed liggen en viel binnen een paar seconden in slaap.

Hij werd wakker toen een paar lippen de zijne aanraakte en voelde een lok haar over zijn wang strijken. Hij opende zijn ogen. Rachel zat op de rand van het bed naar hem te kijken. Het was al donker en hij had geen idee hoe laat het was. Hij probeerde omhoog te komen, maar ze duwde hem voorzichtig weer terug met haar hand.

'Hoi,' zei ze. Hij sloeg zijn armen om haar heen, begroef zijn gezicht in haar nek en snoof haar geur op. Het voelde goed. Ze beantwoordde zijn omhelzing.

'Het spijt me,' zei hij. 'Ik weet dat ik een tijdje uit de running ben geweest terwijl ik weg was. Maar het is voorbij. Ik was iets aan het najagen wat ik niet kon bevatten. Ik weet eigenlijk niet eens wat het was, maar ik denk dat het nu voorbij is.'

Ze maakte zich voorzichtig los uit zijn omhelzing. Ze zag er verdrietig uit.

'Danny, je bent al veel langer uit de running dan deze laatste paar weken,' zei ze. 'Het is lang geleden dat ik het gevoel had dat je echt bij me was.'

Hij voelde paniek opkomen.

'Doe niet zo belachelijk...' begon hij, en hield zich vervolgens in. Het was nu niet het moment om te gaan redetwisten. Dat was niet wat ze wilde horen.

'Sorry,' zei hij en liet zich achterovervallen. 'We moeten dit gesprek hebben als we er allebei aan toe zijn.'

Rachel knikte. Ze streek met haar hand over zijn borst.

'Probeer te slapen. Ik moet nog wat werk doen en kom er dan bij.'

Danny wilde wakker blijven voor haar, maar het was een verloren gevecht. Hij voelde zich gesloopt en hij gaf zich weer over aan de slaap. Hij merkte niet dat ze twee uur later de kamer binnenkwam. En zag haar daar niet roerloos staan kijken naar deze man in haar bed. Deze geliefde die nu een vreemde leek, die geobsedeerd was door iets wat haar beangstigde en wat ze niet begreep. Hij zag niet hoe ze tegen haar tranen vocht terwijl ze zich uitkleedde en naast hem ging liggen. En voelde de lichte kus op zijn nek niet toen ze het licht uitdeed. Maar de onwetendheid ging beide kanten op. Toen de ochtendzon een paar uur later door het raam naar binnen scheen schrok Danny wakker. Hij draaide zich om en zag haar slapen. Ze zou nooit weten dat hij nu eindelijk eens van Maria had gedroomd. En niet van haar.

HENNESSEY WAS ENIGSZINS gekalmeerd toen Danny de volgende ochtend op kantoor verscheen. Maar voor algemene begrippen was de nieuwsredacteur nog steeds woedend.

'Je hebt me laten zitten,' zei hij. 'Ik heb me door je laten overtuigen met dit artikel. Vervolgens ben je niet meer te bereiken en zit je achter een verhaal aan waarvan je nu denkt dat het wel eens niet waar zou kunnen zijn. Kun je me vertellen wat je precies hebt uitgevoerd? Ik ben overigens zeer benieuwd naar de onkosten die je hebt gemaakt.'

Danny wist weinig terug te zeggen. Hij zou zich slechter

moeten voelen dan het geval was. Hij had een poging gewaagd, wat beter was dan helemaal niets te ondernemen. Hij zou doen wat Hennessey hem ook zou vragen.

'Ik heb het verkloot,' zei hij. 'Ik weet het. Maar ik heb wél een hoop werk verricht. Misschien niet voor het tijdschrift, maar het kan makkelijk op de pagina's buitenlands nieuws. Twee tegenover elkaar liggende pagina's. Het nieuwe Sierra Leone. Het zal geen tijdverspilling zijn.'

Hennessey stak een sigaret op, het was duidelijk dat hij er Danny geen zou aanbieden.

'Je zit nog steeds in de shit,' zei hij. 'Verdwijn nu maar uit mijn ogen en bezorg me dat stuk aan het eind van de week. We zien wel wat er nog van te maken valt.'

Danny liep Hennessey's kantoor uit en haalde opgelucht adem. Hij wist dat hij wekenlang het onderwerp van de plaatselijke roddels moest zijn geweest. De man die vermist was in Sierra Leone. Een kolonel Kurtz van de journalistiek. Hij liep meteen door naar buiten. Het voelde opeens alsof hij een paniekaanval had en geen adem kon krijgen. Hij had geluk gehad, hij was zijn baan niet kwijt. Hij besloot bij zijn moeder op bezoek te gaan. Het zou hem helpen om weer aansluiting te vinden bij het Londense leven.

Ze was na haar scheiding naar een twee-onder-een-kapwoning in het hoge noorden van Londen verhuisd. Het was voor Danny altijd een grote stap terug vergeleken met hun statige oude huis in Oxford. In plaats van vier slaapkamers waren er nu twee. Victoriaanse baksteen was vervangen door jarenzestigbeton en de torens van Oxford hadden plaatsgemaakt voor Barnet High Street. Het feit dat zijn moeder de veranderingen in haar omgeving niet eens door leek te hebben, maakte hem nog neerslachtiger over hun scheiding.

Uiteraard was ze verrukt hem te zien. Haar gezicht veranderde in een brede glimlach toen ze de deur opendeed.

Danny ontspande terwijl ze thee zette. Ze zag er goed uit, dacht hij. Ze was midden vijftig en zag er nog steeds uit als een mooie vrouw met een delicaat doorgroefd gezicht. Een grote schoonheid in haar dagen, pochte zijn vader vaak, niet beseffend dat er een angel in het laatste stuk van het compliment zat.

'Je zier goed uit, mam,' zei hij, en hij was blij dat zijn moeder bloosde. Het voelde goed iemand een plezier te doen.

'Rachel zei dat je voor werk in Afrika was. Waar ging het over?' vroeg ze, snel van onderwerp veranderend. Ze kon nooit zo goed met complimentjes overweg.

'O, gewoon een artikel. Het ging eigenlijk niet zo goed, maar ik maak er wel wat van.'

Zijn moeder keek bezorgd.

'Gaat het wel goed, liefje?' vroeg ze.

Heel even dacht hij eraan haar alles te vertellen. Dat hij het gevoel had dat zijn hele leven naar de verdommenis ging. Rachel, zijn carrière, alles leek hem te ontglippen terwijl hij de energie miste om zijn best te doen en door te gaan. Maar de aandrang verdween snel.

'Maak je maar geen zorgen. Maar hoe is het met jou?' vroeg hij.

Zijn moeder fronste.

'Ik maak me zorgen over je vader,' zei ze.

Dit was typerend. De man was van haar gescheiden, ervandoor gegaan met een jong blondje, had haar verdomme midden in Barnet achtergelaten, en dan zat ze zich zorgen over hém te maken.

'Het gaat echt niet goed met hem. Hij zou het wat rustiger aan moeten doen op zijn leeftijd.'

In Danny's hoofd klonk een gemene mop over alle seks die hij waarschijnlijk met zijn jongere tweede vrouw zou hebben.

Maar hij zei: 'Ik wil het niet over hem hebben, mam. Hoe gaat het met jou? Ga je veel uit? Zie je iemand anders?'

Zijn moeder keek oprecht verbaasd toen de vraag tot haar doordrong. Toen lachte ze en hield haar hand voor haar mond.

'O, god, nee,' zei ze. 'Je weet dat je vader echt de enige voor me was.' Dat wist Danny. Hij kon het in haar gezicht lezen. Hij kon het alleen niet begrijpen. Hoe kon deze vriendelijke en lieve ziel die in de steek was gelaten nog steeds iets om deze man geven?

'Weet je, ga weer eens bij hem langs. Zoek hem dit weekend op,' zei ze en fleurde op.

'Dat zal ik doen,' loog hij. Dat leek hem het beste om te zeggen.

UITEINDELIJK HAD HIJ niet hoeven liegen. Danny zat op vrijdagmiddag achter zijn bureau toen het telefoontje van Rachel kwam. De gedachte zijn vader te bezoeken was allang vergeten tijdens het haastige schrijven aan een artikel dat, zo hoopte hij, iets van zijn reputatie bij Hennessey zou redden. Nee, herstellen.

Hij nam op en hoorde haar snuiven en een stroom beangstigende woorden prevelen. O god, dacht hij. Dit kan ik niet hebben. Wat heb ik nu weer gedaan?

'Wat is er?' snauwde hij. 'Ik kan geen woord verstaan van wat je zegt.'

De plotselinge agressiviteit in zijn stem was voor Rachel een reden om met praten te stoppen. Hij hoorde een ijzige stilte en toen haar stem. Helder en duidelijk.

'Hij is dood, Danny,' snikte ze. 'Je vader is dood.'

En ze verbrak het gesprek. Danny zat lange tijd met de hoorn in zijn hand zonder de kiestoon te horen. Toen stond hij op en zette rustig zijn computer uit. Het verhaal op het scherm verdween. Toen hij zich realiseerde dat hij er niet aan had gedacht het op te slaan, was er slechts even een moment van spijt.

DANNY STOND AAN het graf van zijn vader en probeerde iets te voelen.

Wat dan ook.

Samen met de andere dragers had hij de kist gedragen, en het gewicht van de oude op zijn schouders gevoeld. Het leek onwaarschijnlijk zwaar. Hij kon het nog steeds nauwelijks geloven: het telefoontje van Rachel, zijn eigen telefoongesprek met zijn moeder. De vreselijke, verstikte kreet die ze had geslaakt en vervolgens zijn eigen paniek. Het was door haar reactie dat de dood van zijn vader aankwam. Zou ze werkelijk nog hoop voor hem hebben gekoesterd? Hij had zich naar haar huis gehaast en trof haar aan terwijl ze voor zich uit zat te staren, de tranen maakten haar blouse nat en hij hield haar onhandig vast, hij verbeet zich omdat hij haar wilde zeggen wat een klootzak de oude was geweest, wetend dat dat het laatste was wat ze wilde horen.

Toen kwamen de telefoontjes. Van collega's, en uiteindelijk van Hennessey. Medeleven en sympathie alom. Dit zou geen familiebegrafenis worden. Dit zou een Fleet Streetwake worden. Het vooruitzicht had hem beangstigd.

Nu stond hij hier, aan de voet van het graf, en wierp zijn kluit aarde naar beneden. Hij hoorde de ellendige bons ervan op het hout, een klop op een deur die voor altijd gesloten was. De laatste keer dat hij zijn vader had gezien was tijdens een dronken ruzie in een restaurant. Het was niet iets om trots op te zijn. Hij keek omhoog naar de grijze lucht, effen en vormeloos, niet eens een sprankje zon verbergend. Het had de hele dag al gemiezerd en nu werd het heviger, het dwong de rouwenden dichter op elkaar te gaan staan en de priester om de laatste sacramenten sneller op te zeggen.

'Van stof zijt gij, en tot stof zult gij wederkeren...'

Danny had het gevoel alsof hij er niet aan deelnam. Lichaamloos. Alsof hij in een film speelde waarbij de regisseur elk moment '*cut*' zou schreeuwen. Zijn vader zou uit het graf opstaan en ze konden opnieuw beginnen.

Rachel was naast hem komen staan en stak haar arm in de zijne. Hij kneep in haar pols en ze glimlachte flauwtjes door haar betraande ogen heen. Hij wierp een blik op zijn moeder. Dit had haar meer kapotgemaakt dan de scheiding. Ze zag bleek en grauw. Een verschrompelde vrouw die naar de grond staarde en smeekte dat er een einde aan deze beproeving zou komen. Toen hij zijn arm om haar heen sloeg voelde ze zo licht en fragiel als lucht, als een geest. Hij had het gevoel dat ze zou breken als hij haar te stevig vasthield.

Toen was het voorbij. De rouwenden dropen een voor een af. Danny en Rachel stonden elk aan een kant van zijn moeder en ondersteunden haar bij het lopen van de begraafplaats in de richting van hun oude huis. De plek waar Danny was opgegroeid en waar de wake voor zijn vader werd gehouden.

Het was een drukke aangelegenheid, maar Danny hield zich afzijdig. Hij wist niet wat hij tegen Rachel moest zeggen. Ze had naar zijn gevoelens gevraagd maar hij was niet in staat ze te uiten, alsof er een soort dam in zijn hoofd was ontstaan waar ze niet doorheen kon komen. Toch was Danny bang dat er zich niet veel achter deze muur bevond; alleen maar leegte. Het ging beter als ze het over de praktische kant van de begrafenis hadden; het wie, wat en waar. Ze deelden een gezamenlijke taak en regelden de zaken. Maar hij wimpelde haar af wanneer ze over zijn gevoelens wilde praten. Tijdens de wake ging ze haar eigen gang en voegde zich bij een gemengd gezelschap van neven en vrienden.

Men kwam bij elkaar in de ruime zitkamer. Hij positioneerde zichzelf aan de kant, tevreden dat het feest zonder hem verliep. Maar zo simpel was het niet. Een stoet mensen schudde hem de hand en condoleerde hem. Redacteuren en columnisten, buitenlandcorrespondenten en oude vrienden, allemaal met een vriendelijk woord en een anekdote over de 'oude Harry'.

'Het was een goeie vent.'

'Je verveelde je nooit met hem.'

Terwijl de platitudes in het rond vlogen voelde hij woede opkomen. Alle anderen leken zo van streek, zo vol van dierbare herinneringen, zo vol lof over de oude. Zoals altijd voelde hij zich buitengesloten van zijn vaders leven. Diep van binnen wist hij dat dit egoïstisch was en dat hij nog steeds de waanzin van de laatste weken en Maria's dood aan het verwerken was. Maar hij kon het vuur dat in hem oplaaide niet stoppen. Hij sloot zich af als mensen hem aanspraken, hun woorden werden een vervormde brij alsof hij zijn hoofd onder water had. Hij was zich ervan bewust dat Rachel nu naast hem stond en hem met samengeknepen ogen aankeek, maar hij kon haar niet zien. Hij was slechts gefocust op een aanblik die hij nooit had verwacht te aanschouwen. Zijn moeder was druk in gesprek verwikkeld met een prachtige blonde vrouw. Het was zijn vaders minnares – zijn tweede vrouw – en de twee vrouwen hielden elkaar vast, pratend en huilend. Zijn moeder boog haar hoofd en de jongere vrouw streek haar over het haar terwijl ze met haar ogen knipperde om haar tranen te stoppen.

'Wat is ze verdomme met haar aan het doen?' siste Danny tegen Rachel. Een paar mensen hoorden zijn woorden en draaiden hun hoofd om. Rachel rukte aan zijn arm. Het was te hard geweest.

'Danny! Sssst,' zei ze.

De vrouw bracht hem tot razernij. De aanblik van zijn moeder en zijn vaders tweede vrouw die hun verdriet deelden verbijsterde hem.

'Dit is toch te gek voor woorden. Wat heeft die trut hier eigenlijk te zoeken?' De halve kamer moest het hebben gehoord. Zijn moeder keek ook op.

'Nu is het genoeg!' zei Rachel, en greep hem bij zijn arm. Een rij hoofden draaide zich hun kant op terwijl ze hem de motregen in trok.

'Wat is er met jou aan de hand?' barstte ze uit.

Hij was overdonderd. Was hij de enige die zag dat dit niet klopte?

'Die vrouw heeft het recht niet...' begon hij. Maar Rachel snoerde hem de mond.

'Hou je bek dicht, Danny,' zei ze. 'Hou je bek nu eens gewoon dicht. Deze dag gaat niet over jou.'

Haar woorden brachten hem abrupt tot zwijgen. Hij realiseerde zich dat de onderdrukte emoties in haar zaten, en niet in hem. En de dam was nu gebroken.

'Jij denkt dat alles om jou draait, hè? Je hebt niets gedaan aan je leven en iedereen die erin zit. Nou, andere mensen hebben ook gevoelens, Danny. Er zijn ook andere mensen die van je vader hielden.'

Ze keek hem aan, haar mond opende en sloot zich terwijl de woorden eruit stroomden. 'Ik hield echt van hem, Danny. En nu is hij weg. En ik ben niet de enige die zich zo voelt. Deze dag is ook voor ons. Dus als je hier liever niet wilt zijn, sodemieter dan alsjeblieft op. Wij hebben hier nog dingen te doen.'

Ze draaide zich resoluut om en liet hem achter in de regen. Toen stopte ze en keek om.

'Ik wilde je maandenlang terughebben, Danny. Maar je bent er gewoon niet meer. Ik wil mijn leven niet met een geest delen. Ik wil meer dan dat. Ik verdien meer dan dat.'

Ze liep terug naar binnen en Danny ging op een muurtje zitten. Hij moest weer controle over zijn leven zien te krijgen. Hij keek omhoog naar de hemel en voelde de regendruppels op zijn gezicht. God, laat deze dag voorbij zijn. Hij sloot zijn ogen en toen hij ze weer opende stond Hennessey voor hem.

'Danny,' zei hij. 'Dit is een trieste dag.' Hij ging naast hem zitten.

'Dank je,' zei Danny. 'Ik geloof dat ik het allemaal niet zo goed doe.'

Hennessey zou de scène in de kamer gezien moeten hebben. Hij keek bezorgd en bedachtzaam.

'Luister,' zei hij. 'Neem een paar weken vrij. Je hebt het nodig. Kom daarna terug en dan zien we wel waar we staan. Noem het stressverlof of zoiets.'

Danny knikte.

'Dank je,' fluisterde hij, en produceerde een flauwe glimlach. Hij nam aan dat Hennessey aardig probeerde te zijn en wilde helpen. Maar het klonk als de nekslag voor zijn carrière.

HIJ WANDELDE EEN uur lang door Oxford en negeerde de verblufte blikken terwijl hij over de natte straten van de buitenwijk liep. Hij liep door parken en over straten waaraan vertrouwde bezienswaardigheden uit zijn kindertijd lagen. Hij herinnerde zich hoe hij hier was opgegroeid, achter de meisjes aan had gezeten en een schoolkrant was begonnen. Toen hield ik nog van mijn vader, dacht hij. Pas toen hij volwassen was, toen hij de trotse bezitter van zijn eigen neuroses was geworden, was het mis gelopen. De wandeling herstelde zijn evenwicht en hij keerde kalmer naar het huis terug, met het gevoel dat Rachel hem voor een veel grotere publieke afgang had behoed. Hij wilde haar bedanken en haar zeggen dat ze gelijk had. Hij was een idioot geweest. Maar toen hij naar binnen liep zag hij dat de wake voorbij was. Rachel was al vertrokken en zijn moeder was druk bezig met de afwas. Zijn vaders tweede vrouw hielp haar en stond naast haar af te drogen. Ze werkten zwijgend, hij wilde ze niet storen.

Hij nam de trein naar Londen en liep naar huis. Pas toen

hij de halflege flat binnen liep begon hij zich te realiseren wat er gebeurd was, wat Rachel eigenlijk had gezegd. De meeste van haar kleren waren al weg. Haar toiletspullen waren weg. De foto's op de koelkast waren weg. Met een toenemende paniek toetste hij haar nummer in, maar haar mobiel stond uit. Hij liet zich op de bank vallen en nu, eindelijk, kwamen de tranen.

Ze had hem verlaten.

DANNY HAD HET gevoel dat hij gek werd. Het duurde drie dagen voordat Rachel haar mobiel weer aanzette en uiteindelijk zijn telefoontje beantwoordde. Haar stem klonk vastbesloten.

'Ik kon er niet meer tegen, Danny,' zei ze. 'Ik weet dat ik het op het slechtst mogelijke moment heb gedaan. Dat spijt me. Het spijt me echt, maar ik had geen keus.'

'Je hebt me verlaten op de begrafenis van mijn vader.' Hij lachte rauw, en klonk zowel vrolijk als bitter. 'Een slechter moment om iemand te dumpen valt moeilijk te bedenken.'

Rachel was niet in de stemming voor galgenhumor.

'Ik weet het, Danny. En ik ben er niet trots op. Maar misschien had ik dat nodig om me een duwtje in de rug te geven. God mag weten dat ik zoiets nodig had om verder te komen.'

Rachel had de beslissing alleen genomen en ze viel niet op andere gedachten te brengen.

'Luister, Danny. Ik zal niet het hele laten-we-vriendenblijven-verhaaltje afdraaien, hoewel ik hoop dat het zo zal gaan. Ik wil graag dat we vrienden zijn. Maar nu wil ik je een tijd niet meer spreken. Ik heb even een pauze nodig.' En ze voegde eraan toe: 'En die heb jij ook nodig. Het wordt tijd dat je voor jezelf gaat zorgen.'

Danny besloot een andere tactiek te volgen.

'En als ik dat doe?'

Er viel een stilte aan de andere kant van de lijn. Hij herhaalde het.

'Als ik de boel weer op orde heb, is er dan een kans dat het weer goed zal komen tussen ons?'

'Dat weet ik niet, Danny,' zei ze. Ze legde de hoorn erop.

Dat was vier dagen geleden en hij had niets meer van haar gehoord. Wat voor intenties hij ook had om de boel op orde te krijgen, nu hij geconfronteerd werd met haar stilte kwam er niets van terecht. Hij begon in zijn flat te drinken, hij vertrouwde zichzelf niet in het gezelschap van vrienden. Hij negeerde de oproepen op zijn mobiel en wilde alleen maar de naam Rachel op zijn scherm zien verschijnen. Dat gebeurde nooit, dus antwoordde hij niet. Hij verloor zijn eetlust en liet afhaalmaaltijden bezorgen die onaangeroerd werden weggegooid. Hij wist dat hij haar terugwilde, maar had geen idee hoe hij dat moest aanpakken.

En altijd was er een andere vrouw op de achtergrond: Maria. Zij was het die hij echt terugwilde, nog verder weg en onmogelijker dan Rachel. Het was Maria aan wie hij 's nachts dacht als hij in bed lag en zichzelf in slaap probeerde te drinken. Zijn enige gedachte was dat ze in haar laatste weken aan hem had gedacht en zich tot hem had gericht toen ze in de problemen zat. Hij had geprobeerd op haar hulpkreet te reageren, maar hij was te laat geweest.

Hij had niet weg moeten gaan. Hij herhaalde het als een mantra. Hij had niet weg moeten gaan. Naast de drank en de pillen was dit het enige wat hem in slaap kon brengen. De zoete, zachte zekerheid van berouw.

Het was zijn moeder die hem uit deze toestand probeerde te krijgen. Ze was onverwachts langsgekomen. Haar gezichtsuitdrukking toen ze hem zag, ongeschoren, nog steeds niet aangekleed terwijl het middag was, was genoeg om hem het schaamrood op de kaken te bezorgen. Ze keek angstig terwijl ze hem de woonkamer in duwde en begon op te ruimen.

Ze had Rachel gesproken.

'Luister, liefje,' zei ze. 'Ik denk dat ze wel weer terugkomt. Dit gaat allemaal om hoe je op je vaders dood reageerde. Dat gaat ze wel inzien.'

Maar Danny wist wel beter. Er was nog een andere dode in de kamer waar ze niets vanaf wist. De schaduw van een vrouw die hem meer achtervolgde dan de geest van zijn vader.

'Is er iets waar je over wil praten?' vroeg ze en reikte hem een dampende kop thee aan. Hij nam er een slokje van. Het was te zoet maar het smaakte goed.

'Ja,' zei hij. 'Op de begrafenis zat je met haar te praten. Met Janice. Waarom? Waarom wilde je haar niet gewoon de nek omdraaien?'

Ze zweeg en dacht na. Uiteindelijk sprak ze.

'Weet je, Danny. Dat wilde ik ook eerst. Ik bedoel, geloof me, tijdens de laatste paar jaar zijn er veel momenten geweest dat ik haar dood wenste. Ze heeft me alles ontnomen. Maar toen ik haar op de begrafenis zag realiseerde ik me iets. Weet je wat?'

Danny schudde zijn hoofd.

'Harry heeft van ons allebei weduwen gemaakt. Zij was de enige die wist hoe ik me voelde. Precies hoe ik me voelde. En dat deed jij zeker niet.'

Danny liet de beschuldiging voor wat hij was.

'Het spijt me, mam. Echt,' zei hij. Ze glimlachte, stond op en kuste hem boven op zijn hoofd. Het was een gevoel waarvan hij een moment doordrongen was. Moeders vergeven hun zonen altijd. Het voelde als een rots in een wereld die in puin uiteen was gevallen.

DANNY STAARDE NAAR zijn mobiel die afging. Het was niet Rachels nummer. Het kwam uit Sierra Leone, over een afstand die de halve planeet omvatte, en bereikte hem hier in zijn Londense flat. Hij kon het negeren, weggooien. Dit gedeelte van zijn leven en de wereld afkappen. Maar hij nam hem aan.

Het was Ali, hij klonk opgewonden.

'Danny! Ben jij dat?' zei hij. 'Ik heb nieuws voor je.'

Hij liet zich op de bank vallen. Hij voelde zich teruggezogen worden in de jungle van Sierra Leone. Hij kon de hitte al bijna op zijn huid voelen.

'Ali. Het is goed om je te horen. Hoe gaat het?' stamelde hij.

Ali's lach klonk door de verbinding heen.

'Ach, je kent het wel. Sommige dingen gaan goed, andere niet zo goed. En daarom bel ik je ook. Vanwege dat wat niet zo goed is.'

'Wat is het, Ali?'

Hij kon zich de Libanees voorstellen aan de andere kant van de verbinding, waarschijnlijk met een glas whisky in zijn hand, op zoek naar de juiste woorden.

'Ik heb de jongen, Danny. Of ik zal hem snel krijgen. Je moet terugkomen. Neem de eerstvolgende vlucht.'

Danny keek rond in zijn flat. Het zag er leeg en grijs uit.

'Wacht even, Ali. Welke jongen? Waar heb je het over?'

Ali begon opgewonden door de telefoon te praten en Danny moest hem vragen het rustig aan te doen en bij het begin te beginnen. Hij hoorde hoe Ali een flinke slok van iets nam. Ik wist het wel, dacht Danny.

'Het rapport dat Harvey je gaf heeft het over een overlevende van de bende die Maria overviel. Een jongen nog. Dat rapport zegt dat hij tegen de politie een verhaal ophing over Nigerianen en kindersmokkel. Zijn naam is... wacht even... jezus... Kam? De achternaam van die jongen?'

Hij hoorde het gedempte geluid van Kam op de achtergrond en Ali lachte.

'O ja, dat was het. Winston Fofanah. Verdomme, ik ben

hier geboren en getogen, maar ik krijg die namen nog steeds niet uit mijn bek. Hoe dan ook, de kleine Winston Fofanah kwam in de gevangenis terecht. In Bo. En nu heb ik hem.'

Danny was verbijsterd.

'Wat bedoel je, Ali?' vroeg hij.

'Luister, je moet Ali niet te veel vragen stellen. Je weet wie ik ben, Danny. Je weet in wat voor een wereld ik me beweeg. Ik ben door iemand genaaid in Bo. Ik heb het gevoel dat wat er met Maria is gebeurd er op de een of andere manier mee te maken heeft. Ik moet weten of ik met Nigerianen, Gbamanja of God mag weten wie te maken heb. Deze jongen zou daar wel eens het antwoord op kunnen hebben. Dus heb ik hem gekocht.'

'Wat?' zei Danny plompverloren. Ali lachte luchtig, alsof hij het over een nieuwe auto had.

'Ik moest hem hebben. Ik heb hem gekocht. Alles is te koop, Danny. En die jongen was niet goedkoop. Maar als je het geld hebt kun je een gevangene uitkopen. Het is geen sterrenkunde, Danny. Het is geldkunde. Binnenkort komen een paar mensen van mij hem brengen. Ze komen van Bo. Ik heb jouw kopie van het rapport nodig. Ik moet zijn verhaal controleren en ik denk dat jij dat ook wel wilt. Hij kan het antwoord op jouw en mijn problemen hebben, Danny.'

Danny hoorde zichzelf ademen. Hij stond op een kruispunt en hij wist dat het leven zoals hij het kende nooit meer hetzelfde zou zijn.

'Dat verhaal over Maria die samen met Nigerianen kinderen uit Sierra Leone zou smokkelen is bullshit, Danny. Jij weet het, ik weet het. Klinkklare onzin. De jongen is van Kakumbia. Hij is RUF'er. Een jongen van Gbamanja. Er is iets anders aan de hand. Jezus, Danny. Die jongen was erbij. Hij was erbij toen Maria werd vermoord.'

Danny voelde een steek in zijn buik. Als hij nog langer een keuze had, dan was hij zich er niet van bewust. Dit was nu het doel in zijn leven. Niet Rachel, niet zijn familie, niet zijn baan. Dit. Hij had Maria één keer verlaten en hij zou het niet nog eens doen.

Danny voelde een last van zich af vallen. De kamer leek lichter.

'Goed, Ali. Ik kom eraan,' zei hij en beëindigde het telefoongesprek.

Danny vroeg zich af of een zenuwinzinking aanvoelde als dit. Zo normaal. Zo schijnbaar logisch. Hij pakte de telefoon, belde zijn reisagent en vroeg haar de eerstvolgende vlucht te boeken.

'Wilt u dat op de rekening van de krant?' vroeg de vrouw.

'Het is een privéreis,' zei hij.

'En wilt u dat we een gids voor u regelen in Freetown?' vervolgde ze.

'Nee, ik red me wel,' zei Danny.

Kam zou hem opwachten.

13

DE ZEE BIJ Lumley Beach bestond uit slib en vuil, vastgehouden in een matrix van warm water die voelde alsof hij aan je huid zou blijven plakken. Er zouden haaien in dit West-Afrikaanse water zitten, enorme beesten die de inheemse bevolking uit de golven hielden. Maar Danny kon het zich niet voorstellen. Hij geloofde niet dat er iets kon leven in dit spul.

Maar het voelde goed om terug te zijn in Sierra Leone.

Danny probeerde een paar snelle slagen, worstelend in de stroperige branding. Maar het zoute water wist zijn keel binnen te dringen en hij hapte naar adem, om het vervolgens op te geven en op zijn rug te gaan drijven.

Kam zat op de rotsen boven het strand. Hij had hem op het vliegveld ontmoet en Danny wilde graag gaan zwemmen voordat ze Ali's huis zouden bezoeken. Hij wilde het vuil van de vlucht uit Londen van zijn huid schrobben. Misschien dat hij ook wel het gevoel van Engeland van zich af wilde schudden. Er was geen betere plek om dat te doen dan Lumley Beach en hij had zijn kleren als een oude huid van zich afgeworpen. Ze lagen op een hoopje in het witte zand en hij was erin gedoken.

Hij keek naar het vasteland en zag een jongen over het strand lopen die zijn voeten op de scheidslijn tussen het zand en de branding hield. Hij was klein, een kind nog en slechts gekleed in een haveloze korte broek waarvan de kleur lang geleden was vervangen door een vlekkerig grijs van zweet en vuil. De jongen zag hem in zee en stopte. Hij staarde Danny aan, tot het Danny was die wegkeek. Toen liep hij naar het hoopje kleren en ging er op zijn hurken naast zitten. Danny zwom terug en de jongen keek toe hoe hij eraan kwam.

Danny kwam druipend uit de branding tevoorschijn. Hij zag dat Kam de jongen nu had opgemerkt. Hij herinnerde zich Kams meedogenloze houding tegenover jonge dieven en hij stak een hand op in de richting van de Senegalees om hem te laten zien dat alles oké was. Kam ging weer zitten, maar verloor de jongen geen moment uit het oog. Danny maakte zich er geen zorgen om. Er was iets vreedzaams aan de houding van de jongen, hij was volkomen kalm en wachtte Danny op. Hij had niet het idee dat deze jongen hem zou beroven.

Hij liep naar voren. De jongen bewoog zich niet. Hij was zelfs kleiner dan hij eerst had geleken, en kon niet ouder dan acht jaar zijn.

Danny pakte zijn broek van de stapel kleren en trok hem aan.

'Hallo,' zei hij. De jongen staarde hem alleen maar aan.

'Hoe heet je?'

Er kwam nog steeds geen antwoord.

Danny knielde neer. Het gezicht van de jongen was vuil, er liep snot uit zijn neus en zijn lippen waren bedekt met zweren. Een van zijn ogen was rood en betraand. Het moest ongelofelijk pijn doen. Danny betwijfelde of hij ermee kon zien.

'Praat je niet?' zei Danny.

De jongen wreef in zijn oog.

'Wie ben je, blanke man?' vroeg hij. Hij had een zwaar accent.

Danny was van zijn stuk gebracht. Hij wist niet wat te antwoorden op zo'n bizarre vraag.

'Wie ben je?' zei hij weer en kneep in de huid van zijn arm, als een dokter die een exemplaar onderzoekt. Zijn aanraking was koud en klam.

De jongen keek hem aan, rustig en onbewegelijk. Toen werden ze opgeschrikt door een regen van kiezelsteentjes. Kam had zijn instincten gevolgd en kwam de rots afgestormd. De jongen keek nog een keer naar Danny met dat kapotte, blinde oog en rende vervolgens weg over het strand. Kam arriveerde buiten adem en gooide hem nog een steen achterna.

'Je moet niet met dat soort kinderen praten, mijnheer Danny. Ze hebben messen bij zich, en nog veel meer. Ze zullen je bestelen,' zei hij.

Danny was niet boos of bang. Hij was ontredderd. De jongen leek zo rustig, op een vreemde manier. Misschien dat hij high was, dat zou veel van zijn verschijning verklaren. Maar zijn vraag – 'Wie ben je, blanke man?' – had er bij hem ingehakt. De jongen was nu een klein stipje dat nog steeds over het strand rende. 'Wie ik ben? Ik heb geen flauw idee,' antwoordde Danny in zichzelf.

ALI BEGROETTE HEM met een stevige omhelzing en schonk hem een royaal glas whisky in. Danny zakte weg in de kussens van de stoel, de alcohol activeerde hem en maakte hem wakker van binnen.

'Ik wist dat je terug zou komen, Danny,' zei Ali, en schonk hem nog eens bij. 'Nu kun je hier niet meer wegblijven.'

Danny leunde achterover en bekeek Ali. Zo levendig en koortsachtig had hij hem nooit eerder gezien. Danny gaf hem de kopie van Harvey's rapport. Het had aardig wat volume, maar Ali stortte zich er nu op en las het politierapport en het verhaal dat Winston Fofanah had verteld over de Nigeriaanse smokkelbende. Hij las Harvey's aanbevelingen, en zijn verzoek de zaak stil te houden en niet meer om te kijken. Toen hij bij Maria's autopsie was aanbeland stopte hij en sloeg zwijgend de bladzijden om. Hij had geen zin in om zoiets te lezen en het was ook niet nodig. Danny voelde dat hij wist wat het belangrijkste was.

'Gewoon een gedachte nadat ik dit voor de eerste keer heb gelezen. Die Harvey deugt voor geen meter,' zei hij. 'Weet je hoe ik dat weet?'

Danny haalde zijn schouders op. Hij wilde niets over Harvey horen.

'Wat Maria ook aan het doen was, waar ze ook bij betrokken was geraakt daar, Harvey bevond zich aan haar zijde. Hij zat ook tot over zijn oren in de shit. Het is niet zo dat hij alleen maar Maria's nagedachtenis wil eerbiedigen, zoals hij je zei. Hij probeert zijn eigen hachje te redden.'

'Wat?' fluisterde Danny. 'Waar heb je het over?'

'Kijk, er is maar één hotel in Bo. Dat is waar alles gebeurt. Als je zaken wil doen, dan logeer je daar. Man, het is waar ik logeer. Ik ken de eigenaar, een geslepen oude sikh. Hij houdt een nauwkeurig logboek bij van de mensen die er komen. Natuurlijk gebruikt niemand zijn eigen naam. Maar toch houdt hij het bij. Ik stop hem wat geld toe en ik mag het even inkijken. Twee namen springen het afgelopen jaar in het oog. Twee blanke namen. Harry Johnson en Mary Hernandez. Ze komen altijd samen en delen dezelfde kamer. Ik vraag hem hoe ze eruitzien. Hij beschrijft ze en zegt dat ze nu niet meer komen.'

'Maria en Harvey?'

'Kan niet anders.'

Danny begreep het niet meer. Waarom gingen Maria en Harvey samen naar Bo? Hij voelde een steek van jaloezie. Die leugenachtige klootzak had met haar geslapen. Die eikel. Maar het verklaarde niet waarom ze er waren.

'Hoe zit het dan met die kindersmokkel? Misschien dat ze er daarom waren.'

Ali zette zijn whiskyglas met een klap op tafel.

'Weet je, ik denk dat dat Nigeriaanse gedoe volslagen onzin is. Dit gaat over Bo. Dit is waarom niemand in de diamantwereld me nog wil spreken. Dit is waarom iedereen – iedereen! – die Ali Alhoun kent te bang is om zelfs maar iets met me te gaan drinken. Dit gaat over de geruchten dat wie in Bo rondneust de stad halsoverkop verlaat of op het kerkhof eindigt. Dit is waarom de mensen daar denken dat een blanke vrouw het al met de dood heeft moeten bekopen.'

Ali zweeg en haalde adem voor een laatste mededeling.

'Dit gaat erover dat je je niet door een klootzak moet laten intimideren.'

En, dit gaat over jou, Ali, dacht Danny.

Ali keek Danny tijdens deze korte toespraak niet aan. Hij had uit het raam gekeken en zijn woorden gericht tot een wereld die niet luisterde. Hij had het over zijn leven hier, zijn jaren van inspanning, van het overleven tegen alle verwachtingen in en het moeizaam verwerven van rijkdom voor zichzelf en zijn familie. Dat alles werd hem afgenomen nu het land weer in vrede leefde. Ali zweeg nu en zocht naar een antwoord in de nacht.

'Waar is het kind dat je hebt gekocht? Waar is Winston Fofanah?'

Ali keek hem aan en glimlachte flauwtjes.

'Hij zal hier snel zijn. Ik heb geregeld dat hij vanavond wordt gebracht.'

Hij zweeg een moment.

'Weet je, dat rapport vertelt niet wat er is gebeurd toen ze haar vermoordden. Er staat niet wie het heeft gedaan. Wie er heeft geschoten. Onze jongen was erbij...' Hij hoefde niets meer te zeggen, dit was waar Danny aan gedacht had sinds Ali hem de eerste keer had gebeld over de jongen.

'Hij kan haar gedood hebben, Danny,' zei Ali.

Hij kan haar ook verkracht hebben, dacht Danny. Het

leek hem bijna onwerkelijk, het idee oog in oog te zullen staan met iemand die erbij was geweest. En het was een kind, nog maar vijftien jaar oud. Hij was waarschijnlijk bij het RUF zolang hij zich kon herinneren. Voor het doden van Maria zou hij zijn hand niet hebben omgedraaid, het was gewoon een van de talloze wreedheden.

'Danny,' zei Ali. 'Wat deze jongen betreft, als dit allemaal voorbij is... als we het hebben uitgespeeld... dan hoef je het maar te zeggen en ik regel het voor je.'

Ali keek onverbiddelijk. Danny kromp ineen bij het idee en schudde heftig zijn hoofd. Hij wist dat Ali meende wat hij zei. Hij zou hem doden als Danny het zei.

'Nee, Ali. Nee,' zei Danny.

Maar de gedachte had zich gevormd. Hij stond op en liep de keuken in. Hij boog zich over het aanrecht, draaide de kraan open en gooide het lauwe water in zijn gezicht. Zijn hart bonsde in zijn borst. Hij had geen idee wat er vanavond in de villa zou worden afgeleverd. Een kind. Een moordenaar. Een slachtoffer. Een monster. En zijn leven lag in Danny's handen. Hij kon wraak nemen, als hij dat wilde. Hij gooide nog meer water in zijn gezicht, hij was nog niet genoeg afgekoeld. Hij greep het aanrecht vast en probeerde zijn evenwicht te hervinden, hij moest de paniek overwinnen. Ali volgde hem met een bezorgde blik toen hij weer binnenkwam.

'Hé, rustig aan, man,' zei hij. 'Ik gaf je alleen maar de keuze. Ik regel het wel.'

Hij wilde nog iets zeggen toen er een schreeuw van een van de bewakers klonk. Ali's aankoop was gearriveerd.

De mannen die Winston Fofanah de villa in brachten waren vrolijk en joviaal. Ze waren met zijn drieën en kwamen naar binnen alsof ze naar een feest gingen. Ze droegen vrijetijdskleding en opvallende juwelen. Ali omhelsde ze ieder op hun beurt en ze klopten hem op zijn rug. Maar Danny keek niet naar de mannen. Het was de kleine gestalte tussen hen in.

Winston Fofanah.

Danny wist dat de jongen vijftien was, maar hij leek zelfs jonger. Hij was broodmager en gekleed in gescheurde grijze kleren. Ongetwijfeld dezelfde kleren die hij in de gevangenis had gedragen. Misschien wel dezelfde kleren die hij had gedragen sinds Maria stierf. Zijn handen waren strak achter zijn rug gebonden, waardoor zijn armen bijna verdwenen waren en zijn borst vooruit stond, zodat zijn ribben er nog meer uitstaken dan ze toch al zouden hebben gedaan. Zijn gezicht was vuil. Hij staarde voor zich uit, zijn ogen bewogen niet eens van links naar rechts om de omgeving op te nemen.

Ali keek hem recht aan. Hij nam zijn kin in zijn hand en monsterde hem alsof hij een paard aan het kopen was. Het kind gaf geen krimp. Wat hij ook zag in de verte, niemand in de kamer zou het ooit kunnen zien.

'Hij kan praten, ja?' vroeg Ali. Een van de mannen lachte en knikte. 'Jawel, hoor,' zei hij.

Ali stond op en deed de mannen uitgeleide. Danny realiseerde zich opeens dat hij alleen was met Winston. Hij deinsde terug in zijn stoel. Het kind zag hem niet eens. Hij is al dood, dacht Danny. Hij is al jaren dood. Sinds ze hem de eerste keer hebben meegenomen. Vol afgrijzen bekeek Danny hem, hij wilde de kamer uit en wegrennen van deze plek. Hij begon aanstalten te maken, maar Ali kwam weer binnen. Hij was met Kam, die een kom maispap bij zich had. De Senegalees bekeek de jongen vol walging en bleef zo ver mogelijk uit zijn buurt.

'Geef hem te eten, Kam. Ik wed dat die eikels die hem gebracht hebben daar sinds Bo niet meer aan hebben gedacht,' zei Ali.

Kam wierp Ali een blik toe waar pure woede uit sprak.

Hij haatte het om hier te zijn, om te moeten doen wat Ali hem vroeg. Kams visie op dit soort kinderen was darwinistisch: roei ze uit of ze keren zich tegen je. Kam liep zwaar ademend op het kind af. Hij schepte een lepel pap op en hield die de jongen voor. Winston deed een moment lang niets, maar toen slurpte hij het voedsel gulzig naar binnen. Hij was uitgehongerd.

Ali knielde weer voor hem neer.

'Weet je waarom je hier bent?' vroeg hij. Winston vertrok geen spier, liet niet merken dat hij het had gehoord. Ali zweeg een moment, overdacht zijn strategie, en begon toen weer te spreken.

'Winston, je bent hier omdat je voor mij van waarde bent. Van genoeg waarde om je te kopen. Omdat ik denk dat je dingen weet. Jij hebt informatie die ik graag wil horen.'

Hij zweeg en keek weer naar de jongen.

'Als je me die informatie niet geeft, dan heb je voor mij geen waarde meer. Je zal waardeloos zijn. En weet je wat ik dan doe? Dan gooi ik je weg.'

De strekking was duidelijk. Voor de eerste keer richtte de jongen zijn ogen op de mensen die bij hem in de kamer waren. Ze schoten alle kanten op en zijn neusvleugels trilden toen hij snel begon te ademen. Hij sprak langzaam en met een zwaar accent, nauwelijks verstaanbaar.

'Wat wil je van me?' vroeg hij.

Ali glimlachte. Er was overeenstemming bereikt. Hij begon vragen te stellen en Winston beantwoordde ze nors, maar bereidwillig. Soms in het Engels en soms, met Kams onwillige hulp, in het Krio. Hij sprak nooit meer dan een zin of twee per keer. Hij wist niets van Nigerianen. 'Mannen komen. RUF-mannen. Mijn broeders uit de jungle. Ze nemen me mee uit het kamp waar ik was. Ze nemen anderen mee. Ze zeggen, wacht hier. Op deze plek. Wacht op blauwe auto. Blanke mensen.'

En dat was dat. Ze hadden hun werk gedaan: doden. Toen werden ze zelf aangevallen, neergeschoten en vastgezet. Hij wist niets van kindersmokkel. Of Nigerianen.

Dat toonde op zich niet aan dat er geen Nigerianen bij betrokken waren, maar wel dat Harvey had gelogen. 'Fofanah? Is dat geen naam uit Kakumbia?' vroeg Ali. Stilte. 'Kom je uit Kakumbia?'

Winston knikte.

'Gbamanja komt uit Kakumbia.'

Winston verstijfde zichtbaar bij het noemen van de naam.

'Mosquito is mijn generaal. Ik vecht voor hem.'

'En nu? Wanneer heb je hem voor het laatst gezien?'

Het was het enige moment waarop er enige emotie van Winstons gezicht viel af te lezen. Zijn mond viel open.

'Niet sinds ik het kamp ben ingegaan. Niet sinds twee jaar.'

'Wie heeft je er dan uit gehaald?'

'Mijn baas. Mijn bevelhebber. Kafume.'

Kam richtte zich tot Ali.

'Dat is ook een naam uit Kakumbia.'

Ali ging zitten. Hij was uitgeput.

'Breng hem naar de kelder, Kam. Geef hem voedsel en geef hem water. Maar houd zijn armen vastgebonden.'

Als een geslagen hond liep de jongen achter Kam de deur uit. Toen hij weg was leek de kamer weer lichter, alsof Winston de schaduw van de jungle aantrok. Danny en Ali zaten in stilte tot de laatste sprak.

'Ik moet terug naar Bo. Er zijn daar geen Nigerianen waar ik bang voor hoef te zijn. Gewoon dezelfde Sierra Leoonse klootzakken. We moeten die Kafume vinden. Ga je mee?'

Danny antwoordde niet meteen. Zijn gedachten waren niet bij Maria's dood. Ze waren bij haar leven. Hij vroeg zich af wie ze werkelijk was.

'Eerst wil ik Harvey spreken,' zei hij.

HARVEY KON ZIJN verrassing niet verbergen toen hij Danny de volgende ochtend zijn werkkamer binnen zag lopen. Er was even een schok zichtbaar voordat er een geïrriteerde uitdrukking op zijn gezicht verscheen.

'Ik had niet verwacht jou hier terug te zien,' zei hij. Zijn stem klonk afgewogen en kalm.

'Wat kan ik voor je doen?'

Danny haalde zijn schouders op.

'Ik ben bang dat er niet veel veranderd is. Ik ben nog steeds Maria Tirado's dood aan het onderzoeken.'

Harvey schudde zijn hoofd.

'Danny, ik heb geprobeerd te helpen. Ik had je dat rapport niet moeten geven. Het was vertrouwelijk, maar jij scheen zo'n behoefte te hebben de waarheid te horen, dus overtrad ik een paar regels... Ik dacht dat dat genoeg zou zijn.'

'Je hebt er iets uitgelaten,' snauwde Danny.

Harvey vertrok geen spier toen hij de verandering in Danny's toon hoorde.

'En wat was dat?' vroeg hij.

'Jij en Maria.'

Harvey's gezicht was een masker. Het enige geluid dat klonk was het getrommel van Harvey's vingers op het bureau. Danny voelde jaloezie in zich opkomen. Hoe kon ze iets gevoeld hebben voor deze man, deze opgedirkte diplomaat in zijn witte pak. Maar er zat iets hards achter Harvey's waterige blik. Als die bekende glimlach wegviel kwam er iets keihards tevoorschijn.

'Je weet niet waarover je praat, mijnheer Kellerman,' zei Harvey rustig. 'Wat er ook tussen Maria en mij was is niet relevant. De feiten blijven hetzelfde.'

'Je reisde naar Bo met haar. Je hielp haar met de dingen waar ze mee bezig was...'

Zijn stem klonk gekweld.

'Je hebt met haar geslapen, Harvey. Je hebt haar geneukt. Jullie logeerden verdomme in dezelfde hotelkamer.'

Harvey stond op en liep naar de deur. Hij hield hem open.

'Ik heb alles voor je gedaan wat ik kon doen,' zei hij. Er volgde deze keer geen aanbod voor een tour door Freetown. Geen toespraak over de geboorte van een nieuwe natie en een tijd van nieuwe kansen. Danny liep naar buiten, maar terwijl hij dat deed boog Harvey zich naar hem toe.

'Ga naar huis, mijnheer Kellerman. Ga naar huis.'

Er klonk onmiskenbaar woede door in zijn stem. Hij had gelijk. Harvey en Maria waren samen geweest. Maar ze had zich niet tot hem gewend toen ze in de problemen raakte. Ze was naar Danny gegaan. Harvey en hij waren geen rivalen in de liefde. Danny had die strijd gewonnen toen ze hem de brief schreef. Misschien dat Harvey hem daarom weg wilde hebben. Ze had voor Danny gekozen.

TOEN DANNY TERUGKEERDE in Ali's villa was het duidelijk dat Winston hem niets nieuws had verteld. Ze hadden de jongen weer eten gegeven en hem wat slecht passende nieuwe kleren aangetrokken. Maar er was hetzelfde verhaal uitgekomen. Winston was zich er in het geheel niet bewust van wat hij had gedaan, en niet in staat om de moraal ervan te bevatten. Zijn enige loyaliteit lag bij zijn 'broeders in de jungle'. Bij hen die hadden gedaan wat hij had gedaan. Die wisten wat hij wist.

Het was alles wat hij had.

'We vertrekken morgen naar Bo,' zei Ali toen Danny binnenkwam.

'En Winston?'

Ali haalde zijn schouders op.

'Dood hem niet, Ali,' zei Danny.

'Kom op, Danny. Wie denk je dat ik ben?'

Deze zin bevestigde op zichzelf al genoeg. Hij wist wie Ali

was. Hij was zijn vriend. Hij hield van hem. Maar hij zou Winston doden zoals je een kakkerlak plat trapt. Danny wist niet waarom het hem zoveel kon schelen. Dat kleine monster had Maria gedood, of erbij geholpen. Maar hij zou hier niet aan toegeven.

'Misschien dat hij weet wat Maria en Harvey daar uitvoerden.'

Ali schudde zijn hoofd.

'Hij weet niets. Of hij is te ver heen om het te begrijpen. Hij wist niet eens dat het Maria was die hij doodde. Gewoon een blanke vrouw in een auto.'

Danny huiverde. Gewoon een blanke vrouw in een auto. Zijn Maria, afgeslacht als een dier op de markt. Hij dacht er een moment aan hoe Ali een kogel door Winstons hoofd zou jagen. In de kelder. Een snelle knal, een geluid dat opgevangen zou worden door de dikke muren en de donkere aarde. Het voelde warm en goed.

Hij liep naar buiten en stond op de veranda. Ali volgde hem, en zo stonden ze daar zwijgend. Freetown spreidde zich onder hen uit als een blokkendoos die door een kind is omgekieperd, een en al chaos. Danny probeerde zich zijn flat in Londen voor te stellen, zijn oude leven met Rachel. Zijn vader. Maar het was alsof deze herinneringen aan iemand anders toebehoorden. Hij kon niet verder denken dan hier en nu. Hij kon niet terugkijken en kon nauwelijks zien wat er voor hem lag.

Hij schrok van de claxon van een auto. Het was Kam in zijn Mercedes. Er zat iemand achterin. Hij herkende de lange dreadlocks van Bankelo Conteh. De Hond, die hem naar Maria's collega had gebracht, de oude vrouw die haar bezittingen had bewaard tot ze deze aan Danny kon geven. Kam wenkte hem naar beneden. Toen hij er was begroette Conteh hem met een hoofdknik.

'Stap in. Rose wil je zien,' zei hij botweg en ietwat verbolgen. Toen zag hij Ali ook en er verscheen een frons op zijn gezicht.

Ali sprak voordat hij nog iets kon zeggen.

'Danny's zaken zijn mijn zaken,' zei hij. Het was een verklaring die geen discussie duldde. Ali kwam ook mee.

HET VERBAASDE DANNY dat Kam zonder aanwijzingen van Conteh de weg naar Rose's smerige hut terug wist te vinden. Maar Kam had het geheugen van een bloedhond als het om de sloppenwijken van Freetown ging. Wat voor Danny gewoon een volgend rommelig stuk golfplaten hutten leek was voor Kam een buurt met eigen verhalen en karakters. Hij stuurde Ali's SUV over de paden vol kuilen tot ze voor haar hut stopten. Conteh duwde het stuk plastic dat als deur dienstdeed opzij en kuchte.

Danny knipperde met zijn ogen om te wennen aan de duisternis en zag dat Rose op hem wachtte. Ze leek nog magerder dan een paar weken geleden. Voor de eerste keer realiseerde Danny zich wat al lang duidelijk was. Ze was stervende. Ze teerde weg, vervaagde tot er binnenkort niets over zou zijn, tot ze tot stof zou zijn vergaan. Ze zat achter een tafel, de handen samengevouwen in wat hem een gebed leek, en wiegde traag heen en weer. Ze opende langzaam haar ogen.

'Zuster,' zei Danny en liep naar voren om aan haar voeten te gaan zitten.

'Zuster,' herhaalde hij. 'Hier ben ik weer.'

Ze stak haar hand uit en liet haar vingers over zijn gezicht gaan. Haar aanraking voelde leerachtig en haar handen gingen zijn gelaatstrekken na alsof ze een blinde vrouw was. Maar hij keek in haar ogen en merkte dat ze hem duidelijk zag.

'Ik had het je moeten zeggen toen je hier de eerste keer kwam. Ik was bang, dus ik zweeg erover. Maar nu hoor ik dingen. Dingen die mensen over Maria zeggen en waarvan ik weet dat ze niet waar zijn.'

Haar stem was krachtiger dan de eerste keer dat ze elkaar ontmoetten, alsof haar geest aan kracht won terwijl haar lichaam het op begon te geven.

'Ik weet het, zuster,' zei Danny. 'Er zijn veel mensen die leugens over Maria verspreiden. Ze zeggen dat ze weeskinderen smokkelde. Dat ze zich had ingelaten met slechte mannen uit Nigeria.'

Rose liet haar hand zakken.

'Het zijn leugens,' zei ze. 'Maria vertelde me dat ze je ging schrijven. Ze ging je om hulp vragen.'

Danny knikte.

'Dat is de reden waarom ik hier ben gekomen,' zei hij, en hij haalde Maria's brief tevoorschijn. Hij legde hem voor haar neer. Ze pakte hem op en hield hem voor haar gezicht. Ze snoof de geur ervan op. Natuurlijk, dacht hij. Ze kan niet lezen. Maar de glimlach die op haar gezicht verscheen zei dat ze Maria er ergens in kon voelen.

'Ze wist dat je zou komen. Maar het was allemaal te laat.'

Toen keek ze hem aan.

'Maria was een verzamelaar van verhalen,' zei ze. 'Voordat de oorlog kwam was er in mijn dorp een oude vrouw die onze verhalen verzamelde, op die manier eerde ze degenen die niet meer onder ons waren. Maria deed dit nu voor ons. Ze verzamelde verhalen uit de oorlogstijd. Ze probeerde de doden te eren.'

Danny verwerkte de informatie. Het verwarde hem. Maar Ali wist wat ze bedoelde. Danny hoorde hem zachtjes vloeken.

'Bewijsmateriaal,' zei hij. 'Bewijsmateriaal van oorlogsmisdaden.'

Danny keek weer naar Rose. 'Wat voor soort verhalen?' vroeg hij.

'Maria wilde dat het land het niet zou vergeten. Ze wilde niet dat de mannen die ons zoveel ellende hadden gebracht rijk zouden worden. Ze zag ze vet als varkens worden dankzij de diamantmijnen. Dat vond ze fout. Dus ze begon verhalen te verzamelen die ze opschreef en in een kleine blauwe map bewaarde. Haar Bijbel, zo noemde ze hem. Die map was haar waarheid en geloofsbelijdenis. Ze bewaarde hem veilig en droeg hem met zich mee zoals ik dat doe met dit heilige boek.'

Rose pakte het gebedenboek dat voor haar lag van tafel.

'Zij en die ander reisden samen. Zij en Harvey verzamelden de verhalen, en die schreef ze later op in haar map. Volgens mij was het vanwege die map dat mensen kwaad op haar werden. Ze hebben haar gedood. Nu denk ik dat Maria die verhalen niet had moeten verzamelen. Ze had de doden dood moeten laten. En de slechte mannen dik en rijk moeten laten worden...'

Ze snikte hard en bitter. Het was zo'n heftig geluid uit dat broze lichaam dat Danny huiverde.

'Je moet weten, toen ik hier in Freetown aankwam had ik niets anders dan mijn eigen verhaal. Ik vertelde haar mijn verhaal en vanaf die dag veranderde ze.'

Rose staarde in een lang vervlogen verte. Haar ogen zagen haar eigen verleden, een vergeten hut in een dorp, een leven tussen velden en boerderijen.

'Eens had ik zes kinderen,' zei ze. 'Ik woonde in een dorp in het noorden, in het district van de Kakumbia. We zijn vreedzame mensen en willen alleen maar met rust worden gelaten. Op een dag kwam het RUF. We gaven ze voedsel. Maar ze kwamen weer terug en elke dag hadden we minder te geven. Tot we op een dag niets meer hadden. Ze kwamen op die dag met hun Grote Man erbij. Hij schreeuwde en brulde, maar we hadden niets. Hij zei dat we hun iets moesten geven. Ze liepen mijn huis in en namen de kinderen mee naar buiten. Ze zeiden: "Mama, je hebt vijf kinderen te veel. Kies er een en wij nemen de rest." Ik smeekte ze. Maar ze waren onverbiddelijk. Ik dacht dat ze mijn kinderen wilden ontvoeren, ze mee wilden nemen, dus ik koos de jongste. Hij was de kleinste. Hij zou het niet redden bij hen. Ik koos hem om bij me te blijven, maar ik had het niet begrepen. Ze namen ons mee naar buiten en bonden de anderen vast. En ze gaven mijn jongste een machete...'

Danny voelde zich misselijk. Hij wist wat er zou komen. Rose leek bijna in trance. Haar stem was een zacht gegons en hij moest moeite doen om het te horen.

'Hij probeerde te vechten, maar ze dwongen hem. Ze lieten hem zien hoe het moest met mijn oudste jongen. Ze sloegen hem tegen de grond en ze lieten hem de rest doen. Anders zouden ze hem zeggen mij te doden...'

Haar stem brak nu.

'Hij was zo dapper. Mijn kleine jongen. Maar daarna konden we niet meer blijven en hij kon niet meer blijven. Ze namen hem mee en maakten hem tot een van hen, en toen mijn man thuiskwam sloeg hij me en stuurde me in schande weg. Het was Maria die me vond. Ze gaf me werk, ze gaf me een nieuw leven.'

'De Grote Man, Rose? Wie was de Grote Man die erbij was toen je kinderen werden gedood?'

Danny had het gevoel dat hij het antwoord al wist. De puzzelstukjes vielen op hun plaats.

'Gbamanja,' zei ze. 'Generaal Mosquito.'

Het was genoeg. Hij wist wat Maria gedaan had. Ze had het verhaal van Rose gehoord en het niet meer kunnen verdragen. Ze had in de verledens van al deze nieuwe machthebbers zitten graven, waaronder dat van Gbamanja. Hij kon haar woede over zijn politieke carrière bijna voelen. Haar verontwaardiging over het feit dat de man die het gezin van haar vriendin had afgeslacht een minister in de regering zou worden. Een minister die nu zijn zinnen had gezet op de rijkste diamantmijnen van het land. Het was persoonlijk geweest voor haar. Ze zou het er niet bij laten zitten. Ze had bewijsmateriaal verzameld en het bewaard in de blauwe map. Ze had gewacht op het moment dat ze het kon gebruiken om Gbamanja ten val te brengen.

Hij legde zijn hoofd in zijn handen. Hoe had ze Harvey zo ver gekregen haar te helpen? Had ze de onnozele gek verleid om met haar mee te doen? Hij moest bang zijn geworden, of haar verlaten hebben terwijl ze hem nodig had. Daarom was hij met dat onzinnige verhaal op de proppen gekomen dat ze kinderen het land uit smokkelde. Harvey had ervoor gekozen liever buiten schot te blijven dan haar werk voort te zetten. Danny voelde het binnenin koken, maar bedaarde al snel. Harvey had misschien zijn carrière op het spel gezet om Maria te helpen. Toen was hij er niet meer tegen opgewassen en had haar laten vallen.

Hij voelde Rose's hand op zijn schouder.

'Dat monster Gbamanja nam mijn kind mee. Hij liet hem zijn broers doden en toen nam hij mijn kleine Winston mee.'

Het voelde alsof iemand Danny knock-out sloeg. Winston? Hij stond op, maar Ali reageerde nog sneller. Hij greep Danny bij zijn schouders en duwde hem de kamer uit.

'We moeten gaan,' siste hij. Danny schudde zich los, maar Ali klemde zijn hand om zijn mond.

'We moeten gaan,' herhaalde hij. Er viel niet te tornen aan zijn woorden, hij klonk vastbesloten en meedogenloos. Danny liet zich de auto in duwen, maar ze wisten allebei de waarheid. Rose's verloren zoon had geholpen bij de moord op Maria. Rose's verloren zoon lag in de duisternis van Ali's kelder.

14

PAS TOEN ZE terugwaren in de villa spraken ze eindelijk. 'We hebben haar kind. We moeten hem laten gaan. Hem aan haar teruggeven,' zei Danny.

'Vanwege Rose is Maria aan dat dossier begonnen. Wat er met haar gezin is gebeurd heeft ervoor gezorgd dat ze bewijsmateriaal tegen mensen als Gbamanja is gaan verzamelen. Iets daarvan kunnen we rechtzetten.'

Ali lachte wrang terwijl hij door zijn voorkamer ijsbeerde.

'En kijk wat er met haar gebeurd is, Danny. Ze is dood.'

Het was een harde constatering. Gewoon een simpele waarheid: oorzaak en gevolg.

'We moeten Winston teruggeven,' herhaalde Danny bijna smekend.

Ali stak een vinger in Danny's richting.

'Nee, Danny. Wij hebben haar kind niet. Ik heb haar kind. Ik heb voor hem betaald. We weten niet eens wat er in Maria's dossier staat. Dingen over Gbamanja, dingen over iedereen. Gevaarlijk materiaal. Kleine Winston vormt een schakel tussen al deze dingen. We hebben met hem een troef in handen. We kunnen hem niet zomaar laten gaan.'

Danny wist dat Ali zo zou reageren. Hij was gevormd door dit land, gevormd door dat wat hij had gedaan en wat hij van plan was te doen.

'Het gaat om je troefkaart. Het gaat erom dat we het goed uitspelen.'

'Hou toch op, man,' schreeuwde Danny. 'Het gaat erom dat we het kind van die arme vrouw hebben. Het gaat om goed en slecht.'

Dat was genoeg om Ali te laten exploderen. Hij gooide zijn armen in de lucht en stootte een oerkreet uit. Danny werd bleek toen Ali zijn gezicht recht voor het zijne hield.

'Goed en slecht? Je kunt het je hier niet permitteren om het over goed en slecht te hebben. Je weet wat die knul heeft gedaan. Hij heeft zijn hele familie afgeslacht. God mag weten hoeveel anderen hij niet om zeep heeft geholpen. Jezus, Danny, hij heeft Maria vermoord. Dit heeft allemaal niets met goed of slecht te maken. Goed of slecht is irrelevant. Het gaat hier om overleven.'

Danny dwong zichzelf iets te zeggen. Hij zou niet buigen voor Ali's woede.

'Onzin. Het gaat jou niet alleen maar om overleven. Het gaat er ook om dat jij er als beste uitkomt.'

'Wat?'

'Je had het zo kunnen laten, Ali. Je had niet terug naar Bo hoeven te gaan. Je had gewoon al je geld kunnen innen. Maar dat kun je niet. Je bent niet zomaar een overlever, Ali. Je wilt de rest voor zijn. Jij wilt winnen en daar heb je alles voor over.'

Ali was stil. Toen lachte hij.

'Weet je,' zei hij zacht, 'daar heb je me. Ik weet nog de eerste keer dat ik je tegenkwam op die helikoptervlucht van Lunghi. Je zag eruit als een toerist. Maar nu, Danny Kellerman, kan ik met trots zeggen dat je wel iets van hier hebt gekregen. Je hebt nu wel Freetown-bloed in je.'

Danny kon Ali wel haten op dit moment. En Ali had het bij het verkeerde eind. Er was een moment geweest waarop Danny de jongen dood wilde, maar dat was voorbijgegaan. Nu hij wist wie Winston was voelde hij slechts medelijden. Hij wilde niet dat Ali hem gebruikte.

'We kunnen hem niet meenemen naar Bo,' zei hij. 'We moeten hem laten gaan.'

'Zeg niet "moeten" tegen me,' antwoordde Ali. 'Dat recht heb je niet. Uiteindelijk zijn we allemaal vervangbaar. Jij, ik en zeker Winston.'

Danny wist dat het waar was wat Ali zei, maar hij kon ook zien dat er iets veranderd was in de Libanees. Hij keek om zich heen naar de talloze schilderijen en foto's op de muren van familie, vrienden en huizen.

'Luister,' zei hij. 'Ik heb hier iemand, een neef, Hamid. We laten hem daar zolang we in Bo zijn. Misschien dat we de jongen niet meer nodig hebben. Als dat zo is, dan laten we hem vrij.'

Danny glimlachte. 'Dank je, Ali.'

'Maar, ik zweer je, als hij me enig voordeel kan bezorgen, als ik hem op wat voor manier dan ook kan gebruiken, dan zal ik het doen. Als ik er wat aan heb, dan zal ik hem eerder aan Gbamanja's mannen overhandigen om hem te doden dan dat ik hem aan zijn moeder geef,' zei Ali. 'Er zit een zwakheid in je, Danny. Dat is een probleem.'

Ali wilde dat Winston nu werd meegenomen. Hij pleegde een paar telefoontjes en schreeuwde iemand toe in het Arabisch. Danny liep naar de kelder van de villa om het kind te halen. Winston werd vastgehouden in een donkere kamer die niet veel groter was dan een inloopkast. Zijn handen waren nog steeds vastgebonden en hij had in zijn nieuwe broek geplast. Danny betwijfelde of het uit angst was geweest – hij kon zich niet voorstellen dat deze lege huls van een mens ooit ergens bang voor zou zijn –, waarschijnlijk was het uit gewoonte. Maar toch voelde Danny zich beschaamd. Hij maakte hier deel van uit. Hij hielp met het gevangenhouden van deze jongen, met het uitwisselen in deze stoelendans. Danny leidde Winston naar buiten en wachtte terwijl de jongen heftig met zijn ogen knipperde tegen het licht. Toen bracht hij hem naar boven, waar Ali's SUV klaar stond.

'Het is niet ver,' zei Ali. 'Hamid heeft een boerderij, op ongeveer tien kilometer buiten de stad. We laten hem daar en vertrekken morgen naar Bo. Dan zullen we erachter komen of Gbamanja hier werkelijk achter zit.'

Ali draaide zich om en keek naar Winston op de achterbank. Hij strekte zich uit, controleerde de touwen waarmee zijn handen vastgebonden waren en trok ze strakker. Winston reageerde niet eens, hoewel Danny zag dat de boeien in zijn vlees sneden.

Zo reden ze weer 's nachts door Freetown, met zijn straten vol verkeer en neonlichten. Er werd niet gesproken. Danny werd in beslag genomen door zijn eigen verwarde en tegenstrijdige gedachten. Ali beraamde en plande zijn complotten en Winston... Winston staarde voor zich uit. Misschien dat hij aan de dag dacht waarop het RUF naar zijn dorp was gekomen. En hoe dat hem hier had gebracht, omsnoerd als een stuk vlees, met het bloed van talrijke anderen aan zijn handen.

Ongeveer vijf kilometer buiten Freetown naderden ze een schouwspel dat eens zo vertrouwd was geweest dat Danny er verder niet over nadacht. Schaduwachtige figuren aan de kant van de weg, een rij stenen op het asfalt en voertuigen die verspreid in het duister stonden. Het was een wegversperring.

Maar het was geen 2000 meer. Het was niet de bedoeling dat er nog wegversperringen waren in Sierra Leone. Hij voelde hoe Ali afremde toen twee figuren uit het donker tevoorschijn kwamen, elk aan een kant van de auto.

'Wat is hier verdomme aan de hand?' zei Ali. Een van de mannen scheen met een zaklantaarn in de auto, en ze vingen een glimp van zijn uniform op in de koplampen. Hij droeg het logo van de Verenigde Naties op zijn schouder.

Het was een Nigeriaan. Hij liep naar de kant van de bestuurder. Ali liet zijn hand naar de versnellingspook glijden en zette de auto in zijn achteruit terwijl hij zijn voet op het rempedaal hield. Danny kon niet geloven dat dit gebeurde. De andere soldaat liep naar zijn kant van de auto. Hij zag zijn gezicht, strak en serieus.

De soldaat aan Danny's kant zag Winstons gezicht in het licht van zijn zaklantaarn en gaf een gil.

'Hij is hier!'

Ali haalde zijn voet van het rempedaal.

De SUV schoot naar achteren en Ali gooide het stuur om. De auto hing op een kant en draaide rond. Ze keken nu uit op de weg terug, de wegversperring bevond zich achter hen. Overal klonk geschreeuw en een tiental soldaten kwam uit het donker tevoorschijn met hun geweren in de aanslag. Maar de terugweg was niet meer leeg. Een andere SUV kwam op hen af gereden. Ali aarzelde. Er was geen andere uitweg dan een poging te wagen hem te rammen, maar het was al te laat.

De portieren werden alle vier bijna tegelijkertijd opengerukt en ze werden vastgegrepen. Danny schopte en schreeuwde, maar hij werd uit de auto getrokken. Een krachtige slag tegen de achterkant van zijn knie deed hem uitgestrekt op de grond belanden. Hij lag op zijn buik en er kwamen zand en vuil in zijn mond; hij keek opzij en zag dat Ali op dezelfde manier op de grond was gedrukt. Zijn ogen glinsterden, boos en machteloos.

De soldaten schreeuwden en praatten in een onverstaanbare taal. Hij hoorde het gekletter van wapens om zich heen. Iemand boog zich voorover en liet de loop van een geweer langs zijn wang gaan, langzaam en opzettelijk. Hij kon het bittere ijzer al bijna proeven. Hij kneep zijn ogen dicht, bang dat hij het geluid van het spannen van de haan zou horen. Maar het kwam niet. In plaats daarvan werd de pijnlijke druk van de knie tussen zijn schouderbladen langzaam minder. Hij bleef op de grond liggen en durfde zich niet om te draaien. Toen klonk er een stem, even diep als bekend, die hem zei te gaan staan.

Majoor Oluwasegun doemde op uit de duisternis.

'Mijn excuses voor het machtsvertoon van mijn mannen,' zei hij langzaam, 'maar jullie verdienen ook niet beter.'

De majoor liep naar voren en gebaarde naar de mannen die Ali tegen de grond gedrukt hielden dat ze hem los moesten laten. Ali schudde ze van zich af en terwijl hij opstond liepen de soldaten achteruit en hielden hun geweren op hem gericht.

'Ik verwacht zoiets als dit van mensen als mijnheer Ali Alhoun, maar op de een of andere manier niet van u, mijnheer Kellerman. En toch bent u hier met een ontvoerd kind dat vastgebonden op de achterbank zit.'

'Dat kind is een moordenaar,' siste Ali.

De majoor bromde hem toe zijn mond te houden.

'Ik weet precies wie hij is,' zei hij. 'En dat is de reden waarom ik hem van je afneem.' Danny keek achterom en zag dat de Nigerianen Winston al uit de auto hadden gehaald. Ze behandelden hem voorzichtig, alsof ze bang waren. Ze controleerden zijn boeien, maar maakten ze niet los.

De majoor bleef Danny aankijken. Danny keek terug en meende iets onverwachts in zijn gezicht te zien. Medelijden? Teleurstelling?

'Waarom doet u dit, majoor? Wat wilt u met hem doen?'

De majoor zweeg.

'Hebben uw mannen hier iets mee te maken? Hebben ze geholpen bij de moord op Maria?'

Het noemen van Maria's naam deed de majoor spreken. Hij schudde zijn hoofd.

'U denkt altijd aan haar, mijnheer Kellerman. Maar er gebeuren ook andere dingen in deze wereld. Ik ben niet geïnteresseerd in de mannen die haar van u hebben afgenomen. God zal voor ze zorgen. Maar ik ben wel geïnteresseerd in deze jongen.'

Hij gebaarde naar Winston, die roerloos tussen twee Nigeriaanse soldaten in stond die hem vasthielden. Oluwasegun nam zijn pet af en wreef met zijn hand over zijn bezwete donkere voorhoofd.

'Ik ben een goed mens, mijnheer Kellerman. Dat kan ik niet van mijn mannen zeggen. Ze roven, ze stelen en zitten achter de vrouwen aan. Maar er zijn twee dingen die ik weet. Ten eerste, ze hadden niets te maken met de dood van Maria. Als anderen dat beweren dan liegen ze. Nigerianen zijn een gemakkelijke zondebok voor andere schuldige mannen in heel Afrika. Ten tweede, mijn mannen zullen me altijd gehoorzamen, en vanavond heb ik ze orders gegeven om jullie dit kind af te nemen. Want vanavond verricht ik het werk van God. Ik heb mijn God nodig gehad in Sierra Leone. Ik ben hier dingen tegengekomen die in Zijn ogen gennatuurlijk zijn. Kinderen die hun moeders hebben gedood. Ouders die hun kinderen hebben verkocht. De rijken die vet worden terwijl hun eigen mensen verhongeren.'

Hij zweeg een moment, wierp een blik op de sterrenhemel en zuchtte voordat hij Danny weer aankeek. Hij was iets van plan. Danny zag hoe de druk zich in zijn gestel opbouwde, als een ketel die zijn kookpunt bereikt.

'Ik geloof nog steeds in die God die ik op de dorpsschool heb leren kennen. Hij is alles wat ik heb en soms geeft God je de kans om iets goed te maken. Dit is zo'n moment. De jongen die jullie hebben heeft een moeder nodig. Hij is geen handelswaar. Het maakt niet uit wat hij heeft gedaan.'

Hij keek Ali aan.

'Rose Fofanah en ik gaan naar dezelfde kerk. De Rose van Maria is mijn vriendin. Ik bid met Rose en ik lees de Bijbel met haar. Ik ken haar pijn al een lange tijd en ik draag haar verdriet alsof het van mij is. Toen een van mijn mannen – iemand die goed op de hoogte is van wat zich in Sierra Leone afspeelt – me vertelde dat Ali Alhoun in Bo een jongen had gekocht die naar Freetown werd gebracht, herkende ik zijn naam en besefte dat de Heer me de kans had gegeven om mijn vriendin te helpen. Deze jongen Winston is niet jullie eigendom. Hij gaat terug naar zijn moeder.'

Ali zag hoe zijn bezit hem ontglipte.

'Je liegt!' schreeuwde hij. 'Jij hebt er iets mee te maken.'

De majoor schudde zijn hoofd en gebaarde naar een van zijn mannen.

'Nee, Ali. Ik geef een kind terug aan zijn moeder. Dat is alles.'

De soldaat liep naar de SUV die achter Ali's auto stond en opende het portier. In het zwakke binnenlicht zagen ze een tere gestalte zitten. De soldaat stak zijn hand uit en er kwam een oude vrouw uit. Het was Rose. Ze liep naar voren, in de richting van Winston. Haar wangen waren bedekt met tranen, maar uit haar gezicht sprak zo'n blijdschap dat het wel leek of het straalde.

'Zuster, is dit...' begon Oluwasegun, maar het was een overbodige vraag. Haar gezicht zei genoeg. Ze rende op Winston af en wierp zich huilend op hem, haar handen klauwden zich aan hem vast.

De jongen stond er onbewegelijk bij. Danny dacht even aan zijn eigen moeder. Aan haar oneindige vergevingsgezindheid als het om zijn misstappen ging. Een taak als die van Rose stond weinig moeders te wachten, maar ze had niet geaarzeld te vergeven. In haar vreugdevolle kreten, die de nacht openscheurden en de junglegeluiden verdreven, klonk verlossing, een hernieuwde acceptatie en een kans om terug te keren naar de liefde van een moeder.

Danny wendde zijn blik af. Hij voelde dat zijn rol in dit drama slechts die van de schurk was. Hij keek naar Ali en zag dat deze naar de grond staarde, verzonken in zijn eigen gedachten. Hij had het vermoeden dat hij hetzelfde voelde.

De majoor gebaarde dat ze konden gaan. Het was een vrijstelling waar ze beiden blij mee waren.

15

[2000]

LENNY FERENC WAS de enige persoon in Freetown die niet blij was dat Sankoh was opgepakt. Het was nu twee dagen bekend, en hij was verbolgen over het nieuws.

'Ik heb nog geen oorlog gemist in mijn leven en ik ben geen beginneling. Die schoften van het RUF moeten het bijltje er niet bij neergooien omdat hun leider is gepakt,' zei hij tijdens het ontbijt in het Cape Sierra.

Het was een vreugdeloze afsluiting van een paar heugelijke dagen in Freetown. Sankoh – een demon die de gemoederen van miljoenen mensen bezighield – was opgepakt, niet in een geheim legerkamp, maar terwijl hij zich schuilhield in een kelder op een paar honderd meter van de resten van zijn oude huis. Een ochtendkrantverkoper had hem gezien toen hij uit zijn schuilplaats kwam om te urineren. Het leger kwam en nam hem mee.

Kopieën van de haastig genomen foto van het moment doken nu overal op. Het was surrealistisch. Sankoh's baard was lang en ongekamd. Hij was dik en in een slechte conditie, zijn vlees kwabbig en slap. Hij zat op de achterbank van een auto met andere gezichten die zich naar hem toe bogen om op de foto te komen. Ze grijnsden en één hield zijn hand in de vorm van een pistool in de richting van zijn slaap. Sankoh zelf leek verward. Hij keek half poserend in de lens. In plaats van een oorlogsmisdadiger had hij een slachtoffer kunnen zijn.

Ferenc schoof kwaad zijn bord met toast en eieren opzij.

'Het RUF kan het niet zomaar opgeven,' mopperde hij. Danny had hier geen antwoord op.

Maar Ferenc had het niet voor het zeggen. Het RUF zou vechten of wegkwijnen. Als dit laatste het geval was, dan zouden ze snel naar huis kunnen. Dat vooruitzicht stond Danny ook te wachten. Sinds de gevangenneming van Sankoh was Hennessey's houding veranderd. De interesse begon af te nemen en het werd moeilijker een artikel in de krant geplaatst te krijgen. Andere journalisten namen grote risico's, ze haastten zich de provincie in om het regeringsleger voor te zijn en als eerste in het kerngebied van het RUF aan te komen. Zo werden carrières gemaakt, maar je kon het ook met de dood bekopen.

Dan was er Maria. Het einde van de oorlog zou ook het einde van hun samenzijn betekenen. Het was als fysieke pijn. Danny wilde meer, maar hij had geen idee hoe hij dat voor elkaar kon krijgen.

Op de avond van Sankoh's gevangenneming had ze hem opgezocht, ze had een fles Franse rode wijn en twee glazen bij zich.

'Dit heb ik bewaard,' zei ze. 'Vandaag hebben we iets te vieren.'

Ze liepen over Lumley Beach. Het was niet moeilijk een afgezonderd plekje te vinden tussen de ruïnes van strandtenten die verspreid langs de kustlijn lagen. De avondschemering begon in te vallen en ze waren niet bang gestoord te worden. Het was alsof er een enorme wolk boven de stad hing. Er was geen oorlog, alleen maar wijn en zij tweeën. Ze vonden een plekje in de schaduw van een ruïne en maakten de fles open. Hij was warm maar de wijn was goed en ze genoten beiden van de smaak.

'Op Sankoh! Dat hij zijn verdiende loon zal krijgen,' zei Maria. Ze klonken met de glazen en gingen in het comfortabele zand liggen. Het was snel donker maar ze voelden zich veilig in elkaars armen en keken hoe de sterren een voor een verschenen, terwijl ze in de verte het gebrom van de generatoren in de nachtlucht hoorden. Ze bedreven de liefde en bleven daarna halfnaakt liggen, hun kleren als zeedrift om hen heen. Danny probeerde weer met haar te praten, om erachter te komen wat haar hier hield. Waarom kon ze niet weg met hem? Maar ze suste het wederom. Hij voelde een golf van frustratie. Ze sloot hem buiten. Ze wilde niet dat hij haar leerde kennen. Maar het gevoel ging voorbij en hij gaf zich weer over aan het moment zelf, en hield haar zwijgend vast. Zonder aan het einde te denken.

GOD MOCHT WETEN waar Ferenc een cricketbal vandaan had, maar nu liet hij hem recht op Danny's hoofd af vliegen. Danny ontweek hem en sloeg met het bat dat Ferenc tegen betaling door een plaatselijke timmerman uit een kanopeddel had laten beitelen. De bal vloog terug over Ferencs hoofd heen. De vijftiger lachte en zat op zijn knieën.

'Mazzelaar die je bent!' riep hij.

Zo ging het al een week lang. De regering van Sierra Leone wilde graag dat er ook buiten Freetown werd gekeken, maar uitstapjes in de jungle leken gevaarlijker te zijn geworden. Niemand wist meer waar de frontlinie lag en er het gevaar loerde altijd dat je deze zonder het te weten passeerde. Zelfs Ferenc dacht er niet over elke dag op pad te gaan. Zeker niet als de nieuwsredactie thuis niet veel interesse toonde.

Velen van het perslegioen waren door Ferenc overgehaald om elke middag cricket te spelen. Ferenc zorgde voor een bal en een bat, en een groep Britse journalisten – met een paar verbijsterde Amerikanen en Europeanen erbij – gooide op een stuk niemandsland bij Lumley Beach de bal rond. Ze trokken altijd een publiek van autochtonen, die toekeken hoe die gekke blanken hun vreemde rituelen uitvoerden.

Danny zag hoe Ferenc zijn aanloop berekende. Het mocht dan een spel zijn, die sluwe vos gooide dat ding nog steeds behoorlijk hard. Toen hij net begon te lopen zag Danny dat Kam vanaf de zijlijn naar hem zwaaide. Hij had gevraagd hem hier op te pikken om Maria's weeshuis te gaan bezoeken. Hij stak zijn hand op om Ferenc midden in een run te laten stoppen.

'Ah, Danny, jongen, ik ben bang dat je nu uit bent. Elke onderbreking van cricket voor zoiets onbelangrijks als werk is een reden voor ogenblikkelijke uitsluiting.'

Danny verliet het veld en stapte in Kams auto. Sinds hun avond op Lumley Beach had hij Maria niet meer gezien en nu was de drang onweerstaanbaar. Ze had hem gewaarschuwd dat ze hard moest werken, en niet weg zou kunnen van het War Child-weeshuis op het schiereiland. Er begon een nieuwe lading ex-RUF-kinderen binnen te druppelen, aangespoord door Sankoh's overgave en het oprukken van het leger. Een paar waren gevangengenomen, maar de meesten hadden zich gewoon overgegeven en een sympathieke priester of een familielid gevonden die ze onderdak verschafte. Ze waren allemaal jong. Als een van de kinderen er maar in de verte oud genoeg uitzag om bedreigend te zijn, dan werd hij meestal ter plekke gelyncht.

Kam reed hem naar het weeshuis, en Danny vroeg zich af wat hij er zou aantreffen. Haar werk daar vormde de essentie van Maria's bestaan. Als hij het zag zou het hem misschien helpen haar beter te begrijpen, zou het hem de ontbrekende puzzelstukjes leveren. Het was een onregelmatig gebouwencomplex dat zich aan het eind van een zandweg bevond. Het lag uit het zicht en er stond slechts een armoedig en bescheiden bord aan de kant van de weg dat het bestaan ervan verried. Op het eerste gezicht leek het op elke dorpsschool in Sierra Leone, gewoon een serie lage gebouwen met ramen zonder glas en een gebutst dak van golfplaten. Er liepen kinderen van verschillende leeftijden rond, in de gaten gehouden door volwassenen die wit met zwarte uniformen droegen. De muren waren bedekt met kinderlijke schilderingen, zoals op zoveel scholen. Ze zagen er redelijk normaal uit, maar misschien dat een psychotherapeut er iets verontrustends in zou ontdekken. De stokachtige ledematen en de lege gezichtsuitdrukkingen, elk figuur stond op zichzelf, ze raakten elkaar niet aan. Geïsoleerd en alleen. Emotieloos.

Toen de auto stopte gingen de kinderen instinctief dichter bij de volwassenen staan. Een man kwam agressief op hen af gelopen, zijn handen in zijn zij. Dit was een plek waar ongenode gasten duidelijk als brengers van slecht nieuws werden gezien.

'Kan ik u helpen, mijnheer?' zei de man.

Danny glimlachte naar hem.

'Ik ben op zoek naar Maria Tirado. Ik ben een vriend. Is ze hier?'

De man bekeek hem van top tot teen en zei niets. Toen gebaarde hij Danny hem te volgen. Ze betraden een gebouw dat een administratief centrum leek te zijn. Het was een kantoorruimte vol boeken en oude grijze archiefkasten die bijna tot aan het plafond doorliepen. Maria stond in het midden naar een van de bovenste planken te kijken. 'Maria, deze man zegt dat hij je kent,' zei de man. Ze draaide zich om.

'Het is goed, Michael,' zei ze. Ze liep op hem af en hij dacht even dat ze ging zeggen dat hij moest gaan.

'Wat kom je hier doen?' zei ze en streelde zijn arm.

'Ik wilde zien hoe het met je ging,' zei Danny. Hij boog zich naar haar toe en kuste haar.

Ze hervatte haar administratieve bezigheden.

‘Het is gekkenwerk. Deze plek barst al uit zijn voegen en we moeten alleen al deze week dertig nieuwe kinderen zien onder te brengen. We hebben meer ruimte nodig, maar we staan altijd onder aan de lijst, vooral bij de regering.’

Ze ging in een stoel zitten, veegde het zweet van haar voorhoofd en draaide een lok van haar lange zwarte haar om haar vinger. Het was een gebaar dat Danny was gaan aanbidden. God, ik wil haar, dacht hij. Zelfs hier, en nu, is ze alles wat ik wil.

‘Ik zal je vertellen wat er gaat gebeuren,’ vervolgde Maria. ‘Nu Sankoh weg is zal de regering zich in alle bochten wringen om het op een akkoordje te gooien met de kopstukken van het RUF. Ze zullen uitzoeken wie er mee willen doen en die krijgen dan een vette auto en een villa in Hill Station. Maar deze kinderen? Het kan niemand iets schelen.’

‘Het kan jou wat schelen,’ zei Danny. Ze zag er moe uit.

‘Ja. Het kan mij wat schelen. Dat is verdomme het probleem.’

Ze leefde even op.

‘Hé, ik zal je een rondleiding geven.’

Ze liepen over het speelplein van het weeshuis. Het was een stoffig plein van aangestampte modder met een paar eenzame autobanden in het midden en een roestige schommel. Het was omgeven door gebouwen die als klaslokaal fungeerden. Daarachter bevonden zich zo’n twaalf barakken die bedoeld waren om elk tien kinderen te herbergen. In elke schuur bevond zich dat aantal kinderen, misschien wel meer. Danny gluurde bij een naar binnen en wachtte tot zijn ogen gewend waren. Het was er donker en muf, langs de muren stonden houten stapelbedden met stro erop. Overal waren lusteloze kinderen, ze lagen op de bedden of zaten ineengedoken in een hoek. Ze spraken niet en speelden niet. Opeens realiseerde Danny zich waarom je deze plek nooit zou kunnen verwarren met een normale school.

Er klonk geen lawaai. De gebruikelijke geluiden van kinderen, het gelach, het geschreeuw en het spelen, waren afwezig. Er waren slechts lege blikken, ze keken je aan als beesten in een dierentuin.

Hij trok zijn hoofd terug, het daglicht in.

'Zijn ze allemaal RUF'er?' vroeg hij.

'Niet allemaal. Er zijn aan alle kanten kindsoldaten geweest,' antwoordde Maria. 'Maar dat is niet echt wat je bedoelt, toch? Wat je bedoelt is: zijn het allemaal moordenaars? Daar heb ik geen antwoord op, Danny. Mogelijk, misschien zelfs waarschijnlijk. Maar ze hebben allemaal één ding gemeen.'

'En dat is?'

Maria lachte. 'Dat het nog maar kinderen zijn, Danny. Allemaal. Dat is altijd het eerste wat men vergeet.'

Danny keek nog eens naar de kinderen. Opeens leken de kleine gestaltes minder bedreigend, minder boosaardig. Ze waren beschadigd, en niet onherstelbaar.

Ze hoorden het geluid van krakende voetstappen in het grind. Danny draaide zich om en zag Michael, het andere staflid, op hen aflopen. Hij fluisterde iets in Maria's oor en ze fronste.

'Ik heb een telefoontje,' zei ze, waarna ze zich omdraaide en bruusk naar het kantoor terugliep. Danny keek nog een keer de barak in. Een paar kinderen waren nu bij elkaar gaan staan, ze praatten op zacht mompelende toon en keken naar de vreemde blanke man in de deuropening. Hij zwaaide naar ze, maar ze negeerden hem. Hij draaide zich om naar Maria, maar ze was al verdwenen.

Hij vond haar vijf minuten later terug. Ze stond achter haar bureau en hij wist dat er iets vervelends was gebeurd. Haar lippen waren samengeknepen en ze liet een pen tussen haar vingers ronddraaien, als een nerveuze tic.

'Wat is er gebeurd?'

Ze schudde haar hoofd.

'Dat wil je niet horen. Jij hebt er niets mee te maken.'

Hij liep op haar af, maar ze liet zich op haar stoel vallen en zat daar met haar hoofd in haar handen, haar schouders in woede omhooggedrukt.

'Dat was ons internationale kantoor aan de telefoon...' begon ze, waarop ze opkeek en snauwde: 'Die klootzakken. Die enorme klootzakken...'

Hij knielde en sloeg zijn armen om haar heen. Hij voelde de weerstand van haar gespannen lichaam, maar hij hield vol en langzaam, beetje bij beetje, alsof ze zich liet vallen, ontspande ze. Hij genoot van het gevoel. Ze had zijn liefde nodig.

'Er is een RUF-commandant. Hij zit in de jungle, niet ver hiervandaan,' zei ze. 'Een van die schoften die dicht bij Sankoh stond. Hij weet dat de regering achter hem aanzit en dat hij ze niets te bieden heeft.'

Danny wachtte tot ze haar gedachten had geordend en verder ging.

'Maar hij heeft iets wat we willen,' zei ze. 'Hij heeft zijn kinderen nog. Ongeveer de helft van zijn eenheid bestaat uit kindsoldaten. Per radio heeft hij contact gezocht met ons hoofdkantoor. Hij wil ze aan War Child overhandigen. Volgens mij denkt hij dat wat liefdadigheid zijn toekomst zal veiligstellen. Het is de enige investering die hij heeft.'

'Wat is dan het probleem?' vroeg Danny.

'Het hoofdkantoor zegt dat het te gevaarlijk is. Ze vertrouwen hem niet en weten dat het leger hem dood wil hebben. Als ze vannacht niet overhandigd worden dan is hij weg. Ik wilde hem in de jungle ontmoeten en zijn kinderen hierheen halen. Maar het hoofdkantoor zegt nee. Ze vinden het te riskant.'

'Wat vind jij?'

'Ik ben alles wat die kinderen hebben. Mijn bazen hebben

hun veto uitgesproken. Mijn staf hier is te bang. Ik ben de enige.'

'Nee, dat ben je niet. Ik zal met je meegaan.'

Danny had het al gezegd voordat hij wist wat hij zei, voordat hij zich de mogelijke consequenties kon voorstellen. Maria keek op en maakte zich los uit zijn armen.

'Waarom?' vroeg ze.

Ze wist waarom hij mee wilde. Haar blik maakte dat duidelijk. Maar hij maakte ook duidelijk dat de Maria die hij kende er weer was, onkwetsbaar en de situatie meester. Ze vroeg zich af wat zijn nut zou kunnen zijn in de jungle met het RUF. Hij voelde woede om deze hernieuwde afstandelijkheid. Hij besefte dat hij niet simpelweg met haar mee kon gaan omdat ze geliefden waren. Hij moest nuttiger voor haar zijn dan dat.

'Er zit een artikel in, Maria. Laat me het artikel schrijven. Op die manier ben je ingedekt als je bazen erachter komen wat je hebt gedaan. Dat is de kracht van de media. Als ik een artikel over je bevrijdingsactie schrijf bezorgt dat War Child meer positieve pers dan honderd doneeracties.'

Hij wilde dit als journalist, maar hij wilde ook de vrouw van wie hij hield beschermen.

'Laat me je helpen,' zei hij.

Ze dacht even na en legde toen een vinger op zijn lippen.

'Ga terug naar je hotel. Als ik besluit dat je gelijk hebt dan bel ik je,' zei ze.

Hij knikte. Dat was voldoende.

ZE BELDE TOEN het laatste zonlicht uit de hemel wegtrok. Hij nam de hoorn op.

'Hoi,' zei ze.

'Hoi.'

'Ik heb erover nagedacht, Danny. Deze RUF-figuur wil zijn positie veiligstellen en een liefdadigheidsactie is alles wat hij nog kan doen. Dat betekent dat je goed voor beide partijen bent. We kunnen de kracht van de pers in ieders voordeel aanwenden. Dus als je er klaar voor bent, dan pik ik je over een uurtje op.'

Danny genoot van het moment. Ze had hem nodig.

'Ik zal er zijn,' zei hij kalm.

'Mooi,' was het simpele antwoord. Toen legde ze de hoorn erop.

Hij voelde een golf energie. Zijn huid tintelde en het vooruitzicht deed hem sneller ademen, zoals bij de verwachting van seks. Het gevoel bleef tot hij naar beneden ging en het in de lobby aan Kam vertelde.

'Je bent gek, mijnheer Danny,' zei Kam geschokt. Danny's opwinding was meteen verdwenen.

'Jij gaat daarheen om een gek van het RUF te ontmoeten die zich in de jungle verborgen houdt. Dit is waanzin. Ik zou dit niet doen. Nooit. En waarom doet ze dit? Alleen maar om een paar RUF-jongens te redden? Hier moet iets achter zitten. In dit land is niets wat het lijkt. Misschien geldt dat ook wel voor haar.'

Danny probeerde zich te beheersen. Wat zei Kam daar over Maria?

'Kam,' zei hij. 'Maria is de situatie volkomen meester. Ze weet wat ze doet. En het zijn gewoon kinderen. Een stel kinderen dat naar de klote is en dat zij kan helpen.'

Kam sloeg zich uit frustratie tegen zijn voorhoofd.

'Waanzin!' zei hij. 'Ze ziet kinderen in deze moordenaars, maar deze kinderen zijn RUF'ers. Sankoh is verleden tijd. Nu de rest nog. We zouden ze af moeten maken. Niet redden.'

Kam legde zijn hand op Danny's arm.

'Ik vraag je om dit niet te doen,' zei hij. Danny werd even door een cynische gedachte bevangen. Hij wist dat hij Kams boterham was in Freetown; de rijke blanke man die hem elke dag dollars betaalde. Maar hij keek naar de Senegalees en schaamde zich voor deze gedachte. Van zijn gezicht viel niets anders dan de bezorgdheid van een vriend af te lezen.

'Ik ga het doen, Kam,' zei hij.

'Hier ga ik niet voor blijven. Ik kom morgen, maar ik weet niet of je er zult zijn.'

Danny wachtte dus alleen op Maria.

Ze arriveerde precies op tijd, haar kleine figuur achter het stuur van een grote witte pick-up waar het War Child-logo op was geplakt. Ze droeg een wit T-shirt en een legerbroek, alsof ze ergens een biertje gingen drinken. Ze toeterde en zwaaide. Danny probeerde de twijfels die zich in zijn hoofd nestelden te verdringen en klom de auto in om naast haar te gaan zitten.

'Klaar?' Ze grijnsde.

'Absoluut,' antwoordde hij. Ze reden snel de stad door en passeerden de laatste sloppenwijken van Freetown. Opeens was er alleen maar duisternis. Maria begon vaart te minderen en zag uiteindelijk een smalle landweg in een verwaarloosd maisveld verdwijnen. Langzaam rijdend sloeg ze de weg in.

'Er zullen wegversperringen van de regering komen als we op de weg blijven,' zei ze. 'En die willen we niet tegenkomen. Niet 's nachts en zeker niet als we het RUF willen ontmoeten.'

Danny voelde angstgolven door zich heen gaan toen ze van de hoofdweg af waren en door de nacht werden opgeslokt. Maar elke golf ging gepaard met evenveel opwinding. Hij keek naar Maria terwijl ze de pick-up door spoor na spoor loodste totdat hij als een boot op zee stampte. Hij pakte haar hand, nog nooit had hij zich zo dicht bij haar gevoeld. Maar ze hield haar blik op de weg voor hen gericht en liet de wagen verder ploegen.

De jungle was onheilspellend. Danny draaide het raampje omlaag en tuurde naar buiten. Hij hoorde alleen maar het gebrul en gegrom van de motor die verder zwoegde over een grillig spoor vol kuilen. Soms zag hij in het licht van de koplampen ogen die hem aankeken. Ratten? Bavianen? Misschien een mens? Hij zag slechts een korte kleurflits en dan waren ze weg. Verdwenen. Zo ongrijpbaar als de jungle zelf.

Ze reden enkele uren, er werd nauwelijks een woord gesproken en ze kwamen geen dorp of boerderij tegen. Toen ze in een kleine vallei terechtkwamen en een rotsachtige beek passeerden, kwam de auto schokkend tot stilstand. De motor gaf het op.

'Shit!' zei Maria. Danny keek toe hoe ze snel uit de pick-up klauterde.

'Wat is het?'

Ze gaf geen antwoord en hij kon haar niet meer zien. Zonder de koplampen werd de SUV door de duisternis opgeslokt. Hij voelde zijn hart tekeergaan in zijn borst. Opeens kon hij duidelijk zien aan wat voor een dun draadje zijn leven hing. Eén enkel defect, een kleine bout of moer die gebroken was, had hen doen stranden. Mijlenver van de weg verwijderd en op weg om een RUF-commandant te ontmoeten.

'Wat is het?' herhaalde hij.

Er verscheen een zwak schijnsel bij de voorkant van het voertuig. Danny deed zijn portier open en klom eruit. Zijn voeten zakten weg in de modder. Hij schoof voorzichtig naar de voorkant, zich tegen het geruststellende metaal van de pick-up aan drukkend. Toen zag hij haar. Ze hield een kleine zaklantaarn tussen haar kaken geklemd. Ze keek op en zag zijn pipse gelaatsuitdrukking.

'Hé,' zei ze, 'het is oké. Gewoon een losse verbinding. Hij moet losgeschoten zijn. Haal even de reparatieset voor me.'

Ze zocht in haar broekzak en reikte hem een tweede kleine zaklantaarn aan. Toen glimlachte ze, zoals ze 's ochtends deed wanneer ze haar ogen net had geopend. Hij schoof terug naar het portier.

Danny scheen zichzelf bij en zocht onder de chauffeursstoel, hij wist niet precies waarnaar hij zocht maar wilde dat niet toegeven. Hij deed het handschoenenkastje open. Op een bruine leren tas na was hij leeg. Hij nam hem eruit. Hij was op een vreemde wijze zwaar en leek vol met iets te zitten.

De tas zat vol cash.

Een heleboel cash.

Hij staarde naar de bundels zorgvuldig verpakte twintig dollarbiljetten die in de tas waren gestouwd. Danny had geen idee hoeveel erin zat. Vijfduizend dollar? Tienduizend? Twintig? Hij wist het niet. Hij huiverde in de warme nachtlucht. Wat was hier verdomme aan de hand?

'Gaat het?' klonk Maria's stem vanaf de voorkant van de auto. Hij kon geen woorden vinden.

De stilte zei haar genoeg. Hij zag het licht van haar zaklantaarn stilhouden. Misschien dat het haar net inviel. Ze had een vergissing begaan door hem de reparatieset te laten halen uit een auto waarin zoveel geld lag. Ze liep langzaam terug. Ze keek kalm en onaangedaan. Ze gaf geen krimp toen ze de open tas op zijn schoot zag.

'Wat is dit verdomme?' fluisterde hij.

Ze strekte haar arm uit, trok de tas voorzichtig tussen zijn handen vandaan en deed hem weer dicht. Ze gooide hem achteloos onder de passagiersstoel.

'Het is de afkoopsom.' zei ze simpelweg. Danny keek verward.

'Die klootzak draagt de kinderen niet zomaar over. Hij wil er een afkoopsom voor hebben. Een paar duizend per persoon. Jezus, het is verdomme een koopje. Onze halfjaarlijkse telefoonrekeningen zijn hoger.'

O, Jezus, dacht Danny. Ze gingen deze kinderen niet zomaar bevrijden. Ze gingen ze kopen. Deze bevelhebber, wie hij ook mocht zijn, was niet achterlijk. Hij verrijkte zich met het enige materiaal dat hij nog had: zijn eigen soldaten.

'Dit is verkeerd, Maria,' zei Danny. 'Dit kunnen we niet doen.'

Ze stapte de pick-up in en ging naast hem zitten.

'Kijk me aan,' zei ze. Dat deed hij, en haar ogen boorden zich in de zijne.

'De commandant wil ze overdragen. Maar hij doet het niet voor niets. Het is verkeerd. Dat weet ik. Maar zo werkt de wereld. Ik laat deze kinderen niet achter om ze te laten doden door de regering, alleen maar vanwege een paar principes. Ik geef liever dat geld uit.'

Haar blik hield hem vast. Danny was er zeker van dat ze niet eens knipperde.

'Op deze manier hebben we er allemaal iets aan. De commandant krijgt zijn geld, jij krijgt je verhaal. War Child strijkt met de eer en ik krijg mijn kinderen. Iedereen is tevreden. Het is maar geld, Danny.'

'Maar het is verkeerd, Maria,' zei hij. Hij begreep haar logica en misschien dat het zou werken. Maar dat was niet waarom hij hier was. En hij zat er tot over zijn oren in. Ze boog zich naar hem toe, nam zijn gezicht in beide handen en kuste hem op zijn lippen.

'Vertrouw me,' zei ze. En dat was alles. Wat haar betrof was de zaak gesloten. Ze sloot hem weer buiten en stapte terug de duisternis in.

'En zoek die reparatieset. Ik heb zo'n idee dat het niet slim is om te laat te komen.'

Danny wist dat hij niet langer een keuze had. Zijn enige optie was haar te vertrouwen en hij voldeed zwijgend aan haar verzoek. Maar één vraag bleef hem dwarszitten: hoe komt een hulpverlener aan al dat geld?

MARIA KREEG DE pick-up weer snel aan de praat. Ze ging achter het stuur zitten alsof er niets was gebeurd. Ze reden nog een halfuur door voordat de auto weer schokkend tot stilstand kwam. Danny dacht even dat ze weer autopech hadden, maar Maria zei niets. Ze draaide het raampje omlaag, liet de auto stationair lopen en zette de koplampen aan. Ze bevonden zich op een open plek aan de oever van een kronkelende beek. Op zo'n vijftien meter afstand rees de jungle op, maar de grond om hen heen was onbegroeid. Danny meende vlak voor hen de resten van een vuur te zien, een zwarte krater.

'We zijn er,' zei Maria.

Het leek alsof ze een eeuwigheid aan het wachten waren, maar het kon niet meer dan een kwartier zijn geweest. Maria leunde tegen Danny's schouder, haar haren vielen langs zijn arm en kriebelden op zijn huid. Haar aanwezigheid was genoeg voor hem, zelfs hier, op deze verlaten plek terwijl ze het onbekende afwachtten. Maria wierp een blik op haar horloge en tikte erop om zeker te weten dat de wijzers nog bewogen.

Toen echode er een enkel krakend geluid in de jungle. Zij waren er ook.

Een voor een verschenen ze, als geesten. Vormen die zich aan de duisternis onttrokken, die zich losmaakten uit het gebladerte en een menselijke gestalte aannamen. Langzaam schuifelden ze naar voren, tot in de witte kring licht van de koplampen waar ze zich onthulden. Niet als geesten, maar als jongens. Haveloze jongens, behangen met vreemde amuletten: een pop, een bosje bloemen, een koord met oude munten. Ze droegen AK-47's, maar de wapens zagen er in hun handen bizar groot uit. Hun blikken waren hol en verzonken. Een voor een betraden ze de cirkel van licht en gingen op hun hurken zitten.

Danny ving hun lucht op. Het was de zure geur van weken zonder bad en een ruw leven. Hij deinsde instinctief terug, maar hij kon nergens heen. Maria liep op de jongen af die het dichtst bij zat. Ze ging op haar hurken zitten om hem te bekijken. Toen klonk er vanuit de jungle een volwassen stem.

'Het is geen vee dat geïnspecteerd moet worden. Dit zijn mijn mannen.'

Het was een resolute stem met een toon die op een onvoorspelbare wijze steeg en daalde, en iedere lettergreep zorgvuldig maar anders dan de vorige uitsprak.

Er kwam een man uit de schaduwen tevoorschijn. Zijn uniform was onberispelijk en op zijn hoofd droeg hij een rode baret, in een perfecte hoek gedraaid, zoals de Britse commando's in Freetown hem ook droegen. Op zijn zij zat een zwart pistool in een holster. Hij liep naar voren en nam Maria en Danny op met een glimlach vol tanden. Maria zei niets.

'Ben jij Tirado?' zei de man terwijl hij doorliep tot hij vlak voor haar stond. 'Jij bent van dat War Child?'

Danny wilde ter plekke door de grond zakken, als regen erin verdwijnen. Of ten minste terug de nacht in vluchten. Maar hij bleef stokstijf staan. De man keek over Maria's schouder naar Danny en deze keek hem voor de eerste keer in zijn ogen. Ze waren roodomrand en schoten alle kanten op. Danny realiseerde zich dat hij high moest zijn. Danny had gehoord dat veel RUF-soldaten het gevecht ingingen terwijl ze stijf stonden van junglecocaïne die in primitieve laboratoria was vervaardigd. Het maakte het doden makkelijker.

'Wie ben jij?' vroeg de man.

'Ik ben een vriend. Ik hoor bij haar,' stamelde Danny.

De man gooide zijn hoofd in zijn nek en lachte.

'Aha. Een Engelsman!' zei hij. 'Mijn god, opeens is het vergeven van jouw soort in Sierra Leone. Ze schijnen overal te zitten.'

Danny durfde zijn mond niet open te doen. Hij kon niet uitmaken of de man hem nu bedreigde of niet.

'Kom je uit Londen?' vroeg hij, plotseling op gemoedelijke toon. 'Daar ben ik nooit geweest. Het was mijn lot om naar Amerika te gaan.'

Noch Danny, noch Maria zei iets, en de jongens om hen heen zaten er onbewegelijk bij. Maar hun commandant begon heen en weer te lopen, zijn handen op zijn rug gevouwen.

'Ik heb een jaar in New York gestudeerd. Fordham University.'

Hij bezag zijn publiek.

'Ah. Dat wekt jullie verbazing. We ontmoeten elkaar op deze manier en toch heb ik ook iets van de wereld gezien.'

Nu klonk er woede door in zijn stem, hun zwijgen dat hem beledigde of een minachting die door drugs werd versterkt.

'Ja, ik ben een gestudeerd man. En nu gereduceerd tot dit? Om als een rat door de jungle te sluipen.'

Hij begon steeds harder te praten en legde zijn hand op zijn holster, ermee spelend alsof zijn vingers jeukten. Danny had het gevoel dat de man gevaarlijk op de rand van een onzichtbare afgrond danste, waarbij zijn stemming van zin tot zin verder wankelde. Toen hoorde hij Maria's stem ijskoud door de nacht snijden.

'We hebben het geld, commandant. Laten we onze deal bezegelen.'

De man glimlachte weer, terugkrabbelend van een grens waar hij net overheen was getuimeld.

'Hoe Amerikaans,' zei hij. 'De zaken gaan voor alles.'

Hij stampte met zijn voet op de grond en met een minachtend handgebaar blafte hij iets in het Krio. Het was alsof bij de jongens een betovering werd verbroken. De levende standbeelden sjokten nu naar de pick-up toe. Maar eerst legden ze hun geweer neer, heel voorzichtig alsof het een pasgeboren baby was. Of een tikkende bom. Een voor een klommen ze de laadruimte in, als cargo of dieren die naar de markt gingen.

Maria knikte en haalde de tas met geld. Ze legde hem voor de voeten van de commandant.

'Duizend per jongen. En er zijn tien jongens,' zei ze.

De commandant boog zich voorover en ging gehurkt voor de tas zitten. Hij maakte hem open en bekeek het geld, zijn ogen opengesperd in ontzag. We komen ermee weg, dacht Danny. We gaan het doen. En ik ga erover schrijven. Hij voelde de zenuwen door zijn lijf gieren maar leek niet in staat zich te bewegen. In feite leek iedereen verstijfd, gevangen in het moment.

Maria verbrak de stilte.

'We zijn klaar,' zei ze, half als afscheid, half als bezwering, en ze draaide zich om. Dat was het moment waarop de commandant opstond en Danny wist dat het nog niet voorbij was.

'Weet je, juffrouw Tirado. Ik denk dat ik misschien iets te vrijgevig ben geweest.'

Danny keek naar Maria. Hij zag hoe haar mond trilde van angst. Ze bleef doorlopen, Danny volgde haar.

'Wacht,' zei de commandant. Ze stopten nu.

'We hebben een deal,' zei Maria.

'Nee, Amerikaan. De prijs is te laag. Het is te weinig voor tien jongens. Alfred, kom hier.'

Een van de jongens klauterde uit de pick-up. Hij slofte naar de commandant toe en ging naast hem staan.

'Misschien dat je er maar negen voor dit geld kunt kopen?' suggereerde de commandant kalm. 'Ja, dat lijkt me redelijker. Of misschien maar acht?'

Hij beval een volgende jongen terug te komen. Hij gehoorzaamde net zo ogenblikkelijk als het eerste kind. Danny hoorde Maria een snik inslikken. Ze klemde haar kaken zo hard op elkaar dat haar lippen in een dun streepje waren veranderd.

'Zeven? Nyema! Klim eruit, jongen!' riep de commandant. Danny wist wat Maria dacht. Ze raakte ze kwijt. Een voor een. Uiteindelijk zou ze ze allemaal kwijt zijn.

'Genoeg!' gilde ze. 'Nu is het genoeg!'

Ze rende op de commandant af, wiens gezicht in woede verwrongen was. Toen ze hem van dichtbij zag leek er in haar hoofd een knop om te gaan, een primair gevoel voor iets wat extreem gevaarlijk was. Ze ademde zwaar maar haar stem klonk vast toen ze een hand op de arm van de commandant legde.

'Laat me er dan zeven hebben,' zei ze.

Voor een moment leek het te werken. Daardoor had Danny niet gezien dat de commandant een pistool in zijn hand hield. Hij zag ook niet hoe deze zijn arm naar achter hief om toe te slaan. Hij zag alleen maar een flits en hoorde een gemene klap. Op het volgende moment zat Maria op haar knieën en schudde groggy haar hoofd. De commandant liep tien passen van haar weg. Toen draaide hij zich om.

Langzaam richtte hij het pistool op haar hoofd.

Voor Danny wogen twee dingen tegen elkaar op. Hij zag een dun straaltje bloed uit Maria's gitzwarte haar druppelen. Hij zag de zweetdruppels op het voorhoofd van de commandant. En hij voelde hoe zijn voeten zich vooruit bewogen. Toen hoorde hij zijn eigen stem.

'Nee! We kunnen je meer geven!'

Danny stond tussen de commandant en Maria in. Aan de ene kant was er de angst omdat het pistool nu op zijn borst was gericht, aan de andere kant was er vreugde omdat zij zich niet langer in de directe vuurlijn bevond.

'Meer wat?' zei de commandant.

Danny begon nu snel te praten.

'Meer geld. Dollars. Veel meer dollars. Hoe wil je meer krijgen als je ons doodt? Maar als je ons laat gaan, dan kunnen we dit nog een keer doen. We zullen een betere prijs betalen. Duizend per persoon is te weinig. We kunnen je meer betalen. Veel meer.'

'Danny,' fluisterde Maria achter hem, maar hij negeerde haar en concentreerde zich op het gezicht van de commandant, hij zocht in diens opengesperde ogen naar enig teken van redelijkheid. De commandant was een moment lang uitdrukkingsloos, van gedachten verstoken, maar toen, alsof hij aan iets herinnerd werd, kwam hij weer tot leven met een donderende lach.

'Natuurlijk, natuurlijk,' zei hij. Hij stopte het pistool terug in de holster en baande zich een weg langs Danny naar Maria. Hij pakte haar bij de arm en trok haar omhoog.

'Zie je, Amerikaan. Je vriend is verstandig. Hij weet hoe je een deal moet maken,' zei hij berispend, als tegen een ondeugend kind.

'Ik denk dat dit bedrag vijf van mijn jongens waard is,' zei hij. Hij riep er nog twee van de pick-up af. Maar er bleven vijf jongens zitten.

'Is dit redelijk?' vroeg hij terwijl hij zijn hand uitstak en wat bloed van Maria's wang veegde. Hij bestudeerde zijn vingertop en herhaalde: 'Is dit redelijk?'

Ze aarzelde één moment lang, haar blik gefixeerd op de vijf verloren jongens. De vijf zouden hun wapens weer oppakken. De vijf zouden terug de jungle in lopen. Toen richtte ze haar gedachten op de vijf die ze nog had.

'Dat is redelijk,' fluisterde ze.

DANNY REED TERUG en loodste de pick-up over het doorgroefde pad terwijl Maria was ingedut op de stoel naast hem. Hij keek naar de weg, zijn handen stevig om het stuur geklemd. Hij had zijn verhaal, dacht hij. Kindsoldaten terugkopen van hun psychotische leider met stapels cash uit onbekende bron. Maar zelfs nu kon hij niet de hele waarheid vertellen. Het was zijn journalistieke plicht, maar hij had een hogere loyaliteit. Het onthullen van de waarheid zou Maria kapotmaken en daarmee zou hij zichzelf kapotmaken. Hij zou haar geheimen bewaren. Hij keek in de achteruitkijkspiegel. De jongens zaten zwijgend achter in de pick-up; anonieme kindachtige schaduwen die voor zich uit staarden. Maar Danny dacht niet aan hen. Of aan de ontzetting die hij had gevoeld toen hij voor het pistool ging staan. En ook niet aan het halfware verhaal dat hij zou schrijven. Hij dacht maar aan één ding: hij had haar gered. Hij had Maria's leven beschermd. Ze was van hem.

16

[2004]

ALI'S AUTO SNELDE Freetown uit in de richting van Bo. Hij reed als een razende, slingerde het voertuig de bochten door en racete over de rechte stukken. De gebeurtenissen van gisteravond bleven onbesproken. Het was als een schuldig geheim dat hij en Danny deelden, elk vol spijt van hun daden en vol schaamte bij de gedachte aan het medeleven van de majoor die Winston en Rose herenigde.

Naast Ali zat zijn neef George. Hij zat onderuitgezakt in de passagiersstoel en staarde door een zonnebril naar de voorbijschietende jungle. Kam had geweigerd mee te gaan, wat Danny van zijn stuk had gebracht omdat hij het gevoel had dat Kam zijn beschermengel was, die hem in leven hield. Voordat ze die ochtend vertrokken was Ali de achterkamer in gelopen om Danny een grijze revolver te overhandigen.

'Ali, wat zou ik hiermee moeten doen?' vroeg hij, de revolver tussen twee vingers houdend alsof het een dode rat was.

Dit is belachelijk, dacht hij. Dachten ze soms dat ze in een actiefilm zaten? Hij keek naar het wapen, het leek wel kinderspeelgoed. Hij probeerde hem terug te geven, maar Ali weigerde.

'We zijn hier niet aan het ronddollen. Dit is geen spelletje,' zei Ali. 'Als ik erachter kom wie het wil overnemen in Bo dan zal jij weten wie Maria heeft vermoord, omdat ze daar aan het wroeten was. We kunnen allebei onze problemen in één keer oplossen. Maar het is een serieuze zaak.'

Nu lachte Danny niet meer. Tijdens de autorit was de revolver ongeladen – Danny had daarop aangedrongen – en hij pakte hem uit de kontzak van zijn spijkerbroek, waar hij hem had weggestopt, en woog hem in zijn hand. Hij was veel zwaarder dan hij eruitzag. Toch lag hij prettig in de hand, het voelde bijna natuurlijk. Het gevoel riep herinneringen bij hem op aan de tijd dat hij als jongen met speelgoedpistolen speelde, hoe ze in zijn hand lagen en de mysterieuze opwinding als hij ermee speelde.

Hij keek uit het raam en kon niet geloven dat ze al zo ver hadden gereisd in zo'n korte tijd. Tijdens de oorlog had Sierra Leone een onmetelijk land geleken. Omdat elke paar kilometer weg werd bevochten of geteisterd was door wegversperringen leken de afstanden enorm. Steden in het binnenland leken onmogelijk ver weg. Maar nu raasden ze over een nieuwe geasfalteerde snelweg, langs groene bossen, groepjes boerderijen en dorpen. De meeste gebouwen waren nog steeds ruïnes, maar overal waren tekenen van groei zichtbaar. Er waren nieuwe stalletjes langs de weg gekomen, en minibusjes die tot de nok toe gevuld waren met mensen – als sardientjes – denderden voort over de snelweg naast vrachtwagens met cement of gewassen die zwarte rook uitbraakten.

Dit was het leven in al zijn simpelheid. Als Harvey echt indruk op Danny had willen maken met het nieuwe Sierra Leone, dan had hij hem hier mee naartoe moeten nemen. Hij vroeg zich af wat Maria gedacht had toen ze haar reizen naar het noorden maakte. Had ze de wederopbouw gezien? Of had haar woede – haar doel – haar verblind, zodat ze niets anders dan het bloed en de moordpartijen van het verleden kon zien? Ze had het uiteindelijk doorstaan. Maar goed, dat had iedereen in dit land gedaan. Was het alleen maar Maria die er geen vrede mee kon hebben?

ZE ARRIVEERDEN IN Bo bij het invallen van de avond en Danny zag dat de stad niet veel was veranderd sinds zijn laatste bezoek. Bo had nooit echt fysiek onder de oorlog geleden. Het was ooit ontstaan als een schrale nederzetting voor ruwe klanten en diamanten, en dat zou het waarschijnlijk altijd blijven. Ali stuurde de SUV langzaam door de straten naar Hotel Leone. In dit hotel werden in Bo alle zaken gedaan. Hier hadden Harvey en Maria onder valse namen gelogeerd.

Het hotel was een gebouw met twee verdiepingen in de hoofdstraat. Het had eens een verbleekte koloniale glorie gekend. De veranda had een hek met gietijzeren spijlen, en de witte verf kwam van de muren afgebladderd als de bast van een boom. Ze parkeerden voor de deur, liepen naar binnen en bleven achter Ali staan bij de balie. Terwijl hij om een kamer vroeg werd hij vanuit het kantoor bekeken. Het was een Indiase man, een sikh met een tulband op. De man keek licht verrast bij het zien van Ali, die even in zijn richting knikte. Toen liepen ze naar boven.

'Goed,' zei Ali. 'We moeten ervoor zorgen dat we gezien worden. Niets spectaculairs. Genoeg om de mensen te laten weten dat ik hier ben. Als er wordt gekletst dat Ali Alhoun naar Bo is teruggekomen, dan zullen ze komen en ons vinden. Zo werkt het.'

Ali ritste een rugzak open en haalde er een doos kogels uit. Hij telde zes gouden patronen uit en gaf ze aan Danny. Ze ketsten dof tegen elkaar in zijn hand.

'Ze zullen denken dat jij een bodyguard bent, mijn vriend. Dus je zult in staat moeten zijn om die rol te kunnen spelen. Stop deze in je revolver. Maak je geen zorgen, je zult hem niet nodig hebben, maar het heeft geen zin om te bluffen met een leeg wapen. Een revolver zonder kogels slaat nergens op.'

Danny wist niet wat hij moest doen. Hij had geen idee

hoe je een revolver moest laden. Ali nam hem het wapen af en stopte de patronen er één voor één in. Hij liet het magazijn ronddraaien en keek met de loop mee. Toen sloeg hij hem met een polsbeweging dicht en gaf hem aan Danny terug. Danny stopte hem achter zijn riem.

George lachte.

'Nee, mijn vriend,' zei hij en gebaarde naar hem. 'Je moet hem aan de achterkant dragen, niet aan de voorkant. Dan schiet je niet je pik eraf als hij per ongeluk afgaat.'

Het hielp niet echt de lege pijn te verlichten die Danny in zijn buik voelde. Hoe was hij hier terechtgekomen? Hij was een journalist, in jezusnaam, en daar zat hij nu, in een ranzig hotel in het midden van Sierra Leone, tot de tanden gewapend met een Libanese diamanthandelaar, klaar om moeilijkheden te gaan veroorzaken. Ali voelde zijn onbehagen. 'Ontspan je, jongen,' zei hij. 'Dit is mijn territorium. Ik zou hier allang niet meer zijn geweest als ik maar wat in het rond had lopen schieten, of mezelf had laten neerknallen. Ik neem voorzorgsmaatregelen, dat is alles. We gaan zo naar beneden. We drinken iets aan de bar en zorgen ervoor dat we gezien worden, daarna gaan we terug naar hier en wachten af. Uiteindelijk zullen we een prettig gesprek gaan hebben met degenen die ons hier op komen zoeken. We zullen ze een paar vragen stellen en antwoord krijgen op onze problemen. Daarna gaan we naar huis. De revolvers zijn er alleen maar voor de show, om er zeker van te zijn dat het bij een gesprek blijft.'

Hij kneep Danny in zijn schouder en keek naar George.

'Klaar, jongens?'

George haalde zijn schouders op en Danny knikte. Tot zijn verbazing was hij er klaar voor. Hij stopte de revolver in zijn broek – behaaglijk tegen zijn rug – en ze liepen de trappen af naar de bar.

HET DUURDE TWEE dagen voordat er op de deur werd geklopt. Ze hadden de kamer al die tijd niet verlaten. Ali had een backgammonbord meegebracht, hij en George speelden fanatiek. Danny had er geen interesse in. Hij zat zwetend en nerveus in de verstikkende hitte en keek de straat in om de dans van het dagelijkse leven te volgen. Hij zag de diamantzoekers met hun strakke spierbundels van het jarenlange zware werk, en de boerenvrouwen uit de velden met boodschappentassen en emmers op hun hoofd die vol zaten met fruit en andere koopwaar voor de markt. De Libanezen en Indiërs die over het trottoir wandelden of voor hun winkels zaten. De gammele taxi's op zoek naar klanten, sommige in zo'n staat van verval dat het moeilijk viel te geloven dat ze naar het eind van de straat konden rijden, laat staan over de meedogenloze wegen in de jungle. En met een zekere regelmaat reden er ook andere voertuigen voorbij. Signalen van de buitenwereld, zoals de witte Toyota's van hulpverleners, zwarte sedans en SUV's met verduisterde ruiten. De plaatselijke machtshebbers. De ex-RUF'ers, politie en diamanthandelaren, die meebewogen als haaien in een school vissen.

Tijdens de backgammonpauzes probeerde Ali de enkele ventilator die in de kamer stond te repareren. Het was een hopeloze missie en uiteindelijk restte er niets anders dan de hitte te trotseren. Als hij weer eens aan de motor van het ding zat te prutsen ging Ali vloekend tekeer tegen Sierra Leone.

'Deze mensen kennen geen beschaving. Geen regels. De Libanezen zijn al duizenden jaren een beschaafd volk. Als je naar mijn land gaat zie je gebouwen van de Grieken en Romeinen en ze staan er nog steeds beter bij dan wat dan ook in dit kloteland. Weet je wat goed voor ze zou zijn? Dat de Engelsen weer terug zouden komen. Herkoloniseer dit verdomde land en leer ze regels.'

Het was een onderwerp waar Danny maar niet op inging. Ali was zich aan het afreageren. Zijn echte zorg was het verlies van zijn zakenbelangen. Het was een punt waar hij altijd weer op terugkwam, waar het gesprek ook over ging. Danny en George wisselden ondertussen betekenisvolle blikken wanneer het weer zover was.

'Ik kom al twintig jaar in Bo,' zei Ali, 'en die klootzakken denken dat ze me eruit kunnen werken. Ze denken dat ze mijn diamantzoekers kunnen tegenhouden om hun diamanten aan mij te verkopen. Zodat zo'n armzalige RUF-bandiet het allemaal voor zichzelf kan hebben. Nou, hij kan de kolere krijgen, ik krijg hem nog wel.'

Op dat moment werd er op de deur geklopt.

George en Danny verstijfden, maar Ali verloor geen moment de controle. Hij legde een vinger tegen zijn lippen om hen tot stilte te manen. Hij gebaarde dat ze achter in de kamer moesten gaan staan, weg van de deur.

Er werd weer geklopt, deze keer dringender. Danny kreeg opeens het gevoel dat de deur niets voorstelde, dat het hout flinterdun was. Zijn hart bonsde en hij merkte dat de randen van zijn gezichtsveld wazig werden. Hij keek naar George, maar Ali's neef bleef rustig en stond perfect stil. Er waren zelfs geen zweetdruppels op zijn voorhoofd te zien.

Ali sloeg op zijn onderrug om er zeker van te zijn dat zijn revolver achter zijn riem zat. Hij trok zijn zonnebril voor zijn ogen en schoof naar de deur toe om hem open te doen.

Er stonden vijf personen, één vooraan en vier erachter. Ze waren jong, nog in hun tienerjaren, hoewel degene die vooraan stond een paar jaar ouder leek te zijn. Hij was de enige in uniform, een stoffig blauw jasje dat hem tot politieman bestempelde. Hij stak zijn hoofd de kamer in en zag de drie mannen. Hij stapte de kamer in terwijl de andere vier op de gang bleven wachten. Ze droegen allemaal geweren.

'Jij Ali Alhoun?' vroeg de man. Hij had een zware stem die rechtstreeks uit de jungle leek te komen en worstelde met de Engelse woorden.

Ali gaf geen antwoord. De man herhaalde zijn vraag en keek George en Danny aan. Hij vroeg het voor de derde keer.

'Je weet wie ik ben. Wat wil je?'

De man maakte een gebaar dat ze met hem moesten meekomen.

'Wij hebben auto. Jij komt met ons naar politiebureau. Jij niet gewenst in Bo, mijnheer Ali Alhoun,' zei hij.

Ali was de rust zelf. Hij liep naar voren en greep achter zijn rug. Hij haalde zijn revolver tevoorschijn en legde het voorzichtig op tafel. Zoals afgesproken was dit het teken voor Danny en George om een hand achter hun rug te houden. Ze hoefden hun wapen niet te tonen, maar de implicatie was duidelijk genoeg. De man begreep het direct. De achterhoede van vier schuifelde nerveus heen en weer; een begon iets tegen zijn kompaan te fluisteren.

Ali deed zijn zonnebril af. Zijn blik liet de politieman niet los.

'Ik denk dat we liever hier blijven,' zei hij.

De man keek naar Ali en wat hij zag beviel hem niet. Hij wierp een zijdelingse blik op zijn eigen mannen.

'Ik ben politie. Jij moet niet in Bo zijn, mijnheer Ali. Je moet komen,' zei hij.

Maar zijn toon zei genoeg. Hij klonk verslagen en jammerend. Hij was niet van plan hier te gaan schieten. Hij was er niet op voorbereid geweld te gebruiken. En hij wist dat er iets in Ali's blik was waar precies het tegenovergestelde uit sprak.

Danny aanschouwde de confrontatie en probeerde zijn misselijkheid te onderdrukken. Mijn god, ga gewoon, bad hij tot de mannen bij de deur. Maak dat je wegkomt. Ga dan toch. Hij voelde het zweet langs zijn rug naar beneden druppelen. Zijn arm begon te trillen maar hij wist hem in positie te houden, vlak boven de revolver achter zijn riem dat zo zwaar voelde dat hij naar achteren werd getrokken. Ga. Ga dan toch verdomme, smeekte hij.

En ze gingen.

'We zien je later, mijnheer Ali,' zei de politieman en liep de deur uit. Ali schopte de deur achter hem dicht.

'Blijf waar je bent,' zei Ali. Hij kroop naar het raam en keek naar buiten. Na een minuut lachte hij.

'Ze zijn weg,' zei hij. Toen verscheen er een glimlach. 'Ik wist wel dat ze ons hadden gezien.'

Danny voelde de wereld onder zijn voeten trillen. Hij trok zijn revolver eruit en legde het op tafel, waarop hij naar het toilet rende om over te geven. Hij leegde zijn ingewanden tot het achter in zijn keel pijn begon te doen, en toen hij zich weer bewust werd van de wereld om hem heen hoorde hij Ali lachen.

'Jezus, Danny. Als handelaar stel je niet veel voor,' zei hij. En hij lachte weer.

HET HAD DE hele dag geregend in Bo. Niet het Engelse gemiezer waar Danny aan gewend was, maar echte Afrikaanse regen. Met bakken tegelijk kwam het uit de hemel zetten om de straten bij Hotel Leone in een wilde stroom rode modder te veranderen. Toen het begon had iedereen zich snel uit de voeten gemaakt, zelfs de zwerfhonden die zich bij de vuilnishopen ophielden. Alles wat leefde had onderdak gezocht.

Toch was Ali in deze zondvloed naar buiten gegaan. Er waren twee dagen verstreken sinds de politieman en zijn volgelingen langs waren geweest. Twee dagen met niets anders dan rijst en taaie kip uit de hotelkeuken. Twee dagen van lethargie, hitte en wachten. Het leek zich allemaal op te bouwen tot deze wolkbreuk boven de stad en terwijl het stortregende had Ali een telefoontje gekregen. Vervolgens had hij aangekondigd dat hij naar buiten ging. Hij zou binnen een uur terug zijn. George had even gefronst en toen zijn schouders opgehaald. Hij leek Ali hoe dan ook te vertrouwen. Dat was twee uur geleden en Ali was nog niet terug. De regen kwam nog steeds met bakken uit de hemel.

Als de regen niet zo'n herrie had gemaakt zou Danny zich geërgerd hebben aan het gesnurk van George. Hij was weggedommeld in zijn stoel, zijn hoofd hing naar beneden en uit zijn halfopen mond klonken harde keelachtige geluiden. Maar Danny negeerde het en bleef in de stortregen staren. Het was nog in de middag, maar door het dikke wolkendek viel er een vreemd halflicht over de stad, alsof de avondschemering al had ingezet. Toen zag hij een gestalte van deur naar deur rennen, schuilend onder alles wat hij tegenkwam. Het was Ali.

Danny schudde George wakker.

'Ik zag hem net,' zei hij.

George was niet onder de indruk. Hij had niets anders verwacht. De mogelijkheid dat er iets mis had kunnen gaan was duidelijk nooit bij hem opgekomen.

'Ali redt zich altijd goed,' zei hij. 'Sinds ik een kind was heb ik hem bezig gezien. Hier of in Beiroet, of waar dan ook. Het is altijd hetzelfde en hij komt er goed vanaf. Ik weet dat hij soms als een idioot kan overkomen, maar hij neemt nooit te veel risico. We zijn niet rijk geworden door de idioot uit te hangen.'

'Waarom is hij hier dan?'

'Hij moet weten wie hier achter zit. Als hij zeker weet wie het is, dan kan hij terugvechten en zijn belangen beschermen. De belangen van onze familie beschermen.'

Danny probeerde zich gerustgesteld te voelen. George was het absolute toonbeeld van kalmte. Hij ging zelfs weer achterover in zijn stoel zitten en sloot zijn ogen, terwijl Danny bij de deur wachtte, zijn blik erop gericht als een trouwe hond die wachtte tot zijn baas thuiskwam.

Ali kwam opgewekt binnenlopen, alsof hij zojuist een krantje had gekocht. Hij was doorweekt, trok zijn shirt uit en gooide het op de vloer.

'Mijn god, het lijkt de zondvloed wel daarbuiten.'

George deed een oog open.

'En?'

'De baas van kleine Winston is de nieuwe man in de stad. Kafume. Degene die toen die bende jongens uit het vluchtelingenkamp had gekregen.'

'En Gbamanja?'

'Ik vermoed dat er een link is. Maar ik weet het niet zeker. Als het spoor naar Gbamanja leidt, dan zitten we zwaar in de problemen. Als het alleen maar dit kleine grut is dat graag moeilijk wil doen, dan reken ik af met die klootzak. Hij zal spijt hebben dat hij Ali Alhoun heeft dwarsgezeten, dat zweer ik. We ontmoeten hem morgen. Hij zal een deal proberen te maken. Hij zal ons een aanbod doen om weg te blijven. Ik ben benieuwd wat hij te zeggen heeft.'

Danny keek toe hoe Ali en George op samenzweerderige toon met elkaar spraken en voelde zich buitengesloten. Hij liep naar Ali toe.

'En Maria? Zat daar alleen maar Kafume achter? Of ook Gbamanja?'

Ali's glimlach verdween.

'Ik heb het vermoeden dat Kafume een man van Gbamanja is. Als hij het in Bo gaat overnemen, waar Maria aan het wroeten was, vragen stelde over hem en alle antwoorden verzamelde, dan heb je volgens mij genoeg bewijs om de te bedenken wat er hier is gebeurd. Hij heeft haar laten ombrengen. Haar gedoofd als een kaars.'

'Heb je hem net ontmoet?'

'Nee. Het was onze vriend de politieman. Hij had een boodschap voor me. Alleen maar een tijd en een plaats.'

'En als het nu een valstrik is? Om ons te doden en er klaar mee te zijn?'

Ali schudde zijn hoofd.

'Nee, mijn vriend. Je begrijpt de mentaliteit niet. Ze willen een rustig leventje gaan leiden. Ze willen rijkdom. Ze zouden me eerder afkopen dan dat ze zoiets riskeren. Maria is waarschijnlijk vermoord omdat ze haar niet konden afkopen. Haar niet konden bedreigen. Ze hadden geen keus. Met mij is het anders. Ze weten dat Ali te koop is.'

Hij lachte.

'Bovendien heb ik altijd al willen weten wat mijn prijs zou zijn. Ik denk dat die behoorlijk hoog is.'

ALI'S MOBIEL GING af. Hij blafte een begroeting. Zijn gezicht betrok onmiddellijk en er verscheen een rimpel op zijn voorhoofd. Hij wierp een zijdelingse blik op George en mompelde iets Arabisch in de telefoon. Toen liep hij naar de badkamer en deed de deur achter zich dicht. Danny hoorde er gedempte uitroepen uit komen en hij kwam weer tevoorschijn met een gezicht dat op onweer stond.

'Verdomme,' zei hij. 'Die stijve Nigeriaan heeft er echt een puinhoop van gemaakt.'

'Wat is er?' vroeg Danny.

'Dat was mijn neef Hamid. Degene bij wie we Winston zouden onderbrengen. Hij heeft veel contacten, mijn Hamid, en zijn mensen vertelden hem dat er gisternacht iets in de sloppenwijken is gebeurd. Een razzia van de politie met veel vertoon. Geen gekkigheid. Ze pakten een gezochte gevangene op, iemand die uit de gevangenis van Bo was ontsnapt. Iemand die het bij ons goed zou hebben gehad, maar die het Nigeriaanse leger blijkbaar niet kon beschermen.'

Danny had het gevoel alsof er een licht werd gedoofd. Winston was opgepakt door de politie.

'Leeft hij nog? En Rose?'

Ali haalde zijn schouders op.

'Ze hebben alleen de jongen meegenomen. Op dat moment was hij in leven. God mag weten of hij dat nu nog is,' zei hij.

Danny dacht aan het gezicht van Rose toen ze haar zoon zag. Uit haar blik sprak alles. Ze had hem nooit iets verweten. Ze had welgeteld één nacht met hem gekregen en was hem toen weer kwijtgeraakt.

'Ik zou graag willen weten hoe ze wisten waar hij was. De politie in Freetown staat nu niet direct bekend om zijn goede speurwerk. Jezus, normaal kan een ontsnapte gevangene ze geen bal schelen,' zei Ali.

'Weet je wat ik denk,' zei George, terwijl hij Ali aankeek en Danny negeerde. 'Hij is nooit meer dezelfde geweest sinds hij klusjes voor Gbamanja ging doen.'

Danny schrok verrast op.

'Kam?' flapte hij eruit. 'Wacht even...'

Maar George gaf hem geen kans om te spreken en zijn vriend te verdedigen. Hij richtte zich nog steeds tot Ali. Dit waren familiezaken.

'Je had hem niet twee meesters moeten laten dienen,' zei hij. 'De familie zit op het moment zwaar in de problemen en we moeten de dingen onder ons houden. Hij is er ook steeds om die verdomde auto te rijden, en dan is dit allemaal aan de hand terwijl hij klusjes voor Gbamanja doet. Het is te veel allemaal.'

Ali haalde zijn schouders op.

'Misschien heb je gelijk,' zei hij, en vloekte nog een keer. 'Ik ken Kam al jaren. Hij zal ons niet verraden. Dat doet hij niet.'

Danny keek naar Ali. Hij kon de twijfel in zijn gezicht lezen, en begon het nu zelf ook te voelen.

'Dat krijg je nu van je goede daden,' zei Ali beschouwend,

zonder verwijt in zijn stem. 'We hadden die jongen kunnen gebruiken om te onderhandelen. Maar de majoor wilde een goede daad verrichten. Nu is hij waarschijnlijk toch dood en wij hebben niets.'

Danny had hier geen antwoord op. Hij voelde zich alleen, in een stad vol bandieten, in een land ver weg van huis, met twee mannen die hem niets verschuldigd waren. Wat was zijn nut in een land waar elke dag weer nieuwe verraders opdoken? Hij opende zijn mond om Kam te verdedigen, maar de woorden kwamen niet. Hij zat op zijn bed, boog zijn hoofd en keek naar het grijze metaal van de revolver op het nachtkastje. Ik ben hier en verder niets, dacht hij. Blijf in beweging, als een haai ver weg in zee. Als je stopt dan ben je verloren.

ACHTERAF GEZIEN LEEK het onvermijdelijk dat de ontmoeting in de diamantvelden zou aflopen op de manier waarop hij dat deed. Maar zo voelde het niet op dat moment. Het voelde alsof er keuzes waren. Maar later, veel later, besefte Danny dat toen hij op een verlaten stuk van de rivieroever uit Ali's SUV stapte, hij zijn oude leven al ver, ver achter zich had gelaten. Hij had alle banden verbroken, losgeslagen dreef hij stroomafwaarts naar de rand van de waterval.

Ze hadden met de SUV over een zandweg gereden. Ze bevonden zich op ongeveer een halfuur rijden buiten Bo, op weg naar een uitgegraven stuk van de diamantvelden. Het bleek een kale woestenij van duinen en kuilen te zijn. Er stond al een andere wagen, een oude Mercedes vol deuken. Er zaten twee man in. Ali stopte.

Het was een moment stil. Danny had het gevoel alsof hij in een droom verzeild was geraakt en zichzelf van bovenaf zag. Hij zag hoe ze met zijn drieën uit de auto stapten, voor alle zekerheid met een hand op hun revolver, en hoe ze kalm vooruit liepen langs de randen van de zanderige kuilen waarmee de grond bezaaid was. De twee mannen uit de Mercedes deden hetzelfde. Een was een lange, dunne man en de ander bleek de politieman, met hetzelfde blauwe jasje en een automatisch geweer.

Ali liep voor George en Danny uit, hij had hun gezegd zich afzijdig te houden.

De lange man droeg een pak. Het paste hem precies, maar hij zag er ongemakkelijk in uit. Misschien kwam het door zijn woeste kapsel of zijn ongeknipte nagels. Toch leek hij niet gespannen. Hij leek zelfverzekerd en in zijn element. De politieman stond naast hem als een menselijke schaduw.

'Dus jij bent Ali Alhoun?' zei hij. Zijn Engels was niet perfect, maar beter dan dat van de politieman.

'Dat ben ik, en ik vraag me af wie jij denkt dat je bent als je meent mij uit Bo te kunnen houden? Ik heb hier jarenlang gewerkt terwijl jij vrouwen en oude mannen aan het vermoorden was. Dus dat is mijn vraag. Wie ben jij verdomme?'

'Ik ben Kafume,' zei de man. 'Dat weet je. Je hebt gehoord wie ik ben. Je hebt hier in Bo een goede tijd gehad, mijnheer Ali Alhoun. Maar de tijden zijn nu veranderd. Het is tijd voor anderen om hier te zijn. Mensen die uit Sierra Leone komen, niet uit Libanon. Afrikanen, geen Arabieren. Daarom nemen we het over. Je zou blij moeten zijn met de successen uit het verleden en God bedanken dat ze je rijk hebben gemaakt.'

Ali deed nog een stap vooruit.

'Doe me een aanbod,' zei hij.

'Waarom?'

'Omdat ik niet vertrek,' zei Ali.

Kafume liet zich niet uit het veld slaan. Ook hij deed een stap vooruit. De politieman volgde hem.

'Dit kan een gevaarlijk land voor je zijn,' zei hij.

Ali lachte.
'Ik ben hier al langer dan jij leeft, knul. Ik zal hier zijn na jouw dood.'
Kafumes neusvleugels trilden bij het woord 'knul', waar de koloniale minachting vanaf droop.
'Ik denk dat je het niet begrijpt, mijnheer Alhoun,' zei hij. Hij sprak 'mijnheer' uit op de manier waarop Ali 'knul' had gezegd en liet de beleefdheidsvorm als een woord vol walging klinken.
'Jouw tijd hier is voorbij. Wij hebben gevochten voor ons land. We hebben deze plek aan Afrika teruggegeven. Buiten het bereik van buitenlanders als jij. Het heeft geen zin om hierover te praten.'
Ali vertrok geen spier. Hij stond als een rots met zijn handen in zijn zij, en sprak weer.
'Zie ik eruit alsof ik vertrek?' zei hij. 'Doe me een aanbod als je wilt dat ik vertrek. Ali Alhoun vertrekt nooit met lege handen.'
Ali's stem – kalm en sterk – had het gewenste effect. Kafume haalde een buidel uit zijn zak tevoorschijn. Hij was van bruin leer met een koord er strak omheen gebonden. Hij maakte hem open en liet een verzameling grijze stenen in zijn handpalm stromen. Ruwe diamanten. Danny had geen idee hoeveel het waard was, maar hij zag dat George onrustig zijn voeten heen en weer bewoog. Het moest een fortuin zijn.
'Dit is je prijs,' zei Kafume. 'Zie het als een blijk van respect voor je werk. Neem dit en ga.'
'Het is te weinig,' zei Ali.
Kafume gaf geen krimp.
'Dit is geen onderhandeling. Dit is wat we je geven om Bo te verlaten.'
Er viel een stilte en Kafume liet de stenen terug in de buidel glijden.

'Dan trek ik dit aanbod in.'

'Wacht.'

Ali stak zijn hand uit, maar hield zich in. Zijn gezicht was vlak bij dat van Kafume.

'Zeg me van wie dit aanbod komt. Niet van jou, Kafume. Je hebt gelijk. Ik ken je. Jij bent volkomen waardeloos. Al gaf ik je een jaar, dan zou je nog niet zulke stenen bij elkaar kunnen krijgen. Zeg me bij wie je hoort. Zeg me wie er achter je staat.'

Kafume weifelde. Ali keek hem ingespannen aan. Er leek een evenwicht bereikt. Danny hoorde George bewegen en zag zijn hand naar de revolver op zijn rug gaan. Hij zag dat de politieman nerveus naar hem keek. De woorden tussen Ali en Kafume waren nauwelijks hoorbaar, maar ze konden allemaal de emotie voelen die in de lucht hing.

Kafume gromde.

'Ik heb jaren in de jungle gevochten voor deze dag. Ik vocht daar met mijn baas, generaal Mosquito. Ik ben zijn man. Ik ben zijn broeder. Als je blijft, zal Gbamanja ervoor zorgen dat je vertrekt, niet ik.'

Voor Ali was de ban gebroken. Het noemen van Gbamanja's naam was genoeg. Hij was een onderhandelaar en had nu zijn rekening vereffend. Hij kon vangen en kwam er het beste vanaf.

'Zeg dan tegen je baas dat je een deal hebt,' zei hij en trok de buidel uit Kafumes handen. Hij draaide zich om en begon te lopen. Hij knikte naar George en Danny om hem te volgen. George liep achteruit in de richting van de auto.

Kafume knikte. 'Mooi. Er zijn al te veel doden gevallen vanwege deze toestand. Het is genoeg.'

Danny bleef aan de grond genageld staan.

Er waren al te veel doden gevallen?

'En Maria dan?' siste Danny toen Ali hem passeerde. Hij zag een glimp van herkenning in het gezicht van Kafume.

'We gaan nu, Danny,' zei Ali terloops, maar Danny bewoog zich niet.

Danny hoorde niets.

Het raakte hem. Het raakte hem met alle kracht van de wereld. Hij stond hier met de man die zijn oude RUF-kameraden het bevel had gegeven om de auto van de blanke vrouw te overvallen. Om haar te vermoorden, uit de weg te ruimen, om haar kostbare blauwe dossier te pakken. Om haar vragen en interviews te laten stoppen. Om het verleden tot zwijgen te brengen, zodat de doden zich niet konden uitspreken tegen zijn baas, minister Gbamanja. Generaal Mosquito. Om haar te verkrachten als waarschuwing.

Hij had het gevoel alsof hij boven een groot verzwelgend gat stond, zoals de kuilen van de diamantzoekers om hem heen. Hij hoefde maar één stap naar voren te doen en hij zou eindelijk vallen.

'Danny, wat...?' was alles wat Ali uit kon brengen toen Danny naar voren liep, terwijl zijn hand vanachter zijn rug tevoorschijn kwam en zijn duim de haan van de revolver spande om deze direct op Kafumes gezicht te richten.

'Wat is er met Maria Tirado gebeurd?' vroeg hij.

Het volgende moment voltrok zich in een waas. Kafume stond aan de grond genageld en keek met een perplexe, bijna geamuseerde uitdrukking in de loop van Danny's revolver. Danny was zich er vaag bewust van dat Ali achter hem luid stond te vloeken. Maar de politieman ging tot actie over. Hij hief zijn geweer en schreeuwde Danny iets toe. Danny keek naar de politieman, keek naar het geweer dat op zijn borst werd gericht en zag dat hij zijn vinger naar achteren begon te trekken. Hij wist dat de man ging schieten.

Toen voelde hij iets heets langs zijn oor gaan, waarop een explosieve knal volgde. Hij wachtte op de pijn, maar deze kwam niet. Hij was niet geraakt. De politieman wel.

Ali had hem neergeschoten.

Langzaam kromp de politieman ineen en stortte ter aarde, zijn buik vasthoudend. Hij rolde op een kant en kronkelde als een gewonde slang. Ali doemde achter Danny op, zijn revolver met beide handen omklemmend terwijl hij snel naar voren liep.

Kafume draaide zich om, zag zijn man vallen en probeerde Danny's revolver te grijpen. Danny stapte achteruit om buiten zijn bereik te zijn en sloeg Kafume instinctief hard op het gezicht met de loop van zijn wapen. Hij voelde hoe het contact maakte met zijn schedel, net achter zijn oor, en zijn huid openscheurde. Er kwam een regen van bloed uit Kafumes slaap die Danny's gezicht onder spetterde. Het voelde warm. Kafume viel kreunend op zijn knieën. Toen klonken er nog twee explosieve knallen en Danny boog voorover. Hij keek op en zag hoe Ali over het schokkende lichaam van de politieman heen stond, een sliert grijze rook kringelde uit zijn revolver. Er kwam een ziekelijk raspend geluid uit de open mond van de politieman, hij hapte naar adem als een vis op het strand. Er klonk nog een schot en de man bewoog niet meer.

Het was stil.

'Verdomme, Danny. Wat heb je gedaan, man?' zei Ali.

Maar Danny was er niet. Ali's deal, de dode man, de bloedspetters op zijn wang, het deed er allemaal niet toe. De enige die ertoe deed was het schepsel aan zijn voeten. Kafume. Hij hief zijn revolver en drukte het tegen Kafumes gezicht. Met zijn andere hand trok hij hem op zijn knieën.

Zijn stem was nauwelijks meer dan gefluister.

'Vertel me de waarheid. Wat is er met Maria Tirado gebeurd?'

Kafume spuugde op de grond en greep naar zijn bloedende hoofd. Danny zag dat het bloed het gesteven witte overhemd van de man doorweekt had, waardoor hij een scharlakenrode kraag had.

'Die verdomde blanke trut,' zei hij minachtend. Danny dacht dat hij zich witheet of buiten zinnen zou moeten voelen. Maar dat was het vreemde. Hij voelde zich doelbewust, machtig, vastberaden. De tijd verlengde zich, alsof elke seconde een eeuw was. Hij had alle tijd van de wereld om te bereiken wat hij wilde.

'Misschien dat ik je beter kan vragen of je lange of korte mouwen wilt?' zei Danny.

Kafume keek Danny aan toen hij deze woorden sprak. Hij keek Danny in de ogen en jammerde iets onverstaanbaars.

'Maar ik heb geen machete. Ik heb slechts een revolver. Dus wil je een kogel in je arm of in je been?'

Kafume gaf geen antwoord. Ergens in zijn hoofd, vanuit zijn bloedige verleden, herinnerde hij zich dat geen slachtoffer ooit deze vraag beantwoord had.

Danny richtte de revolver op Kafumes dij en vuurde. De kogel boorde zich door het vlees en versplinterde het bot. Kafume stuiterde over de grond, brullend van ondragelijke pijn. Danny, onder het bloed, trok hem aan zijn nek omhoog tot hij stil hing, als de monstervangst van een visser. Bloed druppelde op het zand. Ali deinsde achteruit.

'Danny, Danny...' fluisterde hij. Maar hij greep niet in.

'Wie wilde haar dood?'

'Mosquito,' stamelde Kafume. Nu volgde er een woordenstroom.

'Ze maakte het ons moeilijk hier. Ze verzamelde informatie over ons allemaal. Over wat er tijdens de oorlog was gebeurd. Ze wilde niet luisteren. Ze wilde er niet mee stoppen.'

Kafume snikte nu.

'We boden haar geld aan. Maar ze wilde niets hebben. Gbamanja wilde haar niet doden. Maar ze dwong ons ertoe. Hij wist dat hij haar tot zwijgen moest brengen. Hij zei dat ze dood moest.'

Nu wist Danny het. Eindelijk wist hij het. Hij richtte de revolver weer.

'Arm of been?'

Kafume barstte los in een onmenselijk geschreeuw. Een geschreeuw dat Danny's oren vulde. En plotseling kwam zijn geest weer aan de oppervlakte, hij zwom in de lucht en hapte naar adem. Hij voelde al het bloed dat op zijn lichaam zat en het maakte hem misselijk. Hij kon het ijzer erin ruiken, grof metalig en meedogenloos. Hij liet Kafume op de grond vallen en wankelde naar achteren. Kafume lag te huilen, zijn been vasthoudend. Danny voelde Ali achter zich op hem afkomen.

'Danny, Danny,' zei hij rustig, en Danny kwam in zijn armen terecht. Hij voelde hoe Ali de revolver voorzichtig uit zijn hand nam, zijn vingers één voor één losmakend. 'George. Haal hem hier weg,' zei hij.

Ali keek naar Kafume op de grond en richtte zijn wapen op diens gebogen hoofd.

'Godverdomme,' zei hij. Toen keek hij omhoog naar de hemel en schreeuwde zo hard als hij kon. 'Godverdomme!'

George keek naar Danny alsof hij zojuist een geest had gezien. Hij ondersteunde hem terwijl ze samen naar Ali's SUV strompelden. Danny was naast hem in elkaar gezakt en staarde naar het bloed van Kafume dat over zijn kleren was gesproeid. Wat had hij gedaan?

George hees hem omhoog, zette hem tegen de auto aan en tuurde in zijn gezicht. Zijn handen gingen over Danny's lichaam.

'Ben je gewond?' vroeg hij. 'Doet het ergens zeer?'

Danny staarde leeg voor zich uit. Hij had het gevoeld dat hij een brede Rubicon over was getrokken, naar een vreemd land waar hij niet uit kon terugkeren en dat hij niet kende. De wereld was duisterder geworden, als een verbleekte foto met veel grijstinten en wazig aan de zijkanten. Het gezicht van George kwam in beeld.

'Het gaat wel, George,' zei Danny zwakjes. George gooide hem een handdoek toe die achter in de SUV lag.

'Je ziet er verschrikkelijk uit,' zei hij. 'Veeg jezelf schoon.'

'Waar is Ali?'

George gaf geen antwoord. In plaats daarvan kwam het antwoord met een zacht briesje vanaf de diamantvelden hun kant op geblazen. Het was een serie verschrikkelijke kreten, gemarkeerd door korte stiltes. Primaire geluiden die een gewond dier dat in een val zat zou maken. Pure pijn en angst, en het verlangen om in leven te blijven. De kleur trok weg uit Georges gezicht. Danny begon te trillen.

'Ik denk dat Ali een praatje maakt met Kafume,' zei George kalm.

'Laat het ophouden,' fluisterde Danny.

Meteen daarop klonken er kort achter elkaar twee schoten. Ali kwam op hen afgelopen, zijn revolver wegstoppend. Hij trok zijn met bloed bedekte shirt uit en gooide het weg. Zijn gezicht leek uit graniet gehouwen, emotieloos maar vastberaden.

'We zitten zwaar in de problemen, neef,' zei George.

Ali zuchtte.'Je meent het.'

'Is hij dood?' vroeg Danny.

Ali sputterde en deed een stap in zijn richting. Danny dacht even dat hij hem ging slaan. Ali balde en ontspande zijn vuisten, hij leek naar woorden te zoeken tot het eruit knalde.

'Zo laat je iemand niet liggen, stomme klootzak!' zei hij woedend. 'Als je eraan begint, dan maak je het ook af. Jij begon ermee, dus ik heb ervoor gezorgd dat het klaar was. Dus, ja, Danny, Kafume is verdomme hartstikke dood.'

Om de een of andere reden was Danny kapot van het nieuws. Nu was er geen weg terug meer. Ali was kwaad.

'Wat had je dan gedacht? Je hebt zojuist een van Gbamanja's topmannen neergeschoten. Denk je dat hij dat over zich heen laat gaan?'

Danny voelde zichzelf trillen van de shock waarin hij verkeerde. Hij had de waarheid van Maria's dood in Kafumes ogen gezien en hem in zijn been geschoten. Deze man had Maria's dood georganiseerd. Hij was haar moordenaar. Niet Winston. Niet de andere kindsoldaten die al in hun graven lagen. Kafume en Gbamanja waren de schuldigen.
'Je weet waarom. Hij heeft Maria vermoord. Hij en Gbamanja hebben het gedaan,' zei Danny.

Ali liep op hem af en nam zijn gezicht in zijn handen. In zijn blik viel een mengeling van bezorgdheid en woede te lezen, twee emoties die op zijn gezicht met elkaar streden. Danny kon zijn blik niet weerstaan, maar had hij dat gedaan, dan had hij gezien hoe de woede het gevecht verloor en langzaam uitdoofde.

'Je hebt gedaan wat je hebt gedaan, Danny,' zei Ali uiteindelijk. 'Hij vroeg erom, dat ben ik met je eens. Maar dit verandert alles voor ons. We moeten hier weg, en snel.'

'Waarheen?' vroeg George.

'Freetown. Maar we moeten eerst terug naar Bo. Ik heb een praatje gemaakt met Kafume. Een zeer overtuigend praatje. Hij heeft me wat informatie gegeven.'

'Hij klonk praatgraag,' grapte George bot.

Ali wierp hem een blik toe.

'Luister, we hebben een onderhandelingspositie nodig. Winston hebben we niet, maar ik denk dat we iets anders kunnen krijgen. Rose vertelde over een dossier dat Maria bijhield. Een blauw dossier. Ik dacht dat het misschien wel verbrand of vernietigd was toen ze haar vermoordden, maar Kafume was een slimme jongen. Hij heeft het bewaard. Dit dossier is in Bo en hij heeft me precies verteld waar. Als we aan het dossier kunnen komen, dan staan we weer sterk. We kunnen ermee onderhandelen en uit de ellende komen.'

'Ga in de auto zitten, Danny, en wacht. George, help me om van deze lichamen af te komen,' zei Ali. Danny liep gedwee naar de SUV. Hij drukte zijn voorhoofd tegen het koele glas van het raam en zag hoe Ali en George terugliepen naar de plek waar Kafume en de politieman naast de gedeukte oude Mercedes lagen.

Ali droeg een groene jerrycan. Danny wist wat er zou gaan gebeuren en dwong zichzelf te kijken. Hij zag hoe George en Ali eerst Kafume en toen de politieman oppakten en hun doorgezakte lichamen als geslacht wild wegdroegen. Hij zag hoe ze de een op de achterbank en de ander in de kofferbak van de Mercedes legden. Toen liep Ali om het voertuig heen en sprenkelde er benzine uit de jerrycan over; een, twee, drie keer, als een godsdienstig ritueel. Ali gooide iets in het open portier van de auto en Danny hoorde de 'woef' toen hij vlam vatte en al snel in lichterlaaie stond en een dreigende zwarte rookpluim de lucht in zond.

ZE STOPTEN VOOR Hotel Leone. Het was lunchtijd en de straten waren vol mensen. Ali zat achter het stuur en prepareerde zichzelf. Sinds hij zijn met bloed doordrenkte shirt had weggegooid was zijn bovenlijf nog steeds ontbloot.

'Kafume gaf Maria's dossier aan de manager hier om het in zijn kluis te bewaren. Ik heb geen idee of Gbamanja wist dat hij het had. Maar wij hebben het nodig. We hebben het heel hard nodig,' zei hij. 'Daar moeten we de manager van overtuigen.'

'Misschien dat je voor de gelegenheid maar eens een shirt moet aantrekken,' grapte Danny om de spanning te breken.

Ali grinnikte en George pakte een nieuw shirt uit een tas. Ali keek Danny aan.

'Dit dossier – als het hier is – is van mij, ik neem aan dat je dat begrijpt, Danny.'

'Het is van Maria,' zei Danny. 'Zij is ervoor gestorven. Alles wat in het dossier staat, de namen, de data. Daar leefde ze voor. Het was haar leven.'

'Dat weet ik. Maar het doet er niet meer toe. Begrijp je dat?' zei hij.

Hij vroeg het nog eens, met een stem die geen tegenspraak duldde.

'Begrijp je dat, Danny? Dat dossier is voor ons. Het is voor mij. We gebruiken het in ons voordeel. Niet voor een doel.'

Er was geen meningsverschil. Dat kon er niet zijn. Dit was Ali's wereld. Dit was een wereld waar Winston nog steeds vrij of in leven zou zijn als hij Ali's gevangene was gebleven in plaats van naar zijn moeder terug te keren. Het was een wereld waar Maria's zoektocht naar gerechtigheid dode na dode veroorzaakte. Het was een wereld waar alleen de doden en de stervenden de waarheid spraken. Waar de levenden hun ziel verkwanselden om kostbare deals te sluiten.

Danny knikte. Voor het moment had Ali gelijk. Later moesten ze maar zien. Hij zou Maria nog niet in de steek laten.

'Goed. Laten we gaan,' zei hij.

Ze stapten alledrie uit en liepen Hotel Leone binnen. Ze hadden gewacht tot de lobby leeg was en er alleen nog maar een receptionist achter de balie zat.

'Is de manager er ook?' vroeg Ali. De receptionist keek op en maakte een hoofdbeweging in de richting van de achterkamer. Ali bedankte hem en ze liepen erheen. George bleef in de lobby en stond over de balie geleund. De receptionist keek naar hem en George trok zijn shirt omhoog om de revolver te laten zien dat tussen zijn broek en de plooien van zijn buik zat. Hij grijnsde ondeugend en legde een vinger op zijn lippen.

'Ssst,' zei hij.

Ali en Danny liepen de achterkamer in. Een Indiase man met een tulband op zat over een kasboek gebogen. Hij keek op.

'Hallo, Sanjiv,' zei Ali. Hij haalde zijn revolver tevoorschijn, liep snel naar de man toe en zette de loop direct op de man zijn voorhoofd. De ogen van de sikh draaiden naar binnen om het wapen te kunnen zien. Hij leek verbazingwekkend onverstoorbaar.

'Hallo, Ali,' zei hij, zijn blik op de revolver houdend. 'Wat kan ik voor je doen?'

Ali grijnsde.

'Het spijt me dat het zo moet, Sanjiv. Werkelijk waar. Maar ik heb iets nodig wat jij hebt. Een blauw dossier. Kafume houdt het hier in bewaring. Normaal zou ik dit op een prettigere manier afhandelen, maar vandaag moet ik direct zijn.'

Ali duwde de revolver harder tegen Sanjivs voorhoofd. De sikh rolde zijn stoel langzaam naar achteren om de druk te verminderen totdat hij tegen de muur tot stilstand kwam.

'Ik heb een klotedag en ik heb haast. Dus ik ben bot. Jij geeft me dat dossier of je kunt je hersenen zo dadelijk van de muur schrapen.'

Sanjiv bleef rustig, zijn handen in zijn zij.

'Ali. Kafume is een bekende naam hier. Hij zou misschien kwaad op me kunnen worden als ik het aan jou gaf,' zei hij.

Ali knikte.

'Ik kan je verzekeren dat je je niet meer druk hoeft te maken over wat Kafume zal doen.'

De hint was duidelijk. Danny wist dat Sanjiv net als Ali was. Hij was iemand die de situatie inschatte op basis van zijn eigen behoeftes en deed wat hij moest doen om te overleven. Toen hij naar Ali opkeek – zijn gezicht stond hard, de revolver drukte nog harder – was de rekensom snel gemaakt. Sanjiv knikte. Een deal.

'Het ligt in mijn kluis,' zei hij. Ali liet de sikh opstaan. Hij liep naar een brandkast die in de muur verzonken zat. Hij draaide het cijferslot heen en weer tot er een metalige klik klonk en de deur opensprong. Er lagen stapels bankbiljetten in en dezelfde leren buidels zoals die waarin Kafume zijn diamanten bewaarde. En een haveloze blauwe dossiermap.

Sanjiv keek Ali aan.

'Ik wil alleen maar het dossier, mijn vriend. Verder niets,' zei hij. Sanjiv boog zijn hoofd en haalde het eruit, waarna hij de kluis snel weer sloot.

Hij overhandigde het aan Danny. Het werd bijeengehouden door elastieken en er zat een doorzichtige plastic tas omheen. Danny verwachte dat hij zwaar zou zijn, deze afrekening met het verleden. Maar dat was hij niet. Hij was licht. Fragiel. Uiteindelijk was het gewoon papier.

'Je weet dat er anderen achter Kafume zitten? Machtige mensen,' zei Sanjiv.

Ali haalde zijn schouders op.

'Dat weet ik. Maar als je ze vertelt wie het dossier heeft meegenomen, zeg ze dan ook dat ik een redelijke man ben. Ik ben een onderhandelaar. Er hoeft niemand iets te overkomen.'

'Ik zal het ze zeggen,' zei Sanjiv. 'Maar misschien willen ze wel niet luisteren.'

Toen ze vertrokken, keek de sikh ze na. Hij was net onder bedreiging van een vuurwapen beroofd, maar had geen druppel zweet verloren. Toen ze de deur achter zich dichtdeden ging hij terug naar zijn kasboek en begon zijn bedragen weer te tellen. Hij ergerde zich. Hij wist niet meer waar hij was gebleven. Tegen de tijd dat hij het terugvond had Ali's SUV Bo al verlaten in zuidelijke richting. Op weg naar Freetown.

17

[2000]

HENNESSEY HAD GENOTEN van het verhaal over Maria's geredde kindsoldaten. Danny had geen melding gemaakt van het geld of de doodsbedreiging, die alleen maar kon worden afgewend met de belofte van nog meer geld. Zijn artikel verhulde wat er werkelijk was gebeurd. Wat de hele waarheid was. Maar zelfs als simpele reddingsactie was het genoeg voor een lyrisch artikel dat War Child in een heroïsch daglicht plaatste. Danny wist dat de mensen op de redactie het al over journalistieke prijzen begonnen te hebben.

Danny zat in zijn hotelkamer de e-mails vol felicitaties te lezen. Het gaf hem een vreemd gevoel van macht en rechtvaardiging met betrekking tot zijn aanwezigheid hier en het nemen van risico's. Hij hoorde dat er op de deur werd geklopt. Hij zei Hennessey snel gedag, liep naar de deur en tuurde door het kijkgaatje. Het was Maria. Ze had een gemene blauwe plek op haar rechterslaap en keek hem recht aan, wetend dat hij haar zag. Ze glimlachte en wuifde. Hij lachte en deed de deur open.

'Roomservice?' grapte ze, en sprong giechelend in zijn armen. Hij lachte en drukte zijn gezicht in haar dikke haar, haar geur diep inhalerend. Koortsachtig begonnen ze elkaar de kleren van het lijf te rukken, waarbij ze – half lachend en half serieus – achterover op het bed tuimelden, tot ze naakt waren.

Toen het voorbij was lagen ze bezweet in elkaars armen, de airconditioning in de kamer had de strijd om koelte van hun lichamen verloren. Ze waren stil, Maria lag met haar hoofd op zijn borst. Danny dacht dat ze in slaap was gevallen en begon zich net voorzichtig los te maken toen ze sprak.

'Dank je,' zei ze. Toen nog eens, maar zachter: 'Dank je.'

Hij hield haar stevig vast.

'Je hebt een te groot risico genomen door zo de jungle in te gaan,' zei hij.

Ze zweeg een moment, maar toen ze sprak ging ze niet in op zijn waarschuwing.

'Weet je, ik moet steeds maar denken aan degenen die we zijn kwijtgeraakt. De jongens die door die klootzak mee terug zijn genomen.'

Danny keek naar haar. Hij kneep in haar naakte vlees, maar voelde hoe haar spieren zich onder haar huid spanden. Haar blik was op een gedeelte van de muur tegenover hen gericht, maar hij wist dat ze erlangs keek, ook langs hem heen. Ze keek verder, de jungle in.

'Die schoft. We hadden ze en hij pakte ze terug.'

Danny schrok. Toen drong het tot hem door.

'Zit je eraan te denken weer terug te gaan? Je wilt die stunt nog eens herhalen...'

Ze haalde haar schouders op.

'Het werkte, Danny. Ik kan de volgende keer voorzichtiger zijn. Het is wel zo dat vijf kinderen uit een oorlogsgebied nu in een weeshuis zitten.'

Hij geloofde niet wat hij hoorde.

'Maria. Dit kan je niet doen,' stamelde hij. 'En los van alles, waar had je al dat geld vandaan?'

Ze zweeg een moment en woog haar antwoord zorgvuldig af.

'Danny,' zei ze, 'ik ben hier al een lange tijd. Ik ken veel mensen en weet veel dingen waar ik je niets over kan vertellen. Niet nu. Misschien wel nooit. Dat spijt me. Het enige wat voor me telt is dat ik aan dat geld kan komen. En dat geld zorgt ervoor dat die kinderen een kans krijgen. Dat is het enige wat belangrijk is.'

Ze sloot hem weer buiten. Ze had geheimen voor hem, en hij voelde dat er van binnen iets knapte. Met een stem die bij elke zin harder werd zei hij haar dat het waanzin was. Dat ze gedood zou worden. Dat niets het risico waard was om haar kwijt te raken. Ze luisterde zwijgend, nam zijn woorden in zich op en streelde zijn borst. Toen hij klaar was vertelde ze hem over de vijf jongens die ze hadden gered. Over Thomas die van zijn ouders was gestolen toen ze in het veld werkten. Over Mohammed en Ishmael, twee broers die gezien hadden hoe hun familie levend in hun hut verbrandde. En over Samuel en Eka, die zo getraumatiseerd waren dat het Maria nog niet gelukt was om er een verhaal uit te krijgen. Ze vertelde het allemaal rustig en overtuigd.

'Het zijn nog steeds kinderen, Danny,' zei ze. 'En misschien kunnen ze weer kinderen worden.'

Ze stond op en liep de badkamer in. Hij keek naar haar naakte rug, ging toen weer liggen en staarde naar het plafond. Hij volgde de barsten in de gevlekte gele verf zoals hij de lijnen op haar lichaam had gevolgd. Hij wist dat hij haar niet kon vermurwen. Ze was als een rots, en zijn woorden waren slechts golven die tegen haar aansloegen.

DANNY WIST NIET waarom Maria hem negeerde. Er waren twee dagen van niet opgenomen telefoontjes en onbeantwoorde berichten voorbijgegaan, en nu had hij Kam gevraagd om hem naar haar kantoor te rijden. Hij had verder toch niet veel te doen. Zijn verhaal over de bevrijding was een groot succes geweest, maar de dagelijkse verslaggeving verminderde snel. Er was in Engeland een seksschandaal uitgebroken. Een minister was met een secretaresse en een broek op zijn enkels betrapt. Het stond breed uitgemeten in alle kranten, waardoor het publiek Sierra Leone al snel vergeten was.

Hij liep haar kantoor binnen en zag haar achter een berg papieren zitten.

'Hallo daar,' zei hij.

Ze keek op en hij wist meteen dat er geen misverstand in het spel was geweest. Ze had zijn telefoontjes of berichten niet gemist. Ze had ze niet beantwoord. Ze glimlachte flauwtjes.

'Hoi,' zei ze, en toen als toevoeging: 'Lang niet gezien.'

Hij liep op haar af. Ze deinsde achteruit.

'Wat is er?' vroeg hij. Ze staarden elkaar aan, als twee revolverhelden die onverwachts in een confrontatie terecht waren gekomen. Danny had geen idee hoe het zover was gekomen. Ze leek bijna een vreemde voor hem. Wat was er met haar aan de hand?

Toen sprak ze.

'Het spijt me, Danny,' zei ze. 'Ik heb het zo druk gehad.'

'Bullshit!' riep Danny kwaad uit, verrast door het venijn in zijn stem. Maar het werkte. Het masker viel van haar af en hij kon bijna zien hoe de gedachten door haar hoofd raasden. Ze nam hem bij de hand en leidde hem naar een stoel.

'Het gaat om je artikel, Danny,' zei ze. 'Ik heb er problemen mee gekregen.'

'Hoe dan? Ik heb niet eens de waarheid verteld, ik heb het geld niet genoemd. Jezus, ik heb een hoop regels aan mijn laars gelapt. Er wordt van me verwacht dat ik de waarheid vertel, niet dat ik die geheimhoud. Ik heb het artikel alleen maar zo geschreven omdat ik dacht dat het je zou helpen. Wat is er werkelijk aan de hand?'

Haar gezichtsuitdrukking werd zachter en ze streelde even zijn wang.

'Het is mijn fout. Ik dacht dat publiciteit zou helpen. Maar het heeft sommige... mensen kwaad gemaakt. Mensen die niet zaten te wachten op dit soort aandacht.'

Hij keek haar aan, zijn wangen kleurden rood van emotie. Hij liet haar hand los en stond op.

'Gaat het over het geld? Waar had je het vandaan? Wie is er kwaad?'

Ze schudde haar hoofd.

'Danny. Je moet me vertrouwen. Het is slechts een plaatselijk probleem. Ik ga het oplossen. Maar we kunnen elkaar een tijdje niet zien. Dit hele land is een kolkende brij en ik ben bang dat we er op dit moment aan bijdragen. We moeten er gewoon mee stoppen. Voor even.'

Ze stak haar hand weer naar hem uit. Hij voelde haar vingers op zijn huid. Hij wilde ze grijpen en haar lichaam naar zich toe trekken. Maar de woede was te groot. Hij voelde dat hij haar niet kende. Ze liet het niet toe.

'Alsjeblieft, Danny, vertrouw me,' fluisterde ze.

Maar toen ze dat zei had hij haar al de rug toegekeerd. Hij strompelde het weeshuis uit, terug naar Kam terwijl hij vocht tegen tranen van woede en frustratie. Kam opende zwijgend het portier.

'ZE WIL ME niet zien, Kam,' flapte Danny eruit toen ze terugreden naar het Cape Sierra.

Zelfs het te zeggen deed pijn. Kam gooide zijn handen in de lucht, waardoor de auto licht slingerde.

'Ah, vrouwen!' zei hij. 'Jij schenkt ze te veel vertrouwen, mijn vriend. Ik heb hier veel meisjes en ze bezorgen Kam altijd problemen. Zelfs mijn vrouw bezorgt me problemen. Het is hun natuur om te proberen met ons te sollen. Het is onze natuur om dat terug te doen. Dus als ze je negeert, dan zeg ik ha! Er zijn andere vrouwen voor mannen als jij, Danny.'

Zijn ogen schitterden.

'Wil je er een paar ontmoeten? Kam heeft veel vriendinnen.'

Danny had deze reactie van Kam verwacht. Hij herhaalde haar woorden keer op keer in zijn hoofd. Hij dacht aan de duizenden dingen die hij gezegd kon hebben; aan de duizenden vragen die hij had. Haar geheimen konden hem niet eens iets schelen. 'Ik wil geen andere vrouwen, Kam. Ik wil alleen maar haar.'

Kam keek hem aan.

'Blijf dan in Sierra Leone. Verover haar terug. Blijf,' zei hij. Zijn stem klonk nu serieus.

'Dat kan ik niet, Kam. Je weet het.'

Kam snoof.

'Luister eens, mijnheer Danny. Ik houd van mijn vrouw. Dat doe ik. Ik houd van haar. Als ze me vroeg terug naar huis te komen, terug naar Senegal, me het echt zou vragen, dan zou ik gaan.'

'Echt?'

'Dat is liefde. Dat is wat het betekent de echtgenoot van een vrouw te zijn.'

Met een schok reden ze achteruit door de hekken van het Cape Sierra en Danny zag onmiddellijk dat er iets was gebeurd. Van de ingang tot de lobby stonden groepjes mensen en cameraploegen bij elkaar, tv-verslaggevers hielden hun praatje voor de camera. Hij liep naar buiten en zag Lenny Ferenc met zijn hoofd in zijn handen staan.

'Lenny, wat is er aan de hand?'

De oudere man keek op. Zijn gezicht stond gespannen.

'Er is een ongeluk gebeurd,' zei hij. 'Kurt en Miguel zijn dood. Ergens in de binnenlanden. Ze namen te veel risico en liepen in een RUF-hinderlaag. Ze zijn allebei dood.'

Danny verbleekte. Kurt Schork en Miguel Gil. Twee legendarische nieuwsreporters. Al weken maakten ze samen hun dagelijkse pelgrimage het land in om te kijken hoe ver de oorlog was gevorderd. Het werkte nog ook. De frontlinie verdampte voor hun ogen.

'O god,' zei Danny. 'Wat is er gebeurd?'

'Ze zaten in een auto die voor het regeringsleger uit reed. Het RUF kwam vanuit het niets. En heeft ze neergeschoten.'

Danny beet op zijn tong. Hij had ze geen van beiden goed gekend, maar ze wel ontmoet en een praatje met ze gemaakt. Ze leken hem prima mensen, vaklui die misschien een ongezonde liefde voor hun werk hadden. Als verslaggevers van een persbureau hadden ze samen tientallen oorlogen gedaan.

'Het is de schuld van de redacties,' zei Ferenc. 'Ze hebben ons aangemoedigd om verder te gaan. Het kost steeds meer moeite om iets op het nieuws of in de kranten te krijgen. Zoiets als dit moest een keer gebeuren.'

Het veranderde ook het spel. Sierra Leone had Hennessey's interesse in zo'n mate verloren dat Danny er niet meer aan dacht Freetown uit te gaan. Nu zou het land weer in het nieuws zijn. De dood van twee buitenlandse journalisten zou zijn aandacht trekken. Tussen Danny en Ferenc hing iets onuitgesprokens in de lucht. Het was Ferenc die de zwijgende overeenkomst verbrak.

'Ik ga morgen op pad,' zei hij. 'Zin om mee te gaan?'

DE VOLGENDE OCHTEND zagen ze elkaar bij het ontbijt. Danny, Kam en Ferenc. Een ploeg van CNN zou met ze meegaan, kondigde Ferenc aan, ze zouden in hun eigen wagen rijden.

'Samen staan we sterker,' zei hij.

Of dat opging in Sierra Leone was twijfelachtig. In dat geval kon je gewoon beter in Freetown blijven. Maar de dood van Schork en Gil had het land weer nieuwswaarde gegeven. Ze waren echter niet de enige die een klein konvooi hadden gepland. Voor elke journalist lag dat voor de hand. De strak omlijnde overwinning die iedereen zich had voorgehouden begon aan de randen rafelig te worden.

'Dus wat het is het plan?' vroeg Danny na het ontbijt terwijl hij met een half oor naar CNN in de hoek zat te luisteren. De CNN-correspondent – die hen buiten had opgewacht – was net op tv en beschreef de shocktoestand waarin het perslegioen van Freetown zich bevond. Het was een oudere man, een soort tv-versie van Ferenc, met grijzend haar en een geblaseerde vertrouwelijkheid die suggereerde dat hij dit soort dingen al honderd keer eerder had gedaan.

Ferenc veegde zijn mond af.

'Simpel. We rijden het land in. En zien hoe ver we kunnen komen. Het lukte Miguel en Kurt blijkbaar om behoorlijk ver te komen. Ik zie niet in waarom wij dat niet ook zouden kunnen doen.'

Kam reed ze naar het noorden, de CNN-auto reed achter hen aan. De lucht was grijs, maar dat hield niet de hitte tegen die als een stoomketel door de laaghangende wolken heen straalde. Danny draaide zijn raam omlaag om wat koele wind binnen te laten. Lenny zat ongebruikelijk stil achterin en staarde naar de passerende jungle.

'Ik kende Kurt verdomme al twintig jaar,' zei hij uiteindelijk. 'We hebben samen Bosnië gedaan.'

Het had gevoeld alsof de wegversperringen en soldaten routine waren geworden. Maar de dood van de twee journalisten maakte het gevaar om hen heen opeens weer echt. Dit hele land was levensgevaarlijk en Danny wist dat hij niet onkwetsbaar was. Dat was niemand. Maar het leek verkeerd om erover te praten. Het zou de doden in hun auto hebben opgeroepen en Danny wilde ze buiten houden.

Ze begonnen de gebruikelijke wegversperringen te passeren en de reis kreeg een bekend ritme. Sommige controleposten werden door het leger bemand, dat hen verder wuifde na een plichtmatig knikje. Andere door milities die omgekocht wilden worden met voedsel, sigaretten en drank. Kam handelde het af met zijn gebruikelijke aplomb en deelde de lekkernijen uit als een bezoekende vorst.

Ze reden hard en vraten kilometers. Twintig kilometer buiten Freetown, vijftig, zeventig en toen honderd. Ze waren verder landinwaarts dan Danny ooit was geweest. Toen kwamen ze bij de laatste wegversperring. Er stond al een zestal auto's geparkeerd. Het leek meer een legerkamp dan een wegversperring. Ze werden onverbiddelijk naar de kant van de weg gedirigeerd, ze stapten uit en overlegden wat ze nu zouden doen.

Misschien dat het uiteindelijk een 'gewone' dag zou worden. De gezichten van de regeringssoldaten zeiden genoeg. De dood van de journalisten was slechte publiciteit geweest. De president had bevolen hen van de frontlinies weg te houden. Er mogen geen blanken meer sterven hier. Danny ging opgelucht zitten.

Op dat moment kwam er een volgend konvooi auto's aan. Vier glimmende grijze Mercedessen. Danny nam aan dat er nog meer journalisten in zaten, later uit Freetown vertrokken dan zij. Maar toen de auto's langzaam stopten zag Danny dat ze vol zaten met mannen in uniform, opeengepakt als een blik militaire sardientjes. Uit een van de auto's kwam een zwaarlijvige gestalte tevoorschijn, zijn uniformjas strak over een uitdijende buik getrokken. De soldaten bij de controlepost sprongen in de houding.

Danny zag Ferenc verstijven.

'Wacht eens even,' zei Ferenc. 'Ik ken die kerel.'

Op een drafje liep hij naar de controlepost. Een van de soldaten ging voor hem staan maar Ferenc schreeuwde iets en de kwabbige gelaatstrekken van de man plooiden zich in een brede glimlach. Hij wenkte Ferenc naar hem toe te komen en de twee schudden elkaar driftig de hand. Vijf minuten later kwam Ferenc terug, hij kon zich nauwelijks inhouden.

'We kunnen mee,' zei hij. 'Dat is generaal Asimbiye. Ik heb hem verleden week geïnterviewd. Hij denkt nu dat ik zijn beste maatje ben. Ze rijden door naar het noorden voor een kleine inspectietour. Hij zegt dat we aan kunnen sluiten.'

Terwijl Ferenc dit vertelde liep de generaal terug naar zijn auto, waarvan de motor al werd gestart. Ze haastten zich terug naar hun voertuigen en Kam kon nog net op tijd achter het konvooi aansluiten. In een mum van tijd reden ze langs de controlepost, net op het moment dat de andere journalisten zich realiseerden wat er gebeurde. Ze waren erdoor. Een paar soldaten salueerden zelfs keurig toen ze passeerden.

'Het is zoals je vader altijd zei, Danny. Het gaat erom wie je kent,' grapte Ferenc, die het gebaar met een koninklijk wuiven beantwoordde. 'Het gaat er altijd om wie je kent.'

Nu reden ze in hoog tempo langs wegversperringen van het leger en de milities, zonder te hoeven stoppen. Alleen al het zien van de naderende generaalsauto was voor elk obstakel op de weg reden om aan de kant te gaan. Ferenc zat achterin te giechelen en Danny moest hem wel bijvallen. Hij was bang, ja, maar hij voelde de aantrekkingskracht van het verhaal, de kick van het exclusieve. Het deed er niet toe wat Maria van het eindresultaat zou vinden, dit was waarom hij hier was.

Geleidelijk aan werd het land om hen heen leger. Er viel geen ziel op de wegen te bekennen en op hier en daar een ruïne na waren er geen dorpen in zicht. Toen ze de top van een heuvel hadden bereikt minderde het konvooi vaart om aan een afdaling te beginnen die eindigde in een stad die ongeveer een kilometer van de weg lag. Het was een verzameling gebouwen, met gemak de grootste die ze gezien hadden, en op verscheidene plekken vielen flarden rook te zien die in de lucht opstegen. Danny voelde een druk op zijn borst komen.

'Daar gaan we dan, jongens,' fluisterde Ferenc.

Het konvooi reed de stad binnen te midden van een triomfantelijke chaos. Troepen hingen rond op straathoeken, lieten zichzelf van voertuigen vallen en bevolkten de straten. Door het open raam rook Danny het scherpe cordiet in de lucht en de autobanden die iets vermaalden wat op de weg lag. Hij keek naar beneden en zag dat de grond bezaaid was met lege patroonhulzen.

'Ze moeten het vanmorgen ingenomen hebben,' zei hij.

Ferenc knikte.

'Dat zei Asimbiye ook. Rogberi. Het was bij dageraad gevallen en hij wilde het zien. Hoewel ik niet had gedacht dat we het zouden halen.'

Danny ergerde zich dat Ferenc informatie voor hem had achtergehouden, maar hij zei niets. Het konvooi stopte en ze zagen de generaal uitstappen. De troepen dromden zingend en dansend om hem heen. Toen Danny uitstapte rook hij nog iets anders. Verschaalde alcohol. De helft van de mannen was dronken. Ze loerden naar hen terwijl ze op hen af kwamen, om hen heen gingen staan en hen insloten. Ze waren blij, maar er was iets onaangenaams aan de manier waarop ze zo dichtbij kwamen, hen aanraakten en schreeuwden. Er heerste euforie, er was drank en er was nog iets, direct onder de oppervlakte, de duistere triomfantelijke verrukking van mannen die de hele ochtend hadden gevochten en gemoord en er helemaal vol van waren.

Ze begonnen aan de interviews, Kam hielp met vertalen. De CNN-journalist en zijn cameraman gingen filmen en Danny hoorde voortdurend zijn geschreeuw om mensen uit het beeld te houden, om rustig te blijven en niet in de camera te gaan zwaaien. Niet dat het voor Danny makkelijker was. De aanwezigheid van een opschrijfboekje lokte dezelfde reacties uit. Eén enkel interview trok een hele menigte aan, en steeds als Danny opkeek zag hij twintig of dertig man om hem heen staan die allemaal probeerden te praten. Er was iets met de situatie waardoor Danny het gevoel kreeg dat ze boven een diepe afgrond aan het koorddansen waren. Hij voelde zijn hart kloppen en de behoefte om weg te gaan nu het nog kon, voordat het touw knapte en ze naar beneden vielen. Hij begon naar Ferenc toe te lopen. Het was allang tijd om te gaan.

Op dat moment hoorde hij van ergens buiten de stad een verre knal. De gesprekken stopten en iedereen stond verstijfd. Toen raakte de mortier de grond. Hij landde op tweehonderd meter afstand, verder op de weg, en Danny kon niet zien of er iemand was geraakt. Maar het had ogenblikkelijk effect. De soldaten renden alle richtingen op en haastten zich de gebouwen van de stad in. Overal om hen heen barstte geschutvuur los, het was een oorverdovend antwoord en Danny had het gevoel dat zijn trommelvliezen barstten. Hij begon ook te rennen.

Hij had geen idee waar hij heenging. Hij rende langs de kant van de weg, struikelend en vallend terwijl het geschutvuur van alle kanten bleef komen. Hij was zich bewust van het geluid van startende auto's; twee Mercedessen van de generaal kwamen voorbijsnellen. Hij zwaaide met zijn hand om er een te laten stoppen, maar ze stoven zwaar slingerend voorbij. In paniek keek hij om zich heen. Hij zag Kam of Ferenc niet, alleen maar groepjes soldaten die als bezetenen richting het struikgewas schoten, waarvandaan het korte geknal van binnenkomend vuur klonk en het tinkelende geluid van kogels die de gebouwen achter hem raakten.

Danny rende verder.

Hij zag een plomp, verwoest gebouw en dook door de open deurpost die hem als een muil toegaapte. Binnen was het donker en vochtig en hij drukte zijn rug tegen de stevige betonnen muur aan. Het was een dikke muur, dik genoeg om een kogel tegen te houden. Hij ademde uit en probeerde de inventaris op te maken. Hij dreef van het zweet en zijn hart ging tekeer maar hij mankeerde niets. Hij checkte zichzelf, maar hij zag niets anders dan modder en schrammen. Hij leunde met zijn hoofd tegen de veilige muur en zuchtte diep. Buiten knalde het geschutvuur er nog steeds op los en Danny bad vurig – hij bad vurig tot een God waar hij niet in geloofde – dat het snel zou stoppen. Hij zwoor dat hij nooit meer de weg op zou gaan. Als het hem lukte terug te komen, dan zou hij hier nooit meer een tweede keer heen gaan. Voor wat? Voor wat, verdomme?

Er kwam nog iemand door de deur gestrompeld. Het was een jonge soldaat, misschien net geen tiener meer. Hij had geen geweer meer en bloedde uit zijn pols, geen zware wond, maar het was genoeg om zijn mouw rood te kleuren. Hij ademde zwaar en zijn ogen puilden uit hun kassen toen hij ook tegen de muur aan ging staan. De twee keken elkaar zwijgend aan. Toen sprak de soldaat.

'Het RUF, ze zullen je doden als ze je hier vinden,' zei hij.

Het was een simpele verklaring van de feiten. Danny wist dat hij verder moest. Hij had zich nog nooit zo alleen gevoeld. Hij probeerde niet op het lawaai van de geweren te letten en tuurde door de deur naar buiten. Hij zag ze. Het was Ferenc, Kam en de ploeg van CNN op de een of andere manier gelukt bij elkaar te blijven. Ze zaten op zo'n vijftig meter afstand aan de andere kant van de weg achter een stelling van zandzakken gehurkt. Hij zou het in tien seconden kunnen halen.

Hij wist dat hij het moest doen. Hoewel het tegen alle regels in was, hoewel hij veilig was achter deze dikke muren; hij wist dat hij hier niet kon blijven. Hij wierp nog een blik op de gewonde soldaat en ging ervoor.

Hard sprintend liep hij het daglicht in, zijn ogen op de

stelling gefixeerd. Hij zag hoe Ferenc opkeek en hem herkende. De lange man stak een arm op en zwaaide om hem aan te moedigen. Danny hoorde het geschutvuur overal om zich heen en voelde zijn benen vertragen, het voelde alsof hij door stroop liep. Het was komisch, dacht hij. Dit gesjok over de weg terwijl hij wachtte tot de tijd zou stilstaan en de kogel kwam, immuun voor alle verschrikkingen, koel en afstandelijk. Wachtend op de stekende pijn die aan alles een einde zou maken.

Maar hij kwam niet.

Hij wierp zich op de grond achter de zandzakken en bleef liggen. Hij probeerde zich dieper in te graven en vervolgde zijn gebed. 'Laat het stoppen, laat het stoppen, laat het stoppen,' sprak hij monotoon.

Toen realiseerde hij zich dat Ferenc lachte.

'Goed gedaan, mijn zoon,' zei hij. 'Ik denk dat ik nog nooit iemand zo hard heb zien rennen. Je leek verdomme Carl Lewis wel.'

Het geschutvuur leek hem onverschillig te laten, zelfs bij de hardste knallen gaf hij geen krimp.

'Luister,' zei hij. 'Dit is alleen maar herrie. Het meeste ervan is onze eigen vuurlinie. Ik heb nauwelijks gemerkt dat er iets naar ons toe is gekomen.'

De CNN-correspondent was net zo rustig. Hij zat rechtop, hield zijn hoofd scheef onder het niveau van de zandzakken en probeerde zijn cameraman zover te krijgen hem zo te filmen voor een live-verslag. Maar de cameraman begreep hem steeds verkeerd en ze lagen dubbel van het lachen, alsof het de bloopers van een programma betrof.

Dit is een gekkenhuis, dacht Danny. Ik ben niet zoals deze mensen. Ik wil niet zoals deze mensen zijn.

Hij wist niet waarom Ferenc ging staan. Misschien dat hij iets had gezien. Of misschien was het bravoure. Hoe dan ook, hij klauterde overeind en veegde het vuil van zijn witte jasje, een jas die zo duidelijk opviel. Hij tuurde boven de zandzakken uit en hield een hand boven zijn ogen om het licht af te schermen. Toen stortte hij neer, met een nauwelijks hoorbaar 'oef'.

Danny dacht dat hij iets ontweken had.

'Voorzichtig, Lenny,' zei hij. Toen zag hij zijn gezicht, het was bleek en in shock.

'Godverdomme,' zei Ferenc. Hij hield zijn hand voor zijn buik, hij haalde hem langzaam weg en hield hem voor zijn gezicht. Er droop dik donker bloed af, als bij een beer die in de honingpot heeft gezeten. Ferenc staarde er niet-begrijpend naar.

'Godverdomme,' herhaalde hij en viel op zijn rug.

'Lenny!' gilde Danny en greep zijn hand. 'Lenny!' Hij voelde de warmte van het bloed op zijn vingers. Hij staarde naar Ferencs gezicht. Hij had geen idee wat hij moest doen. Toen voelde hij dat hij werd weggeduwd. De CNN-man leunde over Ferenc heen en scheurde zijn shirt open. Hij legde zijn buik bloot, hij was bleek als porselein en er was een keurig gaatje in het vlees waar bij elke zware ademhaling van Ferenc dik, zwartachtig bloed uit werd gepompt. Danny merkte voor het eerst dat het vuren was gestopt.

'Haal de auto! Haal godverdomme de auto!' schreeuwde Danny. Maar Kam was al weg en sprintte naar de plek waar ze de auto hadden achtergelaten. Een paar regeringssoldaten waren naderbij gekomen en keken achter de stelling. Hun gezichtsuitdrukking was verward. Het leek alsof ze zich niet hadden gerealiseerd dat een blanke man gewond kon raken, net als zij. Ze mompelden wat onder elkaar terwijl de CNN-mannen Ferenc rechtop tilden.

Danny nam één van Ferencs armen en sloeg deze om zijn schouder. Kam kwam eraan gereden en ze duwden hem in de auto. Danny zat naast Ferenc op de achterbank en hield hem vast, hij voelde hoe hij begon te schokken en trillen.

'Hou vol, Lenny,' zei hij over zijn toeren.

Ferenc slikte hard.

'Zo stom, zo stom,' zei hij. Hij probeerde te lachen, maar er verscheen een bel bloed op zijn lippen. Hij glimlachte, zijn tanden waren spookachtig rood.

'Sorry, Danny,' zei hij.

Danny hield hem stevig vast. Kam joeg de auto over de weg.

'We brengen je naar een ziekenhuis, Lenny. Maak je geen zorgen,' zei Danny.

Maar Ferenc was dood aan het gaan.

En hij wist het. Danny kon niet geloven dat er zoveel bloed in een mens zat. Het stroomde onophoudelijk, het verspreidde zich over de bank en vormde een plas op de grond. De muffe geur ervan vulde de auto. Lenny was doodsbleek nu, zijn huid doorzichtig. Zijn adem werd een onregelmatig gehijg. Hij was kwaad en bang.

'Zo stom,' kreunde hij uit en toen zachter: 'O god, o god.'

Dikke tranen stroomden over Ferencs wangen terwijl hij jammerde en schokte, steeds zwakker, steeds verder weg. Zijn ogen werden glazig en troebel. Danny keek erin en wist dat ze hem niet meer zagen.

'Laat me niet alleen, Danny,' fluisterde Ferenc.

Dat deed Danny niet. Hij hield hem stevig vast, als een moeder een pasgeboren baby, hij drukte hem tegen zijn borst, wiegde Ferenc, troostte hem terwijl hij langzaam en ongemerkt wegzonk. Danny hield zijn woord. Hij hield hem de hele weg naar Freetown vast, lang nadat hij koud begon te worden.

MARIA ZOCHT HEM op in zijn hotelkamer, haar ogen rood van het huilen. Ze sloeg hem hard met de vlakke hand in zijn gezicht.

'Jij stomme klootzak!' zei ze. 'Wilde je jezelf soms dood hebben? Dat kun je me niet aandoen, Danny.'

Toen viel ze luid snikkend in zijn armen. Danny omhelsde haar stevig en ze vielen op de vloer, huilend en snikkend terwijl ze zich tegen elkaar aan bewogen, elkaar verslonden, de dood versloegen met de daad van het leven. Ze was terug bij hem en had haar zelfopgelegde isolatie opgeheven. Het had Lenny's leven gekost om haar te bereiken.

Later, toen ze op de vloer lagen, begon ze weer te huilen.

'Het is het niet waard. Denk je dat Lenny zo wilde sterven? Zeg me, toen de kogels in het rond vlogen, was je nu echt blij om daar te zijn? Denk je dat je stomme verhaaltje het waard was om voor te sterven?'

Ferencs laatste momenten stonden in zijn geheugen gegrift. Zo'n einde bezat geen waardigheid en hij wilde er niets meer mee te maken hebben. Maar dat betekende nog iets anders. Danny wist dat hij snel zou vertrekken. 'Ik moet eruit,' zei hij uiteindelijk. 'Ik moet bijkomen. Ik zit morgen in het vliegtuig.'

Ze knikte, maar keek hem niet aan. Hij pakte haar bij haar kin en dwong haar om in zijn ogen te kijken. Zijn blik boorde zich in die van haar, en smeekte haar om zich voor hem te openen, om hem te vragen te blijven. Om het te eisen. Om hem alles over zichzelf te vertellen. Om hem alles van zichzelf te beloven, voor altijd. Maar hij voelde hoe ze zich terugtrok.

'Weet je,' zei ze uiteindelijk, bijna alsof ze in zichzelf sprak. 'Er zijn dingen die het waard maken om hier te blijven. Als ik mijn kinderen help, als ik maar het leven van één kind kan veranderen. Dat maakt het allemaal de moeite waard. Het is het krantenpapier dat helemaal niets waard is.'

Hij wist wat ze hem eigenlijk zei. Ze vertelde hem dat ze bleef. Haar leven was hier. Ze zou hem laten gaan. Ze was nog steeds een eiland, terughoudend en alleen.

Toen ze in slaap viel keek Danny naar haar. Ze had beloofd hem uit te zwaaien op het vliegveld en hij had op zijn beurt gezworen dat hij voor haar zou terugkomen, en de wederopbouw van het land zou verslaan. Er zou een toekomst voor ze zijn. Nu er geen woorden meer werden gesproken volgde hij haar lichaam met zijn ogen, de vorm van haar heupen, de schaduw van haar borsten. Hij zou terugkomen, hij zwoor het. Hij zou terugkomen.

Maar toen hij de volgende ochtend wakker werd was ze weg. En er was geen briefje, geen laatste boodschap, net zoals de eerste keer dat ze met elkaar sliepen. Alleen de matras die nog steeds warm was. Hij pakte zijn bagage en Kam bracht hem naar het helikopterplatform. Hij zou daar op haar wachten, dacht hij. Ze zal afscheid van me komen nemen.

Hij wachtte dus. Twee choppers vertrokken zonder hem terwijl hij op de hete landingsbaan stond. Als hij de derde zou missen, dan was het vliegtuig vertrokken. Ze kwam niet. Het werd dus uiteindelijk Kam en niet Maria die hem uitzwaaide, die keek hoe de reusachtige witte chopper zich in de lucht verhief. Het was Kam die de wacht hield tot hij een stipje in het uitgestrekte blauw was geworden. En het was Kam die naar Freetown terugkeerde terwijl de tranen in zijn ogen stonden, in de overtuiging dat hij zijn vriend nooit meer zou zien.

18

[2004]

HET AMERIKAANSE MEISJE dat achter de receptie van de ambassade zat trok een gezicht alsof ze zojuist in een citroen had gebeten. Ze was blond en had blauwe ogen, wat Maria spottend 'uit de klei getrokken' zou hebben genoemd, en ze vond dat alles volgens de regels moest gaan.

'Mijnheer Benson zit de hele dag vol. Hij heeft het erg druk,' zei ze.

Danny drong aan. Hij was hier om Harvey te zien en hij zou niet weggaan voordat dat gebeurde. Ze hadden veel te bespreken.

'Zeg hem dat Danny Kellerman er is. Nu. Hij zal weten waar het over gaat.'

Hij leunde naar voren en plantte zijn handen op haar bureau.

'Als hij erachter komt dat je me hebt afgepoeierd en hem niet eens hebt verteld dat ik er was, dan ben jij je baan kwijt.'

Dat had effect. Ze pakte de telefoon en snauwde: 'Ik weet nu al dat hij u zal zeggen een afspraak te maken.'

Maar ze belde toch, haar hand voor de hoorn toen ze hem sprak. Hij keerde haar zijn rug toe en wachtte tot ze hem zou roepen.

'Mijnheer Benson vraagt of u naar boven wilt gaan,' zei ze, zonder moeite te doen haar boosheid te verbergen.

'Dank je, ik ken de weg.'

Harvey stond op toen hij de kamer binnenkwam. Er waren al twee andere mannen. Amerikanen, zakenmannen, veronderstelde hij, of collega's van de ambassade. Harvey liet ze uit en deed de deur achter hen dicht. Het was plotseling koud en stil in de kamer.

'Wat kom je hier doen, Danny?' vroeg Harvey. 'Ik heb je gezegd dat ik niets meer voor je kan doen. Wat wil je van me?'

'De waarheid,' zei hij.

'Ik heb je de waarheid verteld.'

Harvey's stem klonk vermoeid en triest. Hij zat achterover in zijn stoel. Hij zag eruit of hij met Danny te doen had.

'Je moet haar loslaten,' zei hij. 'Ga terug naar Engeland, Danny. Je gaat er hier aan onderdoor.'

'Je moest eens weten,' zei Danny.

Harvey zweeg.

'Ik weet dat het kindersmokkelverhaal bullshit is,' zei Danny botweg. 'Ik weet dat jij en Maria samen naar Bo reisden. Ik weet dat ze een dossier aanlegde over RUF-leiders, degenen die nu in de regering zitten. Ik weet dat ze het in de openbaarheid wilde brengen, hun nieuwe levens wilde vernietigen. Ik weet dat ze daarom vermoord is. Ze was in Gbamanja's verleden aan het wroeten en hij staat op het punt minister van Mijnbouw te worden. Ik denk dat hij besloot haar uit de weg te laten ruimen voordat ze ermee naar buiten trad en zijn nieuwe carrière zou beëindigen.'

Harvey verroerde zich niet. Hij staarde Danny aan als een vis op het droge. Danny zag zijn adamsappel bewegen toen hij slikte.

'Wat weet je nog meer?' vroeg Harvey. Zijn stem klonk schor, hij moest een droge keel hebben gekregen.

'Ik weet dat jij haar geholpen moet hebben. Jij was het grootste gedeelte van de tijd bij haar in Bo,' zei Danny.

Hij keek naar Harvey, met zijn bleke huid die maar niet

bruin wilde worden in de Afrikaanse zon. Zijn sluike haar en zijn waterige ogen. Wat had ze in hem gezien?

'Ik denk dat jullie een relatie hadden. Je moet van haar gehouden hebben,' zei Danny.

Nu stond Harvey op. Hij liep naar hem toe.

'Hoe weet je dit allemaal?' vroeg hij.

'Ik heb haar dossier. Het blauwe dossier. Waarin ze bewijzen van oorlogsmisdaden verzamelde. Bewijzen tegen mensen als Gbamanja,' zei Danny. 'Ik zou kunnen doorgaan waar zij is gestopt.' Hij lachte bitter. 'Ik had het je toch gezegd, Harvey. Er zat uiteindelijk toch een verhaal in Sierra Leone.'

Harvey stak een sigaret op. Danny had hem nooit eerder zien roken en had opeens zelf ook behoefte aan nicotine. Het was dagen geleden dat hij had gerookt. Harvey gaf hem er een en hield zijn hand om zijn aansteker terwijl Danny inhaleerde. Hij voelde hoe het zijn longen in stroomde, vervolgens de vertrouwde duizeligheid in zijn hoofd toen zijn zenuwtoppen hun dosis kregen. Hij blies een pluim rook uit.

Harvey bekeek hem.

'Het heeft me altijd dwarsgezeten dat ze meer van jou hield,' zei Harvey zakelijk. 'Want er is één ding waar je naast zit. Ze wilde me niet hebben. Niet dat ik het niet geprobeerd heb. Mijn god, ik heb mijn best gedaan. Ik zou voor de rest van mijn leven van die vrouw gehouden hebben en zoveel heb ik haar ook gezegd. Maar ze maakte haar gevoelens duidelijk genoeg.'

Er verscheen emotie op Harvey's gezicht. Die was hard en pijnlijk en zijn onderlip begon te trillen. Hij trok krachtig aan zijn sigaret.

'Ik kon het niet begrijpen. Waarom zou iemand als jij haar verlaten? Ze vertelde me van jullie laatste dagen samen. Je hebt haar nauwelijks vaarwel gezegd. Wat voor soort man laat een vrouw als zij op zo'n manier achter?'

Danny voelde zijn wangen gloeien. Dit kon niet over hem gaan.

'Waarom zou je iemand als haar verlaten?'

'Het lag ingewikkeld,' fluisterde Danny, die de ontoereikendheid van het antwoord voelde. Harvey haalde zijn schouders op.

'Begrijp me niet verkeerd. Er waren anderen na jou. Maar jij was speciaal voor haar, Danny. En je bent altijd speciaal voor haar gebleven. Ik denk dat ze je daarom die brief schreef toen ze in de problemen raakte.'

'En jij hielp haar niet? Jij maakte je uit de voeten?' Danny's toon was beschuldigend.

'Ik kon haar niet helpen, Danny,' zei hij. 'Niet op het laatst. Toen het gevaarlijk werd probeerde ik haar zover te krijgen dat ze stopte met wroeten. Maar ze wilde niet luisteren.'

Harvey's stem sloeg even over, alsof er een barst in het ijs verscheen.

'Ze luisterde nooit. Ze accepteerde mijn advies niet.'

'Help haar dan nu,' drong Danny aan. 'Ik heb het dossier. We kunnen het gebruiken. We kunnen samenwerken. Jij hebt het altijd over het nieuwe Sierra Leone. Nou, dit is onze kans om het goed te laten werken, zonder dat al die klootzakken zichzelf blijven verrijken. We moeten de inhoud van het dossier openbaar maken. Ali heeft het nu, maar ik kan eraan komen. We kunnen Gbamanja ten val brengen.'

Harvey drukte zijn sigaret uit.

'Het nieuwe Sierra Leone is er al, Danny. En of je het nu leuk vindt of niet, het nieuwe Sierra Leone bestaat uit mensen als Gbamanja. Zij zijn de toekomst hier. Als je mijn hulp wilt, Danny, dan geef ik je hetzelfde advies als ik haar gaf. Vernietig dat dossier. Neem het mee naar buiten, verbrand het en ga naar huis.'

Harvey gebaarde naar de deur.

'Je moet nu gaan.'

'Ze zou hebben gewild dat je me hielp,' zei Danny. Het klonk als een laatste wanhopige poging Harvey te overtuigen, en dat was het ook.

Harvey wees hem de deur. Maar toen Danny de kamer uitliep hoorde hij hem fluisteren: 'Ik weet dat ze dat zou hebben gewild, Danny. Ik weet het.'

'IK WOU DAT je dat niet had gedaan,' zei Ali nadat hij een mondvol Scotch had doorgeslikt. 'Het was geen goed idee.'

Danny had hem net verteld dat hij bij Harvey was langs geweest, hem verteld had dat ze Maria's dossier hadden gevonden, dat het Gbamanja was die haar dood had bevolen en dat hij hem om hulp had gevraagd.

'Hoe minder mensen hiervan weten, hoe beter. In ieder geval nu. Dat dossier is alles wat we hebben op dit moment.'

Ze waren terug in Ali's villa. Hier was het veilig. Wat er in Bo was gebeurd leek een droom, maar Danny wist dat hij erbij was geweest, wist dat hij Kafume met de kolf van zijn revolver op zijn hoofd had geslagen en hem in zijn been had geschoten. Hij wist dat hij Kafumes geschreeuw had gehoord toen Ali hem martelde.

'Sorry, Ali,' zei hij. 'Ik moest hem zien. Hij zal ons kunnen helpen, denk ik. Laten we hem wat tijd geven om erover na te denken. Hij is een machtige bondgenoot.'

Ali zuchtte.

'Danny, je begrijpt niet welk spel we spelen. Het is niet Harvey die tijd nodig heeft om na te denken. Dat ben ik. Ik moet onze volgende stap bedenken.'

Hij sloeg zijn glas whisky achterover en smakte met zijn lippen.

'Maar ik kan hier niet meer goed nadenken, de muren komen op me af. Ik ga even naar Alex's. Iemand zin om mee te gaan?'

George schudde zijn hoofd. Het vooruitzicht van drukte en gesprekken sprak Danny ook niet aan. Zijn hoofd voelde als een snelkookpan die elk moment kon exploderen. Hij kon niet voor zichzelf instaan buiten deze veilige plek, buiten deze vertrouwde muren.

'Nee, ik ga slapen. Ik ga het in ieder geval proberen,' zei hij. Ali pakte zijn sleutels en liep naar de deur. Danny riep zijn naam.

'Ik heb je nog niet bedankt,' zei hij.

'Waarvoor?'

'Je schoot de politieman neer. Hij had me doodgeschoten. Maar jij schoot eerst.'

Ali haalde zijn schouders op.

'Het zou makkelijker zijn geweest als hij me had doodgeschoten,' vervolgde Danny. 'Jij had je afkoopsom. Je liep al weg. Dus waarom deed je het?'

Ali keek hem aan. 'Wil je de waarheid horen? Ik heb het me afgevraagd. Als ik er helder over had nagedacht, dan had ik hem gewoon moeten laten schieten. Maar ik dacht er niet over na. Hij had je vermoord, Danny. Je bent mijn vriend. Dus schoot ik hem neer. Zo simpel ligt het.'

Hij lachte.

'Instincten, hè? Onderschat ze niet.'

Toen was hij weg. Freetown in. Op zoek naar een paar borrels en wat ontspanning.

Danny zag hem vertrekken en voelde zich plotseling moe. Hij had de nacht ervoor nauwelijks geslapen. Hij had naar de ventilator aan het plafond liggen staren, gekeken hoe die in eindeloze cirkels rondwervelde. Maria, het dossier, Harvey, Kafume en Gbamanja. Er leek geen einde aan te komen. Hij had zijn ogen de hele nacht niet gesloten.

Hij legde zijn hoofd op de bank en liet de duisternis over zich heen vallen. Hij zonk af en toe weg om weer boven te komen, tot hij zich bewust werd van iemand anders in de kamer. Hij opende zijn ogen en zag bij de deur een gestalte in de schaduw staan. De man stapte het licht in. Het was Kam.

Danny was blij hem te zien, maar dat duurde niet lang. Kams gezicht was getekend door zorgen.

'Mijnheer Danny,' zei hij. 'Waar is mijnheer Ali?'

'Hij is de stad in. Hoezo?'

Kam kreunde. Hij nam zijn witte mutsje af en ging met een hand door zijn kortgeschoren haar.

'Het ziet er slecht uit. Je hoort overal dat Ali in de problemen zit. Dat jij in de problemen zit. Freetown is niet veilig. Je moet vertrekken. Je moet hier weg.'

Danny keek Kam aan. Hij herinnerde zich de woorden van George, dat Kam twee meesters diende. Had Kam geprobeerd van beide walletjes te eten en was hij uiteindelijk de fout in gegaan? Was dat wat hij wilde zeggen? Hij kon het niet geloven.

'Weet je, George denkt dat je Gbamanja het een en ander hebt verteld. Over Winston misschien?'

Kam snoof van woede.

'Die George vindt dat Afrikanen onbetrouwbaar zijn. Maar Kam verraadt zijn vrienden niet.'

Hij ging met gebogen schouders zitten.

'Ik verraad ze niet,' zei hij.

'Dat weet ik, Kam,' zei Danny. 'Ali zal een plan hebben als hij terugkomt. We kunnen ons hieruit redden.'

'Vertrouwt Ali me dan nog?'

Danny knikte.

Het leek niet veel, maar voor Kam scheen het genoeg te zijn. Hij grijnsde en stond op.

'Morgenochtend,' zei hij. 'Dan lossen we alles op.'

DANNY WAS BANG geweest dat hij over bloed, wonden en moorden zou dromen. Toch droomde hij niet over de dood. Hij droomde over Maria. Ze lag in zijn bed, met haar rug naar hem toe. Haar dikke, zwarte haar bedekte zijn gezicht. Hij verloor zich erin, strekte zich naar haar uit, ze draaide zich om en keek hem aan.

'Danny,' zei ze. 'Danny...' Maar het was niet haar stem.

In paniek schoot hij wakker. Het was net licht geworden. Het duurde even voordat hij zich herinnerde waar hij was. George stond over zijn bed heen gebogen en zei zijn naam. Toen zag hij de angst op zijn gezicht en hij wist wat er zou komen.

'Het is Ali,' zei George met een verstikte stem. 'Hij is niet teruggekomen en hij beantwoordt zijn telefoon niet.'

Danny voelde een wee gevoel in zijn maag. Hij sprong uit bed en trok wat kleren aan. Kam stond buiten al voor zijn auto te wachten. Toen ze op weg waren naar Alex's begon de weg zich net te vullen met een paar vroege minibusjes.

Zoals ze verwacht hadden was Alex's gesloten. Maar de eigenaar woonde ernaast en George bonsde op de deur tot een vermoeid ogende Libanees open deed, boos en scheldend in het Arabisch. George fluisterde hem rustig iets toe en de man kalmeerde, waarop ze begonnen te praten. Hij kwam enkele momenten later terug naar de auto.

'Hij is laat vertrokken. Ergens na middernacht. Hassan is er zeker van dat hij alleen is vertrokken en dat hij naar huis ging. Hij was wel erg dronken.'

Hij zou een ongeluk kunnen hebben gehad. Ali's rijstijl was niet bepaald om over naar huis te schrijven. Maar ergens had Danny de hoop al opgegeven. Op deze manier zouden ze hem niet vinden. Ze gingen alle mogelijke routes na die hij had kunnen nemen. Ze belden het ziekenhuis en de Libanese ambassade. Zonder resultaat. Toen ging Georges mobiel af. Hij nam hem aarzelend op. Toen hij Danny even later aansprak huilde hij al.

'Dat was Hassan. De politie had hem net gebeld. Ze hebben Ali's auto gevonden.'

Zwijgend reden ze naar de plek. Het was kilometers buiten Freetown, bij de kustweg die naar het eind van het schiereiland leidde. Het was ver verwijderd van elke logische route die Ali genomen kon hebben. Toen ze er aankwamen zagen ze de SUV. Hij was van de weg af gedenderd en in een ondiepe greppel terechtgekomen. De zijkanten waren ontsierd door schaafsporen, alsof een reusachtige hand zijn nagels erlangs had gehaald. De voorruit was verbrijzeld en vervolgens ingezakt, het chauffeursportier stond open. Er stonden twee politieauto's op de weg geparkeerd. Er liep een zestal politiemannen rond. Een van hen liep op hen af toen ze parkeerden.

George legde uit wie hij was. De politieman schuifelde met zijn voeten en sloeg zijn ogen neer.

'Het spijt me heel erg, mijnheer,' zei hij. 'Het schijnt een roofoverval te zijn geweest.'

'Waar is hij?' vroeg George. Zijn stem was op de een of andere manier krachtig en helder.

De politieman ging hen voor door de jungle. Danny, George en Kam. Het was een begrafenisstoet. Ali lag dertig meter van de auto af. Hij was bedekt met een vies wit laken, maar ze konden zien dat hij met uitgestrekte armen en benen op zijn rug lag. Het laken zat vol bruine bloedvlekken. Danny zag dat Ali's zonnebril naast hem lag, vertrapt en gebroken.

George liep erheen en trok het laken een stukje terug. Danny focuste op hem en deed zijn best niet onder het laken te kijken. Hij zag Georges gezicht betrekken.

'Het is hem,' zei hij.

Toen trok George het hele laken weg en gilde geschrokken. Nu keek Danny wel. Ali lag op zijn rug, zijn koude ogen staarden naar de helderblauwe hemel. Hij lag in een kruishouding en allebei zijn armen waren vlak boven de elleboog afgehakt, zo recht alsof het door een machine was gedaan. Zijn gescheiden ledematen waren netjes bij zijn benen neergelegd.

Hij had de korte mouwen van het RUF gekregen.

George viel op zijn knieën, snikkend in het stof. Danny voelde gal omhoogkomen in zijn keel. Toen grepen twee sterke armen hem van achteren en trokken hem mee. Een zware Afrikaanse stem schreeuwde in zijn oor, hees en vol paniek: 'Ga, mijnheer Danny. Ga! Het is hier niet veilig. Niet hier, niet in de villa. Niet in Freetown. Ga! Ga!'

Het was Kam die hem stevig vasthield terwijl hij schreeuwde en gilde, en die hem terugsleepte naar de auto.

DANNY WAS GEBOEKT voor de avond erop vanaf Lunghi, het was de eerste beschikbare vlucht, en het Cape Sierra was de veiligste plek die Freetown op het moment te bieden had. Kam had hem erheen gebracht en onder een valse naam ingeschreven terwijl hij achter in de Mercedes lag en zijn hoofd omlaaghield.

'Niemand zal weten dat je hier bent,' had Kam hem gezegd.

Danny staarde naar Maria's dossier, dat beschuldigend op het nachtkastje lag. Hij had erop aangedrongen dat ze het zouden meenemen uit Ali's villa. Dit dossier was de oorzaak van alles. Hij moest het beschermen. Kam had hem tegengesproken, had hem gesmeekt. Maar Danny had alle voorstellen van de hand gewezen.

Nu lag het hier voor hem. Voor hem alleen. Afschriften en verklaringen, namen en data. Allemaal beschrijvingen van gruwelijkheden en moorden. Het ene bloedbad na het andere. Hij bekeek het handschrift op de voorkant, en vroeg zich af wanneer Maria met het verzamelen was begonnen. Was het voordat hij haar kende of erna? Ze had toegekeken hoe om haar heen het nieuwe Sierra Leone gevormd werd. Ze had naar het verhaal van Rose geluisterd en had gezien hoe beulen in ministers veranderden, en moordenaars in politiemannen.

Hij moest met iemand praten. Wie dan ook. Zijn laatste uren hier kon hij niet op deze manier alleen doorbrengen. Hij pakte de telefoon en belde Rachels nummer, de cijfers intoetsend als een priester die zich vastklampt aan een dierbaar gebed.

'Danny?' zei ze aarzelend. 'Ben jij dat? Waar ben je?'

Hij was opgelucht haar over de lijn te horen. Er ging een golf van warmte door hem heen. Hij vertelde haar dat hij terug was in Freetown. Hij had woede of verbazing verwacht, maar wat hij hoorde was verdriet waar terughoudendheid in door klonk. De warmte trok weg uit zijn lichaam, hij voelde een angstaanjagende onzekerheid die hij probeerde te negeren.

'Ik kan je niet echt uitleggen wat er aan de hand is,' zei hij uiteindelijk. 'Maar als ik terugkom zal ik praten. Ik zou het graag willen uitpraten.'

Dat wilde hij echt, maar een stem in hem zei al dat het te laat was. Hij besefte opeens dat hij haar voorgoed kwijt was.

'Het heeft geen zin, Danny,' zei ze zacht. 'Ik wil graag dat je terugkomt naar Engeland. Maar niet voor mij. Voor jezelf. Ik heb de rest van mijn spullen al opgehaald. Het is over.'

'Waar slaap je dan nu?' vroeg hij. Hij was bang dat ze op zou hangen en dit was het enige wat hij kon bedenken om haar aan de lijn te houden. Ze zweeg, en in die stilte werd er iets duidelijk.

'Bij een vriend,' zei ze.

Ze aarzelde enigszins. Ze zocht naar een ander woord.

'Wie?'

Hij had haar betrapt en ze wist het. Ze zuchtte door de telefoon. Danny wilde dat het een verdrietig gezucht was, of een schuldig gezucht. Maar dat was het niet. Ze klonk alleen maar moe.

'Ik ben iemand anders tegengekomen.'

Hij wist het al, maar toen hij het hoorde was het nog steeds een klap in zijn gezicht. 'Dat was snel,' snauwde hij.

'Nee, Danny. Dat was het niet.'

'Hoe lang al?'

Er viel weer een stilte terwijl Rachel zijn gedachten probeerde te peilen.

'Ik heb hem een maand geleden ontmoet, maar er is niets gebeurd totdat ik jou verlaten had. Ik weet dat je dat niet zult geloven, maar het is de waarheid.'

'Waarom zou ik je geloven?' bracht hij uit. Maar Rachel hapte niet meer. Hij was niet langer bij machte om haar op de kast krijgen. Haar stem klonk juist zelfverzekerd en evenwichtig.

'Ik had een affaire kunnen beginnen, Danny. God weet dat je me daarvoor genoeg redenen hebt gegeven. Maar ik wilde dat het zou werken. Ik hield van je, Danny. Maar jij stopte allang voordat ik het deed met onze relatie. Dat begrijp je toch wel? Ik was de enige die ermee doorging.'

Hij had genoeg gehoord en gooide de hoorn erop. Twee vrouwen. De ene was dood en de andere had hem voor een andere man verlaten. Het voelde een zwaarte over zich heen komen. Maria was dood, Ali was dood. Rachel was weg. En dat alles voor een dossier. Een dossier over mannen en een land dat hem niets kon schelen. Hij had spoken nagejaagd. Hij had achter dingen aan gelopen die verleden tijd waren. Opeens kreeg hij het gevoel alsof de kamer om hem heen in begon te storten, de muren en het plafond kwamen dichter- en dichterbij, ze knepen hem fijn. Alles golfde voor zijn ogen en hij kon geen adem krijgen. Met moeite kreeg hij zichzelf op de been. Hij moest naar beneden om op adem te komen.

Hij moest iets drinken.

HET DECOR VAN de bar in het Cape Sierra was nauwelijks veranderd. Maar ze serveerden nu wel hun eigen bier, van een brouwerij die een jaar terug was geopend. Het was een van de eerste dingen geweest die Ali hem had verteld. De toekomst van een land valt af te lezen aan hun bier. Het ging dus goed met Sierra Leone. Hij bestelde een dubbele whisky en sloeg deze achterover, en stak een vinger naar de barman op om hem bij te schenken. De man vertrok geen spier. Hij had het allemaal al eerder gezien.

Danny zat voor zich uit te staren en dronk. De bar stroomde vol met de gebruikelijke verzameling types. Maar het was er minder jachtig dan het jaren eerder was geweest. Het was een plek voor zakenlieden aan het worden. Er was geen Fiji Freddie die in een hoek zat te brallen. Het waren mannen in pakken, die deals sloten en handen schudden. Die geld maakten.

Hij voelde hoe de vingers van een hand langzaam over zijn rug naar beneden gleden. Hij draaide zich om en zag een Sierra Leoonse vrouw voor hem staan. Ze was jong, zo begin twintig en droeg een strakke witte blouse. Ze wierp een blik op zijn glas.

'Mijnheer, drinken voor mij kopen?' vroeg ze.

Hij schudde met zijn hoofd, maar dacht toen aan Rachel met haar nieuwe geliefde en werd door wanhoop bevangen. 'Drinken?' herhaalde de vrouw. Hij keek haar aan. Ze glimlachte en haar gezicht was echt beeldschoon, dacht hij. Hij bestelde bij de ober een fles wijn en twee glazen.

'Laten we dit mee naar boven nemen,' zei hij.

Ze moest hem de bar uit helpen, maar kon er wel om giechelen en ze duwde hem zachtjes naar de trap. Ze was tenger en hij torende boven haar uit terwijl ze hem naar zijn kamer loodste. Ze groef suggestief met haar handen in zijn broekzakken toen hij op zoek was naar zijn sleutel. Hij gooide de deur open en ze trok hem naar binnen. Ze haalde zijn portefeuille uit zijn zak en duwde hem op het bed. Ze nam er vijf biljetten van vijfentwintig dollar uit.

'Is dit oké?' vroeg ze. Hij was te ver heen om zelfs maar antwoord te geven, en ze trok voorzichtig aan zijn broekspijpen. Dit wil ik niet doen, dacht hij. Hij wilde niet nog dieper zinken. Maar hij gaf zich over aan de vreugdeloosheid ervan. Hij wilde zich verlagen. Het tegenovergestelde van wat hij met Maria had gehad. Toen ging de seks over het leven en de levenden. Terwijl hij in deze vrouw bewoog en kronkelde en haar gekir in zijn oor hoorde, wist hij dat dit een wanhoopsdaad was.

Toen was het voorbij.

Ze was onmiddellijk vertrokken. Terug naar de bar beneden. Hij had haar te kennen gegeven dat ze moest blijven. Hij wilde praten, een menselijke stem horen die geen deel uitmaakte van de kakofonie van woede die zijn hoofd vulde. Maar ze was opgestaan, zakelijk als een caissière, had de dollarbiljetten in haar bh gestopt en was de kamer uit gelopen. Hij begon te snikken. Hij wilde zo graag met iemand praten.

Danny greep naar de hoteltelefoon en toetste een nummer in. Een bekende Amerikaanse stem antwoordde.

'Met Harvey Benson.'

'Ali is dood,' fluisterde Danny. 'Ze hebben zijn armen eraf gehakt.'

'Danny? Gaat het goed met je?'

'Hij is dood, Harvey,' schreeuwde Danny.

'Waar ben je? Welk nummer is dit? Ik ben blij dat je belt. Zeg me...'

Maar Danny was al weg. Hij had gewild dat Harvey naar hem luisterde, om te horen wat hij te zeggen had. Maar Harvey stelde alleen maar vragen. De hoorn viel uit zijn hand, zijn hoofd zakte voorover en Danny's vrije val stopte, raakte eindelijk de bodem van het hotelbed, en de stank van whisky werd sterker met elke beklagenswaardige snurk in de kamer.

DANNY WERD DE volgende ochtend niet wakker. Het was meer dat hij geleidelijk aan zijn bewustzijn binnen dobberde, na een serie pogingen de slaap ontsteeg, aan de oppervlakte kwam, de pijn in zijn hoofd en hart voelde en weer terugzonk naar beneden. Het moest een uur of negen zijn toen hij rechtop zat.

Hij wilde niet nadenken over wat er vorige nacht was gebeurd. Hij voelde zich beschaamd, maar dat zou later wel komen. Eerst moest hij weg uit Freetown. Zijn vlucht was vanavond. Hij zou zich de hele dag in zijn kamer verborgen houden tot Kam kwam om hem naar de helikopter voor Lunghi te brengen.

Het blauwe dossier lag nog steeds op het nachtkastje. Voor het eerst in dagen voelde hij dat hij een besluit moest nemen. Hij zou het openbaar maken. Harvey kon de kolere krijgen met zijn waarschuwingen. Híj had wél de ballen om het te doen. Hij zou Maria eer bewijzen. Hij was de betere man. Hij zou Gbamanja ten val brengen. Maria wist het en nu zou hij het waarmaken. Daarna zou hij een nieuw leven kunnen beginnen.

Er werd hard op zijn deur geklopt.

'Roomservice.'

Danny stond op. Verward. Hij had niets besteld. Hij liep erheen en wilde de klink vastpakken, maar er was iets wat hem weerhield. Hij tuurde door het kijkgaatje. Er stonden vier mannen. Een van hen klopte nog een keer op de deur.

'Roomservice.'

Danny deinsde achteruit. O, god. O, god. Hoe kon iemand weten dat hij hier was? Koortsachtig keek hij de kamer rond. Hij kon zich nergens verbergen. Hij rende naar het raam, maar de dikke plaat glas zat potdicht. Hij pakte een stoel en smeet hem tegen de ruit. Hij stuiterde met een knal terug maar er zat nog geen krasje op het raam. De mannen voor de deur moesten de herrie gehoord hebben want de deur trilde plotseling alsof iemand zijn schouders ertegen zette.

Danny smeet nog een keer met de stoel. Er verscheen een lange, ragfijne barst in het raam. Hij keek over zijn schouder en zag de deur opbollen toen hij door een volgende klap werd geraakt. Het zou niet lang meer duren.

Hij moest om hulp bellen en toetste Harvey's nummer in. Hij hoorde zijn stem, geruststellend en beheerst.

'U spreekt met Harvey Benson.'

Danny begon koortsachtig te praten.

'Harvey,' schreeuwde hij terwijl de deur achter hem het begaf. 'Harvey, help me. Ik word...'

'Ik kan u nu niet te woord staan,' vervolgde Harvey. 'Laat een boodschap achter na de toon.'

Harvey's telefoon was uitgeschakeld.

'Harvey! Harvey!' gilde Danny en vloog op het blauwe dossier af, om het met twee handen vast te grijpen. Maar terwijl hij dat deed werd hij ruw naar achteren getrokken. Hij kronkelde en worstelde, vocht om los te komen van de twee mannen die hem vasthielden, zelfs na een stevige vuistslag op de zijkant van zijn hoofd sloeg hij nog om zich heen. Toen werd er een hand op zijn mond gelegd. Hij probeerde erin te bijten, waarop er een natte doek op zijn mond werd gedrukt en hij rook hoe iets zuurs en brandends zijn neusgaten binnendrong. Naar adem snakkend vocht hij om frisse lucht te krijgen. Maar het was te laat. Hij voelde zijn blikveld afnemen, zijn armen stopten met bewegen. Hij begon het op te geven en bood geen weerstand meer. Hij zakte in elkaar.

Gbamanja's mannen hebben me, dacht hij. Zoals ze Ali kregen. Zoals ze Maria kregen. Hij dacht aan Kam, hoe hij in het donker in Ali's villa zat. 'Kam verraadt zijn vrienden niet,' had hij gezegd. En terwijl Danny het opgaf klampte hij zich vast aan deze herinnering. Hij dwong zichzelf hierop te vertrouwen. Het was een rots in zijn gedachten terwijl de duisternis over hem heen viel. Hij gaf zich over. Het voelde goed, het voelde warm. Hij liet zich volledig opslokken.

19

HET WAS ZO donker dat Danny niet eens zeker wist of hij zijn ogen open had. Hij draaide zijn hoofd, nauwelijks in staat uit te maken wat beneden of boven was. Het was verstikkend heet er was iets wat zijn hoofd bedekte, iets ruws, als een jutezak. Hij voelde dat zijn handen op zijn rug waren gebonden en hij veronderstelde dat hij op een stoel zat, maar de duisternis dompelde alles onder. Angst drukte zwaar op zijn borst, ijzig en koud.

'Hallo?' vroeg hij aan de duisternis. 'Hallo?'

Er kwam geen antwoord en ergens, hoewel hij er niet aan moest denken, rees de angst dat hij al dood was. Hij kon zich niet herinneren hoe hij hier terecht was gekomen. Hij herinnerde zich het gevecht in de hotelkamer, maar kon zich de gezichten van de mannen die hem hadden meegenomen niet voor de geest halen, of dat ze iets tegen hem hadden gezegd. Hij herinnerde zich alleen nog maar de bittere geur van chemicaliën en daarna een slaap vol dromen totdat hij geleidelijk tot het angstaanjagende besef kwam dat hij wakker was. Hij dacht aan Gbamanja's villa. Zou hij daar zijn? In dat verschrikkelijke hol vol ex-RUF'ers, vol duisternis...

Hij hoorde voetstappen, de zak werd van zijn hoofd getrokken en Danny werd opeens verblind door het licht. Hij deed zijn ogen dicht en zag een veelheid aan kleuren als dansende olievlekken voor zijn gesloten oogleden.

‘Hallo?’ vroeg hij weer. Nu aarzelend en kwetsbaar. ‘Minister Gbamanja?’

Er klonk een kort lachje. Danny had het idee dat Gbamanja voor hem stond en hij kromp ineen. Maar toen hoorde hij een onverwachte stem.

‘Hallo, Danny,’ klonk het kalm en zelfverzekerd, met een accent uit de Amerikaanse Midwest.

Harvey.

Het licht werd langzaam draaglijk en het uitzicht klaarde op voor zijn ogen. Hij bevond zich hoog boven Freetown en het was avond. Hij zat op het afgeschermde terras van een onbekend huis. Hij kon de verre lichten van Freetown diep onder hem zien knipperen, lonkend en lachend. Ze waren onbereikbaar. Harvey stond tegen een muur aangeleund, zo nonchalant alsof het een lantaarnpaal was en hij op de bus stond te wachten. Hij trommelde met zijn vingers op zijn heup.

‘Ik zei je al dat ik blij was dat je belde, Danny. Ik had geen idee waar je uithing,’ zei hij.

Danny staarde hem ongelovig aan. Hij had zichzelf verraden. Met een telefoontje.

‘Ik dacht dat Kam misschien...’

Harvey lachte.

‘Kam? Je chauffeur? Nee, Danny. O, begrijp me goed. Hij vertelt Gbamanja wel eens iets, kleine dingetjes. Maar hij heeft niet de hersenen om dit spel te spelen. Hij kiest een kant en blijft die trouw.’

Kam had hem niet verraden. Hij had ze niet naar het Cape Sierra geleid. En zich ook niet uit angst of voor het geld laten omkopen. Hij wilde opstaan om Harvey te lijf te gaan, hij kwam omhoog en worstelde met de koorden die hem aan de stoel vasthielden. Maar ze waren van plastic, ze hielden stand en sneden in zijn huid.

‘Doe dat nou niet,’ zei Harvey en liep op hem af. Hij legde

een hand op Danny's borst en duwde hem terug in de stoel. 'Je verwondt jezelf nog eens.'

'Sorry van dit alles, Danny. Het is een beetje...' Harvey zocht naar het juiste woord. 'Melodramatisch? Maar ik wilde... nee, ik móést je van de ernst van deze situatie overtuigen.'

Danny probeerde rustig na te denken. Deze klootzak, deze koude vissenkop had hem hier vast, gedroeg zich kalm en professioneel en had het over de ernst van de situatie. Nou, hij kon barsten.

'Krijg de kolere, Harvey. Laat me hieruit. Ik ben journalist. Je kunt niet zomaar reporters ontvoeren. Dit is Hollywood niet.'

Harvey greep in zijn zak en haalde een pakje sigaretten tevoorschijn. Hij nam er een uit en stak deze aan. Hij inhaleerde één keer zodat het eind een gloeiend rood kooltje werd en hoestte.

'Ik probeer ermee te stoppen. Het is rampzalig voor je gezondheid,' zei hij verontschuldigend. Toen boog hij zich voorover en drukte de brandende peuk terloops uit op Danny's dijbeen. Het brandde onmiddellijk door zijn broek heen en zond een smeltende pijnflits door zijn lichaam. Hij schreeuwde van pijn en verbijstering.

'Goed. Misschien dat je nu beseft hoe serieus ik ben,' zei Harvey.

Danny kon niet geloven dat dit net was gebeurd. Hij speurde naar iets bekends op Harvey's gezicht. Maar de Amerikaan leek iemand anders, een nieuwe versie van Harvey. Hij begreep dat dit de echte was. Hij zag Harvey voor de eerste keer.

'Ik begrijp het,' zei hij zwak. Hij wilde verschrikkelijk graag naar zijn dijbeen grijpen, maar kon zijn handen niet bewegen.

'Ik geloof niet dat je dat doet, Danny.'

Harvey begon voor hem te ijsberen. Heen en weer, heen en weer, zijn handen op zijn rug gevouwen.

'Ik heb het je uit proberen te leggen. Er is hier een nieuw land aan het ontstaan. De oorlog is voorbij en het is tijd om het verleden te vergeten. Dit zou een rijk land kunnen zijn, weet je? Er zijn diamanten en goud hier. Het moet alleen bijkomen van de oorlog, zodat we verder kunnen.'

Het was Harvey's oude verhaal, maar het klonk nu niet meer als een pr-bedenksel. Het was een geloofsbelijdenis. Hij geloofde er echt in. Hij boog zich naar Danny toe.

'Ik verricht goed werk hier,' zei hij. 'Deze regering moet functioneren zodat het land heropgebouwd kan worden. En voor een goed functioneren van deze regering moet iedereen erin zitten. Zelfs het RUF. Zelfs als sommige RUF-mensen, hoe zal ik het zeggen, een "twijfelachtig" verleden hebben. Ik snap niet waarom je dat niet ziet. Ik snap ook niet waarom Maria dat niet kon zien.'

'Gbamanja is een monster,' stotterde Danny. Harvey haalde zijn schouders op.

'Ja, maar hij wordt wel *míjn* monster.' Hij lachte en werd toen weer serieus. 'Je hebt de boel echt bijna verknald,' zei hij. 'Denk je dat ik het leuk vind om dit te doen? Denk je dat ik Ali Alhoun dood wilde?'

Harvey boog zich nog verder naar hem toe en Danny kon zijn adem ruiken. Hij wendde zijn gezicht af.

'Denk je dat ik Maria dood wilde?'

Maria? Wat had Harvey gedaan?

'Maar jij hielp haar,' zei Danny. 'Je was met haar in Bo. Je hield van haar.'

Danny verbleekte bij de blik die op Harvey's gezicht verscheen en hoorde hem zwaar ademen.

'Wat weet jij van liefde, Danny? Van hoe het voelt om van zo'n vrouw te houden? Jij weet niets. Je had geen idee hoe zij was. Je kende haar helemaal niet.'

Zijn gezicht bevond zich voor dat van Danny, zijn tanden knarsten.

'Jij kende haar niet zoals ik haar kende,' herhaalde hij. Zijn stem klonk ijzig, maar het waren de onuitgesproken woorden die het zwaarst in de lucht hingen. Je hield niet van haar. Je hield niet van haar zoals ik van haar hield, was wat Harvey werkelijk bedoelde.

De Amerikaan keek hem met halfdichtgeknepen ogen aan en sprak toen weer. Hij probeerde zich te beheersen.

'Natuurlijk, ik hielp haar met het dossier. Dat is wat we doen. Dat is wie we zijn. Maria en ik. We houden dossiers bij over mensen. We wroeten in het rond. We rapporteren. Soms handelen we in het landsbelang. Dat is ons werk.'

Hij sprak de woorden doelbewust uit en wachtte tot bij Danny het kwartje was gevallen.

'Maria werkte voor jou? Wat ben je dan? CIA?'

'Laten we het geen naam geven, Danny. Ze opereerde hier al jaren onder haar dekmantel. Ze kende dit land als geen ander en liet niet over zich heen lopen. Ze vocht voor de belangen van Amerika, en door dat te doen ook voor het belang van Sierra Leone. Ik geloof niet dat je je kunt voorstellen hoe ik me voelde toen ik ontdekte dat ze andere plannen had met onze gegevens. Ze maakte haar eigen kopie om die openbaar te maken. Ze werd opeens een voorvechtster van de mensenrechten.'

Harvey liep naar Danny toe en sloeg hem hard met de vlakke hand in zijn gezicht. Harvey boog zich dicht naar Danny toe, zodat deze de kloddertjes spuug op zijn wang voelde toen hij schreeuwde: 'Ik geloof niet dat je je kunt voorstellen hoe ik me toen voelde.'

Danny's hoofd tolde. Maria was van de CIA? Haar baan bij War Child was slechts een dekmantel? Het leek krankzinnig. Maar hij hield zich vast aan het enige wat overeind bleef: Maria's dossier was echt. Ze had op het laatst gerechtigheid gewild en was ervoor gestorven.

En Harvey had van haar gehouden. Zelfs toen hij bevolen had dat ze dood moest.

'Hoe kon je het door zulke klootzakken laten doen?' zei Danny.

Harvey ademde weer zwaar, de geluiden van zijn op en neer gaande borstkas vulden de ruimte.

'Het is niet makkelijk wat ik deed, Danny. Het was zwaar,' zei hij. Net onder de oppervlakte begon zijn stem te breken, een teken van dun ijs dat onder spanning stond.

'Jij hebt haar laten doodgaan. Jij hebt haar laten verkrachten,' zei Danny.

Harvey staarde hem aan, zijn handen spanden en ontspanden zich, de aders op zijn pols zwollen op. Een moment later keerde de Amerikaan Danny de rug toe en keek door de deur naar de rest van de villa. Danny keek naar zijn uitdrukkingsloze rug, vol angst voor wat hij nu zou gaan doen. 'Ik had niet gewild dat het zo zou eindigen,' fluisterde Harvey. 'In onze branche moeten soms offers worden gebracht. Dat wist ik. Zij wist dat. Maar de manier waarop het is gebeurd, dat heb ik niet gewild.'

Hij draaide zich om en keek Danny weer aan.

'Ik hoop dat je dat niet vergeet,' zei Harvey. Het klonk als een smeekbede. Danny wist niet wat hij hierop moest zeggen en Harvey interpreteerde zijn zwijgen als een aansporing. Zijn mond brak open in een gemene grijns.

'Weet je, ik heb nooit begrepen wat ze in een man als jij zag. Om voor een journalist te vallen, ze moest in godsnaam toch beter weten. Al dat hypocriete gedoe. Zij wist hoe de wereld werkelijk in elkaar zat. Dat wisten we allebei...'

Harvey aarzelde. Hij leek zich iets te herinneren; een incident, een moment samen, maar hij hield het achter het masker van zijn gezicht verborgen.

'Weet je, het was vlak nadat ze me vertelde dat ze me nooit als geliefde wilde hebben dat ik achter jullie affaire kwam.'

Danny kon zijn oren niet geloven.

'O, doe niet zo verrast, Danny. Ik wist alles. Ik dacht dat jij gewoon een gepasseerd station was, maar toen jij hier verscheen met al die stomme vragen van je, toen wist ik dat we hiermee zwaar in de problemen zouden kunnen komen.'

Danny keek naar hem. Hij wist dat hij iets had wat Harvey nooit zou hebben, wat hem een gevoel van kracht gaf. Danny had van Maria gehouden en had dezelfde liefde teruggekregen. Harvey was afgewezen.

'We waren verliefd, Harvey. Het kan me niet schelen wat je verder allemaal denkt te weten, maar van dit soort dingen weet je in ieder geval niet veel af.'

In een flits stapte Harvey met geheven vuist naar voren. Danny kromp ineen en sloot zijn ogen, maar er volgde slechts stilte. Hij wachtte even en keek. Harvey had het gevoel dat hij het spel uit handen gaf en trok zich terug. Hij haalde een zakdoek tevoorschijn en wiste zijn voorhoofd af. Hij glimlachte flauwtjes.

'Zij was de laatste van wie ik verwacht had dat ze er een eigen agenda op na zou gaan houden. Haar dekmantel steeg haar naar het hoofd. Ze geloofde erin. Ik had het moeten zien aankomen en toen ik erachter kwam was het te laat om haar terug te halen. Ik verwijt het mezelf, maar we hadden geen keus. Ze zou een verrader worden, zowel van haar eigen land als van dit land.'

'Je bent compleet gestoord, Harvey,' zei Danny.

Harvey schudde zijn hoofd. 'Ik had al jaren geleden moeten zien dat er iets mis was. Toen je met haar die idiote trip door de jungle ondernam om die RUF-kinderen te kopen. Dat artikel heeft ons een hoop ellende opgeleverd. Het is niet de bedoeling dat een dekmantel wereldwijd voorpaginanieuws wordt. Wij opereren achter de schermen en kunnen dat niet gebruiken.'

Harvey schudde zijn hoofd en haalde in een gebaar van spijt zijn schouders op.

'Ik heb het toen door de vingers gezien. Maar ik had moeten weten dat het een teken was dat ze het niet meer zo helder zag.'

Het duizelde Danny na deze onthulling. Hij herinnerde zich dat hij die dag naar Maria's kantoor was gegaan, hoe ze hem ontweken had en waarschuwde dat het artikel haar in de problemen had gebracht. Hij had niet echt naar haar geluisterd. Hij voelde zich alleen maar gekwetst door haar afwijzing. Ze had hem gevraagd haar te vertrouwen. Maar wie had hij moeten vertrouwen? Hij had niet eens geweten wie ze werkelijk was.

'Krijg de kolere, Harvey,' zei Danny kwaad. 'Dit heeft niets met mij te maken.'

Harvey snoof spottend en zijn lippen veranderden in een streep toen hij zich naar Danny toe boog.

'Danny, jij bent degene die er een puinhoop van maakt. Dacht je dat Ali dood zou zijn als jij je er niet tegenaan had bemoeid? Hij zou met een hoer op schoot in een bar zitten.

Danny!' riep Harvey lachend uit. 'Jij bent niet de held van dit verhaal. Dat ben ik.

Luister,' vervolgde hij. 'Wat denk je dat er gebeurd zou zijn als Maria haar informatie openbaar had gemaakt? Denk je dat figuren als Gbamanja hun handen omhoogsteken en meekomen? Nee, Danny. In een mum van tijd zijn ze terug in de jungle om nog meer kinderen te vermoorden en moordenaars van anderen te maken. Terug naar af. Terug naar de oorlog. Wil je dat? We kunnen dit stoppen, Danny. Laat dit land er weer bovenop komen.'

Danny zweeg.

'Dit is Afrika, Danny. Hier gelden andere regels.'

Harvey keek hem aan.

'Weet je eigenlijk waarom je nog niet dood bent?'

Het voelde alsof er een ijspriem door Danny's hart ging.

'Vanwege die verdomde krant van je. Undercoveragenten

als Maria verdwijnen voortdurend. Het hoort bij de taakomschrijving. Een dode Libanese diamanthandelaar? Kan gebeuren. Maar jij? Een westerse journalist, die de dood van een ex-geliefde onderzoekt. Om dat soort zaakjes hangt een kwalijke geur en dat moeten we niet hebben. We willen dus nu dat dit voorbij is, en niet met nóg een dodelijk ongeluk erbij. Jezus, waarom slikte je niet gewoon dat verhaal van die Nigeriaanse kindersmokkel en ging je naar huis?'

Hij zweeg een moment.

'Weet je, ik geloof dat je nog steeds niet overtuigd bent.'

Harvey draaide zich om en klopte op de deur die toegang tot de villa verschafte. Er verschenen twee potige blanke types. Harvey zei niets tegen ze, maar ze kwamen achter hem in beweging. Danny probeerde wanhopig zijn nek te draaien om te zien wat er gebeurde, maar hij voelde dat zijn nek in een soort bankschroef werd genomen. Een andere hand greep hem bij zijn kaak en trok zijn mond open. Hij zag hoe Harvey langzaam en zorgvuldig plastic handschoenen aantrok en dat er iets metaligs in zijn handen glinsterde. Hij liep op hem af en ging op hem zitten. Ze zaten oog in oog met elkaar, zo intiem als geliefden, en zagen elkaar in de ogen.

'Ik stel je zo dadelijk voor de keuze, Danny. Het is een simpele keuze. En je zult goed bij jezelf te rade moeten gaan als je nadenkt over je antwoord. Wat zou Maria echt hebben gewild dat je zou doen?'

Hij bewoog het metalen ding naar hem toe, en streelde zijn kin met het koude staal.

'Ze hield van je, Danny. Wat zou ze hebben gewild dat je zou doen?' herhaalde hij. Waarop hij de tang diep in Danny's mond zette en begon te trekken.

En Danny schreeuwde.

Toen het voorbij was, eindelijk voorbij was, had het

bloed zijn shirt rood gekleurd in het midden, als een schort. Harvey nam Danny's gezicht in zijn hand en wiegde zijn kin heen en weer. Toen, met een blik vol medeleven, gaf hij Danny met zachte stem de keuze en Danny begon te huilen.

DE KEUZE WAS eenvoudig genoeg. Hij zou vrijgelaten worden. Hij zou teruggaan naar Londen en vergeten dat dit ooit gebeurd was. Hij zou er nooit meer over spreken. Maria, de herinnering aan het blauwe dossier en wat erin stond zou hij uit zijn hoofd zetten. Maria's dood zou een beroving blijven, een hulpverlener die in een afgelegen land vermoord was. Ze zou haar leven hebben opgeofferd voor niets. Gbamanja zou binnenkort de volgende minister van Mijnbouw van Sierra Leone worden. Hij zou een bondgenoot van Amerika en de westerse wereld zijn. Het land zou vrede kennen.

Of, Danny zou het dossier openbaar maken. Ze zouden hem nog steeds niet doden. Ze zouden de slechte krantenkoppen ondergaan en het zo goed mogelijk recht proberen te buigen. Dat hadden ze al eerder meegemaakt. Maar Danny's vrienden zouden sterven.

Allemaal.

Harvey noemde ze op.

'Je chauffeur Kam zal een ongeluk krijgen. Zijn vrouw en dochter in Senegal misschien ook wel. Het heengaan van George zal alleen maar verder bijdragen aan het verdriet van de familie Alhoun. Rose zal zich bij haar dode kinderen voegen, net als Winston. Majoor Oluwasegun zal de stress van Lagos niet meer aankunnen en zelfmoord plegen. Hun dood ligt in jouw handen, en niemand behalve jij zal het weten of zich er druk over maken. Jouw dood zal in kranten staan, Danny. Die van hen niet. Niet één van hen. Dat is onze zekerheid. Als je eenmaal in Londen terug bent zou je de verleiding kunnen voelen om het openbaar te maken.

Maar bij elke keer moet je maar bedenken wat we met je vrienden zullen doen.'

'Je bluft, Harvey,' zei Danny in een opwelling.

'Nee, Danny, dat doe ik niet,' zei Harvey met een stem die vlak en doods was als een graf.

Harvey knielde en pakte iets op van de vloer. Hij hield het omhoog in het licht en bestudeerde het als een juwelier die naar een diamant kijkt. Toen hield hij het tussen zijn duim en wijsvinger. Het was een van zijn ontbrekende tanden.

'Je bent geen held, Danny. Helden offeren zichzelf en anderen op. Helden sterven voor hun doelen. Ze doden ervoor. Maria was een held. Maar jij niet. Jij zult kiezen dat ze zullen leven. Neem dus de juiste beslissing.'

Harvey stond op en stopte Danny's tand nonchalant in zijn jaszak.

'Mocht je ooit in de verleiding komen om je zwijgen te verbreken, Danny, bedenk dan waar je tand is.'

En Danny dacht bij zichzelf: wat zou Maria gewild hebben dat ik zou doen?

Maria was hiervoor gestorven en nu kwam het op hem neer. Alles wat ze had willen doen, alles waar ze in geloofde druiste hiertegen in. Ze mocht dan wel CIA zijn geweest, maar uiteindelijk wilde ze gerechtigheid. Voor Rose, en de duizenden die hetzelfde lot hadden ondergaan. Hoe kon ze in een wereld leven waar de slachtoffers arm waren en de moordenaars vet en rijk werden?

Ze vertelde Danny eens dat ze de wereld mens voor mens wilde verbeterden. Ze vertelde hem hoe het voelde om zo'n invloed te hebben op individuele levens, om de namen te weten van wie je had geholpen. Hij hield nu verschillende levens in zijn handen. Kam, Rose, George, Winston. Hij kon hun levens sparen, maar alleen als hij Maria opgaf. Hij zou afstand moeten nemen van haar nagedachtenis, haar doel. Hij wilde haar niet nog eens afvallen, haar op het laatste moment verlaten terwijl alles waar ze voor gevochten had in zijn handen lag.

En toch voelde het uiteindelijk als een simpele beslissing. Hij keek uit over het nachtelijke Freetown en verbaasde zich over het uitzicht, alsof hij het voor het eerst zag. De lichten, de auto's, de boten op zee. Het vuil, de smerigheid en alle ellende van de wereld. Het viel allemaal te vinden in deze stad van een miljoen mensen, waarvan hij een handjevol zijn vrienden kon noemen. Je koos ervoor een enkel leven te redden. Dat was haar manier geweest om de wereld te verbeteren. Je redde degenen van wie je was gaan houden.

Laat Kam zijn dagen slijten, laat hem zijn vrouw rijk en gelukkig maken. Laat Rose oud worden en rouwen om haar verloren kinderen. Laat haar proberen Winston van zijn onvoorstelbare demonen te bevrijden. Laat Gbamanja zijn miljoenen binnenhalen. Laat de God van Oluwasegun voor hem zorgen. Laat George een gezin stichten. Laat allen die daar in vrede leven er het beste van maken. Laat het verleden dood blijven. Maak een graf en begraaf het. Danny keek omlaag naar de rode vlekken op zijn shirt. Te veel bloed, dacht hij. Het gaat nu stoppen.

Hij wachtte tot Harvey terugkwam. Toen de deur openging en Harvey de patio op kwam lopen, keek de Amerikaan naar Danny's gezicht en glimlachte. Het was een wetende glimlach: blij, tevreden en opgelucht.

'Je zult ze in leven laten?' vroeg Danny. 'Allemaal?'

Harvey knikte.

'Dat is mijn gedeelte van de afspraak.'

'Ook Winston,' zei Danny. 'Laat hem vrij. Krijg de politie zover dat ze hem terug laten gaan naar zijn moeder. Laat ze met rust.'

Harvey knikte weer.

'Hij zal morgenochtend bij Rose zijn.'

'Hoe kan ik je vertrouwen?'

'Je hebt mijn woord, Danny,' zei Harvey. 'Dat is alles wat je nodig hebt. Jouw zwijgen spaart hun levens. Dat is onze afspraak.'

Danny geloofde dat hij de waarheid sprak. Ik ben geen held, dacht hij. Daar had Harvey gelijk in. Maar het was niet zo dat Danny geen offer had gebracht. Hij had Maria opgeofferd en daarmee had hij, uiteindelijk, een oorlogskind gered. Winston gered. Hij keek naar Harvey en voelde zich opeens sterk, ondanks de pijn waar zijn tanden hadden gezeten, ondanks de rauwe smaak van bloed in zijn mond. Harvey keek hem aan met een opgetrokken wenkbrauw.

Danny knikte. De deal was rond.

Harvey liep naar hem toe.

'Het is voorbij, Danny,' zei hij en kneep Danny als een oude vriend lichtjes in zijn schouder, hem troostend voor zijn verlies. Toen begon hij voorzichtig – zodat het geen pijn zou doen – zijn handen los te maken.

Danny's handen gaven mee en waren plotseling los. Toen hij voelde hoe het bloed in zijn handen terugstroomde kreeg hij een idee. Hij zou zich aan hun deal houden. Maar het was allemaal begonnen met een brief, dacht hij. Hij zou ervoor zorgen dat het op dezelfde manier eindigde.

Epiloog

[Londen, zes maanden later]

DANNY KELLERMAN ZAT in een achterafstraatje bij Soho in een café en keek nerveus op zijn horloge. Ze was niet laat. Hij was vroeg. Maar hij had al een kop koffie op. Hij gebaarde naar de ober om hem er nog een te brengen.

'Het is een geweldige meid,' had Rachel hem een dag eerder over de telefoon gezegd. 'Ze is nieuw op mijn werk en het is precies je type.'

Hij vroeg zich af of Rachel wel de juiste persoon was om dat te beoordelen. Hij moest er nog steeds aan wennen dat hij nu als laatste op haar lijst van ex-geliefden een goede vriend was. Maar het was geen slechte positie. Het voelde betrouwbaar. Het voelde echt. Hij had haar gezegd dat het hem niet zo'n goed idee leek om met een van haar collega's een blind date te hebben, zeker gezien de omstandigheden waaronder hun eigen relatie geëindigd was. Maar Rachel had hem haar bekende grijns gegeven en doorgezet. Dus hier zat hij nu, met de bekende zenuwen van een eerste afspraakje. Zoals afgesproken had hij een opengeslagen krant voor zich liggen: zo zou ze weten dat hij het was.

Hij wierp een blik op de opengeslagen pagina en zag de korte nieuwsberichten. De locatie trok zijn aandacht. Freetown. Een zelfmoord, daar leek het op, van een Amerikaanse diplomaat. Een schot door het hoofd. Harvey Benson.

Zijn brief had eindelijk zijn werk gedaan.

Hij had een brief aan Ali's neef George geschreven. Hij

had hem verteld wat er allemaal was gebeurd, en van de stilzwijgende afspraak die al hun levens spaarde. Die echter niet dat van Harvey had gespaard. De CIA zou nog steeds zijn nieuwe bondgenoot in West-Afrika hebben. Gbamanja zou van zijn rijkdom gaan genieten. Maar Harvey was vervangbaar. Wat had hij ook alweer gezegd over de dood van agenten als hij en Maria? 'Het hoort bij de taakomschrijving,' had hij gniffelend gezegd. Nou, de familie Alhoun had hem de impact van deze woorden laten zien. Ook zijn leven kon door de CIA opgeofferd worden voor het hogere doel. Hij vroeg zich af hoe George het voor elkaar had gekregen. Waren ze Harvey's villa binnengeslopen, of hadden ze hem met een hinderlaag op de weg te pakken gekregen? Maar Danny hoefde de details niet te weten. Het was nu voorbij. Er hoefden geen doden meer te vallen.

Hij vroeg zich af wat zijn laatste gedachten zouden zijn geweest. Misschien had hij aan Maria gedacht. Zich voor de zoveelste keer afgevraagd waarom ze hem had verraden. Waarom ze hem gedwongen had te doen wat hij had gedaan. Misschien gaf hij haar de schuld van haar eigen dood. Of verweet hij het op het laatst zichzelf.

Harvey had echter gelijk gehad. Danny had Maria nooit gekend. Dat hadden ze allebei niet. Ze was een korte glimp van een prachtig, onontdekt land in stormachtige tijden geweest. Op de top van een brekende golf, en op weg naar de volgende voor altijd verdwenen. Ze had een keer gezegd dat ze van hem hield. Maar hij wist nu niet of ze dat werkelijk had gedaan. Hij dacht aan haar, aan haar verdwenen blauwe dossier en alle verschrikkelijke dingen die erin hadden gestaan. Hij staarde de lege ruimte in en werd opeens verwarmd door een Afrikaanse zon, niet door de slappe Engelse versie die bescheiden vanuit de hemel scheen.

Toen was het moment voorbij.

Danny vouwde de krant op, zodat hij de kop niet hoefde

te zien, en keek naar de drukte op straat. Hij zag een vrouw op hem afkomen, met een lichtbruine huid, donkere ogen en een bekende vragende blik op haar gezicht. Voor de laatste keer sloeg zijn hart over. Maar het was Maria niet. Het was alleen maar het leuke meisje met wie hij een lunchafspraak had. Ze glimlachte naar hem. Hij glimlachte terug.

Hij stond op om haar te begroeten.

Dankwoord

Mijn dank gaat uit naar mijn agent, Elizabeth Sheinkman van Curtis Brown. Ik zou ook het team van Dutton willen bedanken: Trena Keating, Ben Sevier en Erika Imranyi. Hun redactionele kwaliteiten hebben er een veel beter boek van gemaakt. Mijn diepe waardering gaat uit naar vrienden die eerdere versies van het manuscript hebben gelezen en me hebben gesteund en aangemoedigd. Dit zijn Lee Bailey, Maria Crotty, Kirsty de Garis en Burhan Wazir. Ook dank ik redacteuren en collega's uit de journalistieke wereld, in het bijzonder die van *The Observer*, die het mij mogelijk maken plezier te hebben en het een 'carrière' te noemen. Dit zijn, in willekeurige volgorde, Tracy McVeigh, Andy Malone, Roger Alton, Paul Webster, Peter Beaumont en Peter Alexander. Ten slotte dank ik Simon English voor de lange jaren van vriendschap.